李煥明編

方東美先生哲學嘉言

文史哲出版社印行

國立中央圖書館出版品預行編目資料

方東美先生哲學嘉言 / 李煥明編. -- 初版. --
臺北市 : 文史哲, 民８１
冊 ; 公分
ISBN 957-547-167-9(平裝)

1. 東方美學 - 學識 - 哲學

128　　81004097

方東美先生哲學嘉言

編　者：李　煥　明
出版者：文　史　哲　出　版　社
登記證字號：行政院新聞局局版臺業字五三三七號
發行人：彭　正　雄
發行所：文　史　哲　出　版　社
印刷者：文　史　哲　出　版　社
台北市羅斯福路一段七十二巷四號
郵撥〇五一二八八一二彭正雄帳戶
電話：三　五　一　一　〇　二　八
實價新台幣五〇〇元
中華民國八十一年十月初版

ISBN 957-547-167-9

例言

一代大哲方東美先生，學識淵博，辯才無礙，精研哲理，融貫東西。我們試讀其全集，必能體會其學術成就之偉大，而敬佩不已。然而，《東美全集》有十餘冊之多，總計五百餘萬言，內容廣博精深，如非專攻哲學者，實難於徧讀。茲應讀者需要，採擷全集之精華，予以分類編輯，使讀者含英咀華，有如讀完全集。本書可供一般人士參閱，亦可供專攻哲學者研究檢閱之用，茲舉編例如左。

一、本書所輯嘉言以精闢扼要及有特殊見解者爲主，每則以能表達一個中心概念具有參考價值之段落爲選錄標準，故長短不一，字數不拘。

二、本書分爲十四類，即哲學總論、中國哲學總論、原始儒家哲學、原始道家哲學、佛家哲學、新儒家哲學、中國人生哲學、西洋哲學、印度哲學、藝術哲學與美學、文化與學術、治學方法、哲學與詩、及詩選。各類嘉言大體上按照性質及時代先後編列。

三、每則嘉言以歸入一類爲原則，不另歸入近似的他類，以免重複而節省篇幅。

四、本書嘉言採自下列各書：《生生之德》、《原始儒家道家哲學》、《新儒家哲學十八講》、《方東美先生演講集》、《中國大乘佛學》、《華嚴宗哲學》、《堅白精舍詩集》（以上均係黎明文化公司出版）、《中國人生哲學概要》（先知出版社）、《科學哲學與人生》（虹橋書店）、《中國人的人生觀》（幼獅文化公司）、《中國哲學之精神及其發展》（上冊，成均出版社）。間有採自方先生單篇論文，而爲全集所未收入者。

五、本書爲求精簡，除必要之原註仍酌予保留外，其餘如一般人士所習知之出處，及爲外國讀者所下之註，一律從略。

六、爲使眉目清晰便於閱讀，每則嘉言由編者加一標題，括入方括號內，並於書前編列細目及頁碼，以便讀者查閱。

七、方先生對於中國文化之復興及學術研究極爲重視，本書特設「文化與學術」一類。

八、方先生治學有獨到之處，平日喜談治學方法，本書特設「治學方法」一類。

九、方先生除精研中、西、印哲學外，並擅長藝術哲學及美學，故有人稱之爲藝術的哲學家，本書特設「藝術哲學與美學」一類。

一〇、方先生之古典詩詞造詣精深，詩中往往蘊含哲理，可說是詩中有哲。本書特選錄堅白精舍詩詞二十二首，藉窺一斑。

方東美先生哲學嘉言 總目

方東美先生哲學嘉言　細目

一、哲學總論

二、中國哲學總論

三、原始儒家哲學

七、中國人生哲學

一二、治學方法

一三、哲學與詩

一四、堅白精舍詩選

一、哲學總論

【哲學是人生的導師，至善的良友】

你們心中有哲學嗎？諸位聽我這樣發問，或許要嫌我唐突，但我所以如此發問，却有個道理。英國文學家蕭伯納嘗說：「你們不能相信榮譽，除非你們已曾獲得榮譽」。現在我也仿蕭伯納的口氣說道：除非你們心中先有了哲學，是不會瞭解哲學的。照目前的形勢看來，全國上下頗有反對哲學的趨勢，一般人沾染近代西洋功利主義的習氣甚深，以爲哲學對我們的生活是無用的，時常有人說，哲學不能烘麵包，要它做什麼？誠然不錯！哲學不能烘麵包，但我要問，人生的目的只在吃麵包麼？即就這層而論，西洋亦尙有個諺語：哲學雖然不能烘麵包，但可以使麵包增加甜味。我們處在社會上，不僅要生活，更須啓發深刻的思想，培養優美的情緒，使我們的生命內容日益豐富；使我們的生命意義更加完善；使我們的生命價值逐漸提高。哲學不僅僅教我們生活，因爲生活是我們的本能要求，用不着哲學來教導，但如何生活纔能取得意義，如何生活纔能實現價值，這却是哲學上重大的問題。羅馬哲學家西塞羅（Cicero）讚美哲學說：「哲學！人生之導師，至善之良友，罪惡之勁敵，假使沒有你，人生又值得甚麼！」諸位要知道，哲學不能烘麵包，不是它的缺點，只圖吃麵包的人不必要有哲學，也必不能有哲學。倘若吃麵包還要咀嚼其美味，便少不了甘蜜或甜醬。哲學之於人生，不只是一塊黑麵包，而是一瓶甘蜜，一罐甜醬。

——《中國人生哲學概要》頁一一二

【哲學的功能】

「哲學之有助於文化，不在闡發絕對幽玄的知識，以求標新立異，逞豔鬥奇，而在提示種種問題，令人可以憭悟生命情緒，領受生命奇趣，觀感生命之戲劇的景象。」培道（W. Pater）這種說法對於哲學的功能可謂鞭辟入裏。

——《科學哲學與人生》頁二七〇

【哲學的能事】

約而言之，哲學的能事盡在於此：㈠本極緻密的求知方法，窮詰有法天下之底蘊，使其質相，結構，關鍵，凡可理解者，一一了然於吾心；㈡依健全的精神領悟有情天下之情趣，使生命活動中所呈露的價值如美善愛等循序實現，底於完成。就境的認識言，哲學須是窮物之理，於客觀世界上一切事象演變之跡「莫不因其（可知）已知之理而益窮之，以求致乎其極。」就情的蘊發言，哲學須是盡人之性，使世間有情眾生各本其敬生，達生，樂生的懿德，推而廣之，創而進之，增而益之，「體萬物而與天下共親，」以兼其愛，「裁萬類而與天下共覩」，以彰其善，感萬有而與天下共賞，以審其美。哲學之建設如能救助人類成就了這兩種豐功偉烈，則哲學之志業已足不朽了。

——《科學哲學與人生》頁三四—三五

【哲學應以批導文化生態爲主旨】

吾嘗端居幽思，覺哲學所造之境，應以批導文化生態爲其主旨，始能潛入民族心靈深處，洞見其情與理，而後言之有物，所謂入乎其內者有深情，出乎其外者乃見顯理也，此意嘗於「生命情調與美感」中發之。

【在哲學界所產生的綜合與分析的兩種思想理論】

——《生生之德》頁一三七

在整個的哲學裏面，我們以開擴的心胸去看時，便可以發現哲學的整個發展，不論是西方哲學、印度哲學，或者是中國從先秦以來到宋明理學中的儒家哲學，對於這些哲學思想，我們必須要瞭解德國哲學家尼采所說的一段話，因爲我們平常在研究哲學時，祇曉得就那個哲學本身的思想體系來看。但是尼采卻說，每一種哲學的背後都隱藏着另外的一種哲學，一種concealed philosophy。假使我們對一種哲學，只瞭解它的外表，而不理會隱藏在其背後做爲它的根基的那一種思想，那麼那一個彰顯在外面的表面思想，我們也是無法加以理解。

所以假使依照尼采的這一種說法看起來，我覺得在哲學上面，從大體上應該可分爲synthetical philosophy（綜合的哲學）及analytical philosophy（分析的哲學）。前者是以綜合觀爲中心的綜合主義的哲學；後者是以分析觀爲中心的分析主義的哲學。這兩套哲學思想的劃分，在方法學的邏輯應用上，就有所不同：一種是synthetical logic（綜合邏輯法）；一種是analytical logical（分析邏輯法）。因此我們可以說，在眾多的哲學領域中，其背後確實隱藏的哲學思想固然很多，但是最主要的仍然可以把它們歸納成兩種：一種是concealed synthetical philosophy（潛藏的綜合哲學）；一種是concealed analytical philosophy（潛藏的分析哲學）。

——《華嚴宗哲學》（下册）頁一九九—二〇〇

【哲學與分殊科學不同】

「分殊的科學，各陳其理境，故能區以別之，至於纖微無憾而不雜偏私；反之，全整的科學，範圍廣汎，意義瑰偉，吾人如欲得其會通，不免對之發生一種非客觀的問題：它的義據何如，它的效用安在？人們胸中懷着這個實用的動機，因而對待全整的科學往往不能如對待分殊的科學同樣地客觀。尤其在科學極詣的哲學裏面，知識效用的問題更屬迫切，每種哲學無意中都要肯定知識是具有絕大的效用。坐是之故，一切哲學中多充塞着意趣飛翔的玄學，而對於似乎不甚重要的物理問題之解決則淡忽視之，因爲知識之於人生必須透露極端瑰奇瑋大的重要性。分殊的科學與哲學對峙之鴻溝就在這一點。後者頗似藝術，蓄意要參透人生行動的杳冥深處，使其意義昭明顯豁……」尼采這種說法把握著三個問題：㈠純粹的科學觸發知識的衝動，依據抽象法追求邏輯的嚴整，義例的單純，不計近功實效，往往超人生以立論；㈡熱情的哲學感受生命的機趣，運用直觀法透視經驗的蕃衍，意義的孳乳，其勢不得不估量知識的果效，衡論生命的徑向，以樹立價值的標準；㈢聰明睿智的人類，尤其是器宇軒昂，毅力雄偉的思想家，綜覽宇宙理境，發舒人生情蘊，有意無意中每將神奇之理，綿邈之情，展布在暉麗的帷幕上，藉以揭發悠悠宇宙，茫茫人生之藝術的悲壯性。

《科學哲學與人生》頁二七一—二七三

【哲學思想的起因】

在一般人的心裏，哲學思想緣何而起？這種有趣的疑難是由一個假設，兩個問題構成的。假設是：一般人均有哲學思想，問題是：哲學之心理的起因是甚麼？哲學之歷史的起因又是甚麼？

人之生也，對於客觀的環境，自我的活動，多少總有些感觸，持些態度，感些困難，存些熱望，因而產生一種宇宙觀與人生觀是極自然的情事。我們假定一般人均有哲學思想是很合理的，只可惜這些思想多半是片斷凌雜，不成整秩的系統耳。

——《科學哲學與人生》頁一五——一六

【哲學思想之心理的起因】

柏拉圖與亞里士多德（Aristotle）常說哲學思想起於人類驚怖的心理。這樣說來，也許微渺難解，現在且引《西青散記》自序數語，或可得着一種暗示。

「余初生時，怖夫天之乍明乍暗，家人曰，晝夜也。怪夫人之乍有乍無，曰，生死也；教余別星，曰孰箕斗，別禽，曰孰烏鵲，識所始也。生以長……間於紛紛混混時，自提其神於太虛而俯之，覺明暗有無之乍乍者微可悲也。襁褓膳雌，家人曰，其子猶在，匍匐往視，雙雛睨余，守其母羽，輟膳以悲，悲所始也……」

驚怖的心理，無論是實踐的，理論的，常時引起思想的發生，自是事實，然竟說哲學思想之起，純由於此，顯犯兩種論過。驚怖心理中怖的成分如太強烈，往往產生迷信與宗教，雖則宗教信條中亦富有哲學意味，恐怖畢竟只是人類心能之一，舉以解釋屬於全人的哲學思想，未免失之偏狹。假使我們徹底了解史悟岡這段話的深意，便可暫下一種臆說。哲學思想，自理論看，起於境的認識，自實踐看，起於情的蘊發。我們如把境的認識與情的蘊發點化了，成爲一種高潔的意境，自能產生一種珍貴的哲學。孩提之童辨箕斗，別烏鵲，習知晝夜之明暗，親朋之死生，即是境的認識，膽雌而憐惜母子之愛，即是情的蘊發；生以長，能提神太虛，看萬象有無明滅，隱隱迢迢，感人世酸酸楚楚，歡歡喜喜，而領悟莊嚴的理想，造成芳潔的意境，體大思精的哲學系統多由此種情境中烘托出來的。

——《科學哲學與人生》頁一六—一七

【哲學思想起於境的認識與情的蘊發】

哲學思想起於境的認識，此中要義是：我們依據某種興趣，選定某種觀點，察覺一群事象的倫脊與線索，以明其理。科學上種種簡約律例都不外乎境中事理之寫實與說明。境的認識貴在舉物得實，撫事求眞，常把不關切的要素都置之度外，存而不論。簡言之，境的認識只求於時間上空間上種種事理得着一個冷靜的，系統的了解而已。假使哲學思想僅以此處爲止境，所謂哲學純是科學的化身。進而言之，境之中有情，境之外有情，我們識得情蘊，便自來到一種哲學化的意境，於是宇宙人生之進程中不僅有事理的脈絡可尋，反可嚼出無窮的價値意味。詩人撫摹自然，寫象人生，離不了美化，倫理學家觀察人類行爲，少不了善化。我們所謂情的蘊發即是指着這些美化、善化及其他價値化的態度與活動。近代哲學家受了科學的影響，頗有主張嚴守「道德的中立」者，無怪乎他們的哲學空疏不切人生了。其實我們於萬象中搜求事理，尋得事理之後，仍須追求美的善的情趣，乃能滿足人性上根本的要求。

據上立論，我們的哲學思想之結構，可以下圖總括之。

哲學思想—意境之寫眞 ┌ 境的認識—時空上事理之了解。
　　　　　　　　　　 └ 情的蘊發—事理上價値之估定。

一般人只要於生活環境認識眞確，於生命活動吐露情趣，而得着一種意境者都有相當的哲學思想。黃包車夫有哲學，漁翁亦有哲學，科學裏有哲學，文學裏亦有哲學，其哲學思想之精粗適與境識，情趣，意想三者造詣的深淺爲正比例。

——《科學哲學與人生》頁二三—二五

【哲學思想之歷史的起因——知識演進的三階段】

人類知識之演進約分

神話──→常識──→科學、哲學

三個特殊階段。在神話的平面裏，物象之屬性，事變之歷程，原人都視作有人格的個性，有形質的實體。物象事變之間雖有必然的聯絡，然而異同之辨，繁簡之理，因果之連貫，質量之區分，有時或不甚明顯。原人思想之範疇，多由求生之欲，好惡之情裏產生的，因此遂缺少邏輯的基礎，批評的色彩。等到這類思想應用既久，流傳既廣，其有不近情理，不符事實，不成系統者，漸受淘汰，餘下精純的觀念遂化爲常識。人類一有了合理的常識，其智力已超過原人了。於是經驗之秩序，物象之脈絡，隱約中都有相當的律例可以識得。更上一層，則有理性的知識。我們根據理性審察客觀的世界，主觀的人生，處處引用嚴密的方法，訂定明顯的原則，以發見種種眞理。這些眞理的系統即是科學與哲學。據此立論，近代哲學思想雖是極複雜，極抽象的，其淵源所自，都有線索可尋了。但人類由神話到理性的路徑是一種遼遠的距離，自有史以來，經過幾千年繼續不斷的努力，始有今日的結果，可見知識系統，思想系統不是一蹴即得的。

──《科學哲學與人生》頁三二─三三

【哲學思考的三種途徑】

自從人類有史以來，哲學就一直是眾說紛紜；它常帶有濃烈的意味，要不就是痛快淋漓的宣暢無窮機趣，要不就是深沉敏銳的宣洩無端悲痛，後者對人心深處縱非致命傷，也會挑起無限惆悵，這對人類精神自是一種威脅利器。然而，哲學還另有和平中正的意義，足以激發人類的原創力，積健爲雄，促使人類氣概飛揚，創進不已。所以哲學對人類更有一種撫慰作用，足以安身立命，斡運大化，進而生生不息。

由此看來，哲學思考至少有三種途徑：㈠宗教的途徑，透過信仰啓示而達哲學；㈡科學的途徑，透過知識能力而達哲學；㈢人文的途徑，透過生命創進而達哲學。

——《中國人的人生觀》頁一

【哲學思考的宗教途徑】

宗教，對史賓格勒來說，「自始至終，是形而上的，是另一世界的，是對另一世界的知覺（awareness），而在該世界中，所有感覺只爲烘映出前景而已。宗教是在超感覺（supersensible）中的生命，是與超感覺一致的生命，在此一知覺的能力消失時，或是對它存在的信仰消失時，眞正宗教便走向了終結。」所以基督說過「我的王國不屬於這世界」，此乃所有「自律宗教」（Autonmic religion）的根本教義，而現實世界就被置於一旁，備受貶抑。這樣一來，現實世界與理想世界便對峙而立，不能融通。前者不論它是大化流行的領域、或歷史變遷的場合、或盡性力行的園地，如果沒有神的恩典降寵，便根本是有罪的。如果神學只是這種對超自然的啓示信仰，那哲學即使想爲神學服務，也只能促使人們逃避此一玷污的現世，而寄望於另一完美的他世……。所以，如果哲學只有這種途徑，我們直可說，哲學，你的架構是脆弱的，哲學，你的本質是虛無主義！

——《中國人的人生觀》頁二一三

【哲學思考的科學途徑】

以宗教導引人生雖能發人深省，但是神學——至少某些神學的形式——爲了護教而貶抑現世的人類價值，並在狂熱的本能中特別强調死亡犧牲，如此出世避世的看法，卻値得商榷。另外，科學追求眞理雖然也是令人嚮往，但若一旦逾位越界，連哲學都被科學化，便深具排他性，只能處理一些乾枯抽象的事體，反把人生種種活潑機趣都剝落殆盡，這也是同樣的危險。因此，哲學一旦成爲神學的婢女，作爲護教之用，或者成爲科學的附庸，不談價值問題，則其昏念虛妄必會戕害理性的偉大作用，而無法形成雄健的思想體系。

——《中國人的人生觀》頁五

【哲學思考的人文途徑】

因而，實在說來，人文主義便形成哲學思想中唯一可以積健爲雄的途徑，至少對中國思想家來說，它至今仍是不折不扣的「哲學」，誠如美國哲學家羅易士（Royce）所說，「哲學乃是一種嚮往，促使日漸嚴重的人生問題走向合理價值，當你對現世切實反省時，便已在從事哲學思考。當然，你的工作，第一步是求生存，然而生命另外還包括了激情、信仰、懷疑、與勇氣等等，極其複雜詭譎。所謂哲學，就是對所有這些事體的意義與應用，從事批判性的探討。」（原註：羅易士「近代哲學的精神」頁一）

整個宇宙，無論它被分割成多少領域——自然界或超自然界，現實界或理想界，世俗界或神性界，在中國人文主義看來，都是普通生命流行的境界，這種大化流衍，範圍天地而不過，曲成萬物而不遺，而人類承天地之中以立，身為萬物之靈，所以在本質上便是充滿生機，眞力瀰漫，足以馳驟揚厲，創進不已。

換言之，中國的人文主義，乃是精巧而純正的哲學系統，它明確宣稱「人」乃是宇宙間各種活動的創造者及參與者，其生命氣象頂天立地，足以浩然與宇宙同流，進而參贊化育，止於至善。

所以說，宗教旨在追求「極樂」，科學則在探討「眞理」，兩者皆不可偏廢，然而，「人」卻也不能被貶抑。只有透過人的努力，懷抱遠大理想，全力促其實現，才能濟潤焦枯，促使生命之樹根幹茂盛，枝葉扶疏，蔚成瑰麗雄偉的燦爛美景。

——《中國人的人生觀》頁五—六

【唯有哲學智慧才能瞭解最高的精神領域】

從這麼一個立場看起來，假使我們要是沒有哲學智慧的話，縱然我們是具有那個高尚的宗教領域，我們也只能仰望而已，不曉得那個世界到底是怎麼構成的。但是倘若我們具有哲學智慧，那麼我們便可以透過哲學的智慧，一層一層地去瞭解這個世界上面的各種差別境界，並且可以統合聯貫起來，成爲一個整體完滿無缺的精神世界的統一領域，然後便可以在那個地方安排我們生命的最後歸宿。所以我們惟有透過哲學的智慧，才可以瞭解最高的精神領域。

——《華嚴宗哲學》（上册）頁一五二—一五三

【價值領域應求眞善美的融會貫通】

在價值領域裏面，不僅僅要求眞，而且還要求善、求美，把眞、善、美融會貫通起來，成爲consummation of perfection（完美的極詣）。假使能達到此目的，然後我們便可以看到科學裏面有哲學基礎，哲學的基礎又要同藝術聯繫起來，同道德也要聯繫起來，同宗教也要聯繫起來，最後使great system of philosophy（偉大的哲學系統）變成final aspiration into sacred truth（畢竟臻於神聖的眞理）into sacred value（神聖的價值）。這樣子一來，我們可以看出在向上面求證的時候，便會發現在宇宙裏面有不同的存在層次，在逐漸的向上面提高，生命層次的逐漸向上，精神層次的逐漸美滿，最後變做consummation of perfection（完美的極詣）。

——《華嚴宗哲學》（上冊）頁一六一

【現代的世界是一個「顛倒離奇的世界」，特別需要哲學】

現在的世界，因為沒有高度的哲學智慧，都是Mass-man, mass world，然後集體投降是masspower，在那個地方greater masspower戰勝了，然後以幾萬或億的數目來集體投降！所以，我冷眼旁觀，我認為現代的世界是一個「顛倒離奇的世界」（topsyturvydom），在這裏面，宗教的精神汨沒掉了，哲學的智慧汨沒掉了！純粹科學的知識disinterested scientific knowledge，變成mechanical knowledge所產生的mechanical gadgets，把這個世界毀滅掉了。因此，我們特別需要哲學。

——《方東美先生演講集》頁六五

【將來的思想是科學與哲學的大結合】

近代的哲學家，他們往往不談哲學，像晚近的實證哲學就不談哲學。而談哲學談得最多的都是近代開天闢地非常了不起的幾個大科學家，像許多相對論的物理學家、量子論的物理學家，這就變成近代科學上面的哲學時期。如果我們再回顧過去，便可得知，所謂對牛頓所代表的思想層面，康德也代表思想的另一層面，這些對於他們以後純正思想的發展來看，它是要一切都以科學來作爲根據的理論與事實加以融會與貫通，進而能達到在一切知識的領域中都獲得圓滿的哲學體系爲止。使一切科學的理論與一切的哲學思想範疇在那個地方交織，互相貫徹地組織起來，於是便產生一個大的圓滿的思想體系。然後要談哲學時不可只限於玄想的範圍，要談科學時也不僅僅出現於經驗界或事實界，反而要使科學要有新的發現時都能根據新的事實，由此而襯托出新理論的可能。這樣子一來，我想以後的思想是科學與哲學的大結合，產生各方面都兼顧到的廣大悉備的思想體系。

——《中國大乘佛學》頁五四四—五四五

【宇宙大全的結構圖】

幾位希臘哲學大家，中古宗教家，和近代康德黑格爾諸人雖曾劃分宇宙層疊，但因他們對於㈠各種分殊的境界未有清晰的認識，㈡各種境界相互的關係未有適當的配合，㈢時間之重要性未有眞切的了解，便很難建立好的方法以貫串這些層疊，使之圓融和諧。我們現在權且畫一簡單圖表，藉明宇宙大全中各種境界差別。

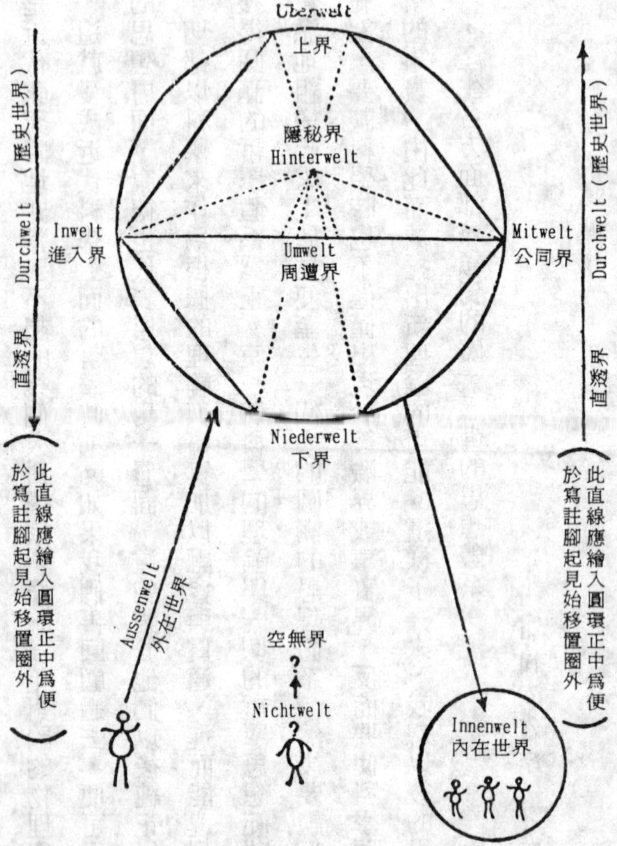

宇宙大全的結構關係圖

圖中「內在世界」和「外在世界」是科學和哲學上久經廣泛流行的名詞。「上界」「周遭界」，和「進入界」「公同界」，則是德國現象學派哲學家如謝樂，欒偉特（Max Scheler, Karl Lowith）及實存論者海德格（Martin Heidegger）諸人常用的術語。

我遵前例，杜撰「直透界」，「下界」，「隱秘界」，「空無界」，「當前界」（現象界）幾個名詞，就中「當前界」（Vorwelt）在平面圖上無法表現。這些界繫差別合併組成之宇宙大全，其關係結構至爲複雜，需要透過不同的「世界語」（die weltlich sprachen）系才能說明清楚，本人將另有專篇分析，此處只好存而不論。

——《生生之德》頁二二一—二二三

【我們要建立一個新哲學的體系】

現在面臨着整個世界哲學的衰退，中國哲學的死亡，內心實在應從困惑、痛苦、慚愧裏面趕緊覺醒過來，實在需要先在精神上重新振作，決心要爲將來的中國、將來的世界創建一種新的哲學。假使哲學的命脈在我們的精神裏面沒有死亡，我們應當要負起一種責任，為未來的世界，在這個哲學上面要打一個藍圖，彷彿建築師一樣，要建築一個新哲學的體系！而這個新哲學的體系要有計畫的建築起來，要根據藍圖。

過去中國的哲學、中國的文化，曾經深遠地影響了我們的近鄰，如高麗、日本、越南，或者是東南亞其他的國家，甚至於西域。但是，現在世界變了，世界縮小了，假使我們在這個哲學上面要打一個藍圖，將來這個建築不僅僅都由中國人去建築，有許多部份，印度人也應該參加建築，歐洲人也應當參加建築，美國人也應當參加建築，這個未來的世界是全體世界人的世界。

——《方東美先生演講集》頁九—一〇

【復興哲學建築藍圖的結構與意義】

在這個藍圖裏面，哲學精神，從客觀看，要寄託在眞實而有價值的世界上面，同時，這個眞實而有價值的世界，不是以牛羊為主體，也不是以猴子為主體，而是以有智慧的人類作主體。所以在哲學的建築裏面，有兩大支柱：一個是客觀的世界，一個是主體的人類生命精神。有這兩個大支柱以後，我們才可以開始打藍圖，但是在這個藍圖裏面，不僅僅包括了狹義的哲學而已。從歷史上面看，許許多多最好的文化，代表文化的優良精神，第一層是宗教、第二層是哲學、第三層是藝術。這些都是高尚的精神構成的形而上境界。假使再具體一點說，人不能夠在太空裏面、空氣裏面過日子，他要腳踏實地的生活在現實世界上面，而這個現實世界從最初的基點是物質世界。那麼，我們怎麼樣子了解、處理、應付、控制這個物質世界，還是人生裏面一個起碼的根本問題，尤其是中國人的精神看，這一點不能夠忽視。

在東方哲學裏面，尤其在中國哲學中各家各派，從來不像希臘的末世，也不像在中世紀的若干時期，在宇宙建築圖裏面沒有物質世界的地位，東方哲學沒有西方這種色彩，印度哲學大部份也沒有這個色彩。假使我們從形而下的境界上面看，我們在建築圖裏面要建築一個物質世界，把這個物質世界當做是人類生活的起點、根據、基礎。把這一層建築起來之後，才可以把物質點化了變成生命的支柱，去發揚生命的精神；根據物質的條件，去從事生命的活動，發現生命向上有更進一層的前途，在那個地方去追求更高的意義、更高的價值、更美的理想。這樣把建築打好了一個基礎，建立生命的據點，然後在那裏發揚心靈的精神，因此以上廻向的這個方向爲憑藉，在這上面去建築藝術世界、道德世界、宗教領域；把生命所有存在的基礎，一層一層向上提高、一層一層向上提昇，在宇宙裏面建立種種不同的生命領域。所以，在建築圖裏面是個寶塔型，以物質世界爲基礎，以生命世界爲上層，以心靈世界爲較上層，以這三方面，把人類的軀殼、生命、心理同靈魂都做一個健康的安排。然後在這上面發揮藝術的理想，建築藝術的境界，再培養道德的品格，建立道德的領域，透過藝術與道德，再把生命提高到神秘的境界——宗教的領域。因之，在我們宇宙的建築裏面要分成這許多境界。

——《方東美先生演講集》頁一二一—一五

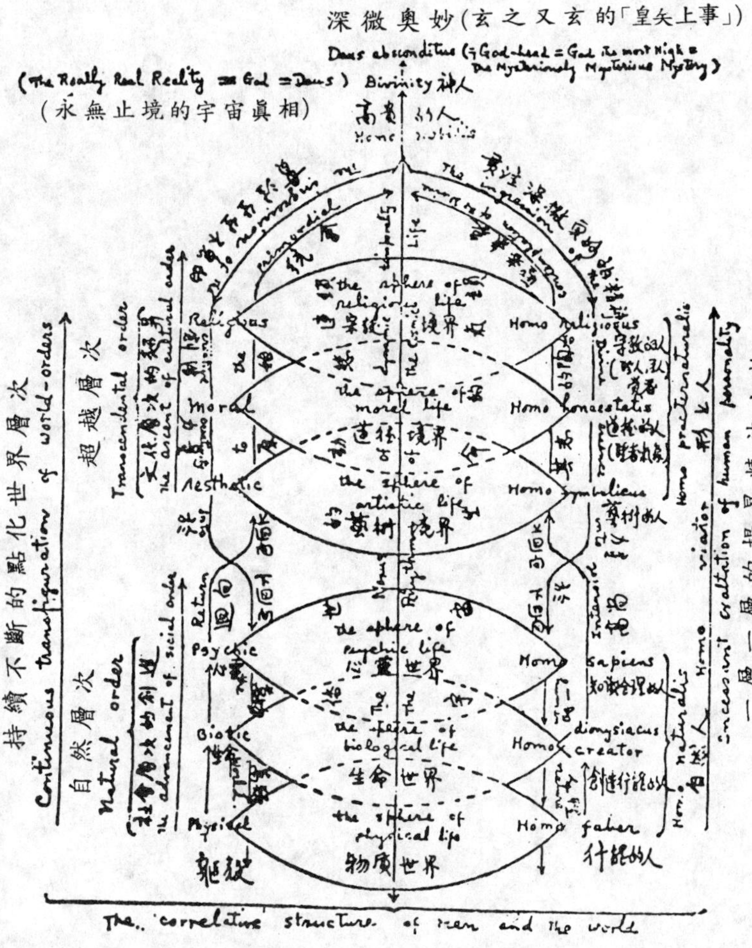

人與世界在理想文化中的藍圖

《生生之德》頁三四〇—三四一

二、中國哲學總論

【採取形上學的途徑研究中國哲學】

如果我們採用形上學的途徑，也就是哲學的途徑，那麼刑名家、法家、墨家也許不同意，眞正的宗教家也不完全同意，但是若就中國哲學的發展看來，卻最適合歷史的眞情實況，所以我將採取形上學的途徑，至少可以由這個途徑來了解原始儒家、原始道家、大乘佛學以及新儒學的精神。

首先我們要弄清楚此地所說形上學的意義，有一種形上學叫做「超自然的形上學」，如果借用康德的術語加以解釋，康德本人有時把「超越的」與「超絕的」二詞互換通用，我卻以爲不可，所謂「超絕的」正具有前述「超自然的」意思，而「超越的」則是指它的哲學境界雖然由經驗與現實出發，但卻不爲經驗與現實所限制，還能突破一切現實的缺點，超脫到理想的境界；這種理想的境界並不是斷線的風筝，由儒家、道家看來，一切理想的境界乃是高度眞相含藏之高度價值，這種高度價值又可以廻向到人間的現實世界中落實，逐漸使理想成爲現實，現實成就之後又可以啓發新的理想。這是我用「超越形上學」的根據。也就是說，一切超越價値的理想不是只像空氣般在太空中流動，而是可以把它拿到現實的世界、現實的社會、與現實的人生裏，同人性配合起來，以人的努力使它一步步實現。在這種情形下，形上學從不與有形世界或現實世界脫節，也絕不與現實人生脫節，而在現實人生中可以完全實現。如此，「超越形上學」在理想價値的完全實現方面看來，又一變而爲「內在形上學」，一切理想價値都內在於世界的實現、人生的實現。

——《原始儒家道家哲學》頁一六—一七

【中國形上學思想之主流】

中國形上學思想之主流，就其全幅發展而論，大致上可譬作樂譜上之若干音節線，其間隔長短，容或錯落參差不齊，然各種不同型態之思想潮流，均可藉諸音節線而使之一一凸顯：依三節拍，迭奏共鳴，而以各節拍之强弱，示其份量之輕重。自遠古至紀元前十二世紀，中國形上學之基調表現爲神話、宗教、詩歌之三重奏大合唱。自茲而降，以迄紀元前二四六年，其間九百餘年，是爲中國哲學上創造力最旺盛時期，原始儒家，原始道家，原始墨家，一時爭鳴，競爲顯學。緊接著是一段漫長的醞釀、吸收與再創期（紀元前二四六——紀元九六〇年）；勢之所趨，終乃形成具有高度創發性之玄想系統於中國大乘佛學。自紀元九六〇年以迄今日，吾人先後在新儒學（性，理，心，命之學）的形式中復甦了中國固有的形上學方面的原創力，而且新儒學多少染上了一層道家及佛家色彩。在此一段再生期之中，最突出而值得注意者，是產生了三大派形上學思潮：a唯實主義型態之新儒學；b唯心主義型態之新儒學；c自然主義型態之新儒學。

——《生生之德》頁二八四——二八五

【研究形上學必須透過比較哲學】

因爲處在現代來談哲學，如果把哲學與科學聯結到一起來講，在哲學上就稱做"Cosmogony"、"Cosmology"——宇宙發生論、宇宙論。這在哲學上是比較具體的問題。至於宇宙何從發生的？發生以後表現什麼樣的眞相？眞相如何變爲現象？這一類問題在純理哲學上是屬於形而上學的，稱之爲「萬有論」（Ontology）。如果，再對於宇宙的現象加以深詰，一直追溯到本體的根源；甚至把握住本體的根源後猶不能滿足，還做根源以上的探討，在哲學上建立另外一套更根本的理論，這就稱做"Me-ontology"——超本體論。把這些問題都窮原究本的在各方面都分析清楚，充分瞭解之後，然後再回顧價值學上面的各項具體問題，從道德價值、藝術價值的形成的問題，文學詩歌的價值以及社會正義的價值標準問題……等等，再向上追溯到本體論及超本體論所表現的最後根本價值。這重重問題的探究，在現代哲學方面，必須透過比較哲學的眼光，從東方的中國哲學、印度哲學，以及西方的自希臘以來經中世紀一直到近代的各種哲學思想體系，都能弄清楚了以後，才可以談哲學，才可以談純理哲學！

——《新儒家哲學十八講》二四—二五

【內在形上學的途徑】

在中國，要成立任何哲學思想體系，總要把形而上、形而下貫穿起來，銜接起來，將超越形上學再點化爲內在形上學。儒家中人不管道德上成就多高，還必須「踐形」，把價值理想在現實世界、現實人生中完全實現。道家固然非常超越，但是到最高境界時，又以道爲出發地，向下流注：「道生一，一生二，二生三，三生萬物。」道家理想亦須貫注到現實人生中。中國人之所以不同情小乘佛學，就是因為想逃避現實生活，想逃避黑暗、痛苦。而大乘佛學根據高度的般若精神、智慧精神，才曉得最高的宗教意義不是完成個人生活上的快樂，而是追求整個人類、整個生命的精神解放。中國人所以不重小乘而重大乘，就是因為宗教智慧是以拯救眾生、拯救世界為目的；應該不逃避人世間一切艱難痛苦，使般若涅槃與塵俗世界結合在一起。最高的智慧是拯救世界，這才是眞正的宗教。哲學上的智慧在中國各種思想發展看來，都是要避免「超自然形上學」的缺陷，而發展「超越形上學」，著重價值理想，這種價值理想又當在現實人生之中完全實現，如此方可以拯救世界，拯救人生。

把一套「超越形上學」轉變為內在人類精神、人類生活的「內在形上學」，我所謂的形上學的途徑就是採取此種觀點。採取這種觀點，在思想上要避免兩個陷阱：第一是二分法——為了思想便利，採用二分法把宇宙劃分為兩種境界，人生劃分為兩種境界，使它們之間脫節，建立不起橋樑。第二是分析法——中國思想外表上看來似乎有缺點，不像近代西方之重分析法；其實中國不是沒有，像刑名家、墨家在這方面都有高度發展，但是後來中國人覺得要講分析就應當澈底，片斷的分析是錯誤的，看了一面就執著了，看了另一面又執著了，如此構成邊見，而無法透視宇宙人生意義之全體。所以談分析就應當分析澈底，使宇宙秘密不論上下左右沒有一樣遺漏，這才是澈底的分析：整個宇宙的全體、整個人生精神的全體，才能都在吾人面前一起透視出來，然後吾人可以針對宇宙人生各方面所形成的旁通統貫的觀點，在精神上超越了，提升起來，再發展一個觀點來透視一切透視的系統。如此才知道分析法不到家是虛妄分析，眞正澈底的分析才能幫助我們由直覺上把握宇宙人生的全體意義、全體價値、與全體眞相。在這個意義下，哲學才可以稱爲體大思精的思想體系。

——《原始儒家道家哲學》頁一八—一九

【「超越形上學」與中國本體論】

我以「超越形上學」（Transcendental Metaphysics）一辭，來形容典型的中國本體論，其立論特色有二：一方面深植根基於現實界；另一方面又騰衝超拔，趨入崇高理想的勝境而點化現實。它摒斥了單純二分法；更否認「二元論」爲眞理。從此派形上學之眼光看來，宇宙、與生活於其間之個人，雍容洽化，可視爲一大完整立體式之統一結構，其中以種種互相密切關聯之基本事素爲基礎，再據以締造種種複雜繽紛之上層結構，由卑至高，直到蓋頂石之落定爲止。據一切現實經驗界之事實爲起點，吾人得以拾級而攀，層層上躋，昂首雲天，嚮往無上理境之極詣。同時，再據觀照所得的理趣，踞高臨下，「提其神於太虛而俯之」，使吾人遂得憑藉逐漸清晰化之理念，以闡釋宇宙存在之神奇奧妙，與人類生活之偉大成就，而曲盡其妙。

我們之心態取向既然如此，很自然地，中國各派的哲學家均能本此精神，而百尺竿頭，更進一步，建立一套「體用一如」、「變常不二」、「即現象即本體」、「即刹那即永恒」之形上學體系，藉以了悟一切事理均相待而有，交融互攝，終乃成爲旁通統貫的整體。

——《生生之德》頁二八三—二八四

【中國哲學是以生命與價值爲中心的哲學】

因此中國的哲學從春秋時代便集中在一個以生命爲中心的哲學上，是一套生命哲學，這生命不僅是動植物和人類所有，甚至於在中國人的幻想中不曾承認有死的物質的機械秩序。所謂的原初存在乃是生命的存在。如果用抽象法將生命中高級的宗教道德藝術精神化除的話，所餘只是一個赤裸裸的物質存在而已。因此從中國人看來，希臘哲學的發展，是一個抽象法的結果。而中國向來是從人的生命來體驗物的生命，再體驗整個宇宙的生命。則中國的本體論是一個以生命爲中心的本體論，把一切集中在生命上，而生命的活動依據道德的理想，藝術的理想，價值的理想，持以完成在生命的創造活動中，因此周易的繫辭大傳中，不僅僅形成一個本體論系統，而更形成以價值為中心的本體論系統。第一是以生命為中心的哲學體系，第二是以價值為中心的哲學體系。則周易從宇宙論、本體論、價值論的形成，成了一套價值中心的哲學。

而要瞭解這種精神，就要從易經中來貫通禮記，因此清代中葉的惠棟說易之微言大義到何處去找？就是在中庸裏找。尤其中庸談到「唯天下至誠，為能盡其性……」一段，可說是中庸的核心。那麼「能盡其性，則能盡人之性；能盡人之性，則能盡物之性；能盡物之性，則可以贊天地之化育；可以贊天地之化育，則可以與天地參矣。」是儒家根據生命為本源的精神擴大其宇宙的觀點，推廣其精神，完成自己的生命，也要連帶完成其他的生命，也連帶完成一切存在的生命。這一切變成了之後，整個宇宙是一個生命秩序。然後在一切生物中把人的尊嚴提高，因為人不僅是物質狀態，也是心靈狀態，從心靈狀態中表現慾望、情緒、情感、意志，和廣大的理性，如此一步步充實發揮起來，人就是萬物之靈了。

——《原始儒家道家哲學》頁一五八——一五九

【中國自有寶貴的哲學】

我國自黃帝以來，即已卜居於亞洲北部廣大的疆域，其威力所及，東至於海岱，西至於崆峒，北漸葷粥，南被衡湘。歷唐虞三代以迄於漢唐，遂奄有亞洲之大部。這裏有清明的長空，有巍峨的高山，有浩渺的大川，有青翠的沃壤，有豐富的物產，有溫馨的氣候。我們民族的祖先，披荊斬棘，開發了這樣廣大的疆域，舒舒服服地生活著，怎能不令四周蠻荒的民族，見了眼紅！於是自古以來，不斷地有葷粥、玁狁、戎狄、匈奴、羌氐、鮮卑、突厥、女眞、契丹、韃靼，環伺侵逼，威脅我們整個的民族生命。假使沒有歷代先哲啓發偉大的智慧，解決致命的難題，產生光榮的文化，成立美滿的哲學，懾伏了我們民族的大敵，諸位想一想！中國民族生命尙能緜延不絕，傳到現在嗎？敵人給以難題，我們民族有卓越的能力可以解決；生命遇著迷惑，我們先哲有深刻的智慧可以化除。我們自有寶貴的哲學，所以生命之意義可以積極地肯定；生命之價値可以無限地提高。做一個中國人，確是一種光榮！

——《中國人生哲學概要》頁五—六

【中國哲學的根本問題——「天人之際」】

六經中最根本的理論是出自周易，它是一切學問的基本。設如一個學者，要成爲一個眞正的哲學家，他必須巨眼深識，洞察在歷史演變的持續過程中，過去如何影響現在，現在又如何導引未來，並尋繹出其演變的脈絡，瞭解其始終不歇的究極的意義和價值。由此拓展了學術的範圍，匯集各種知識，譬如春秋前的六藝——禮、樂、射、御、書、數，也就是所謂一切自然科學、工藝科學、民俗學，乃至於道德、藝術、文學、詩歌、音樂等。整體貫串起來，表現在人的實際生活領域中，它們是一個立體的結構。在這個立體結構中，可以分成若干平面的部份，若干系統，但絕不是各自孤立的。而是有許多不同的層次，迭相應行而形成許多不同的境界，此等境界上下通流而無礙。這就是中國哲學上所談的根本問題——「天人之際」。

所謂「天人之際」，即是在人的實際生活之中，一切生命活動都要安排在世界上切實妥當的層次與結構中，然後依此層次與結構而與其他的生命活動取得聯繫。假使你成就一種價值，就同別的價值聯結起來，再導引其他的價值。如此彼此涵蘊，交光相映，方有所謂「天人之際」。才可以把個體的生命安排在客觀世界的各種境界、各種層級之中，實現藝術的美、道德的善。同時在" Scale of value"（價值品級）這方面看起來，尤須盡善盡美。換言之，美善相因，一致貫串於宗教的神聖價值，全般體現在哲學智慧中，而成為眞理！所以，學術的專家不能夠孤立於其他學科之外，而墮落到生命的孤立系統裏面、沈陷到意義的孤立系統裏面，枯槁孤危而自貽伊戚。

——《新儒家哲學十八講》頁四三—四四

【中國哲學家眼中的現實世界】

從中國哲學家之眼光看來，現實世界之發展致乎究極本體境界，必須超越一切相對性相差別，其全體大用始充份彰顯。從嚴格義之哲學眼光看來，現實世界應當點化之，成爲理想型態，納於至善完美之最高價值統會。中國人恆嚮往此價值化、理想化之世界：諸如象徵精神自由空靈超脫之藝術境界；巍然崇高之道德境界；妙造重玄之形上境界；以及虔敬肅穆之宗教境界。任何生活領域，其境界造詣不及於此者，即淪於痛苦憂戚之域，令人黯然神喪，生趣索然。此儒家之所以嚮往天道生生不已，創進不息之乾元精神，以締造一廣大和諧之道德宇宙秩序者也。此道家之所以宗尚重玄，一心懷抱「無」之理想，以超脫「有」界萬物之相對性者也。此中國佛家之所以悲智雙運，勇猛精進，鍥而不捨，內參佛性，修菩提道，證一乘果者也。

——《生生之德》頁三一四

【中國哲學的特色】

假使要問：所有這幾派中國思想，其代表者本人的內在精神是些什麼？簡單說來，這種種不同的精神都集中在一點，就是表現在：「向人性深處去了解，然後體會人性本身與其一切努力成就，處處可以看出人性的偉大。」尤其是從儒家開始「在創生不已的世界裏面，安排人類的生活，表現人類精神生活的偉大。」道家、甚至佛學，都進一步發揚了這點。蘇格拉底曾稱頌Isocrates，他說There is philosophy in the man.（此人中有哲學）我們可以將它改寫爲There is man in Chinese philosophy.（中國哲學中有人）中國人不僅是冷靜的思想家，在他的生命中還有高貴的人性、豐富的情緒、與偉大的理性，這些一起發揚出來形成偉大的體系才是中國哲學的特色。

——《原始儒家道家哲學》頁一三—一四

【以機體主義闡明中國哲學精神】

中國哲學精神之顯揚，恆以重重統貫之整體爲中心，可藉機體主義而闡明之。作爲一派形上學理論，機體主義可自兩方面著眼而狀摹之，其特色如次：

自其消極面而言之，機體主義：

(一)否認可將人物對峙，視爲絕對之孤立系統。

(二)否認可將宇宙大千世界之形形色色化爲意蘊貧乏之機械秩序，視爲純由諸種基本元素所輻湊拼列而成者。

(三)否認可將變動不居之宇宙本身壓縮成爲一套緊密之封閉系統，視爲毫無再可發展之餘地，亦無創進不息生生不已之可能。

自其積極面而言之，機體主義旨在：

統攝萬有，包舉萬類，而一以貫之；當其觀照萬物也，無不自其豐富性與充實性之全貌著眼，故能「統之有宗，會之有元」，而不落於抽象與空疏。宇宙萬象，賾然紛呈，然剋就吾人體驗所得，發現處處皆有機體統一之跡象可尋，諸如本體之統一，存在之統一，生命之統一，乃至價値之統一等。進而言之，此類紛披雜陳之統一體系，抑人感應交織，重重無盡，如光之相網，如水之浸潤，相與浹而俱化，形成一在本質上彼是相因，交融互攝，旁通統貫而廣大和諧之系統。

【中國哲學之通性與特點】

——《中國哲學之精神及其發展》三二—三三

中國哲學之通性與特點，茲展示之如下：

㈠中國形上學表現爲一種「既超越又內在」、「即內在即超越」之獨特型態（transcendent immanent metaphysics），與流行於西方哲學傳統中之「超自然或超絕形上學」（praeternatural metaphysics）迥乎不同。

㈡中國各家哲學體系同具三大通性與特色，悉徵諸下列三論：

甲、旁通統貫論——「統貫」或「一貫」云云，意指多重。

乙、殊異道論——「道」之一辭，意蘊豐富，涵義各殊。【如儒家謂之天地人「三極之道」；道家謂之「超脫解放之道」；佛家則謂之「菩提道」。】

丙、人格超昇論——視個人之品格發展均可層層上躋，地地昇進，臻於種種價值崇高之理想境界。

㈢就全體而論，中國哲人集體代表一種「詩人、聖賢、先知」三重複合之理想人格典型；然分別觀之，抑又三家各顯其不同之風姿。格局高致，各有千秋：道家陶醉詩藝幻境，故以詩人之身分出現；儒家顯揚聖者氣象，故以聖賢之身分出現；佛家則以苦心慧心謀求人類精神之靈明內照，故以先知之身分出現。

㈣質言之，各家原屬不同格局之人格類型：道家為典型之「太空人」，【故尚「虛」、「無」】；儒家乃是典型之「時際人」，【故尚「時」、「中」】；佛家乃「兼綜時空而迭遺」【故尚「不滯」、與「無住」】；新儒家則旨在成為「時空兼綜人」【故兼時空而不遺】。

㈤各家之間，無論其心態氣質差異如何，其世界觀或宇宙觀莫不傾向於就理想層面而立論，以符合在道德、懿美、宗教等三方面高度理想之標準，則其致一也——表現於或樹立道德理想之高標風範；或發抒燦溢美感之藝術幻想；或藉苦心慧心而熱心謀求精神之靈明內照。

——《中國哲學之精神及其發展》頁三—五

【儒、道、佛之會通與融和】

我所以特別提到這一點，是由於要講學問，必須要兼顧到它的地域性與時代性。兩漢經學大致還維持北學的傳統，但後漢而後則不免與南學的楚文化合流。是以老莊的子學替代經學——至少是解釋經學。從這種學術變化大勢來看，現在有許多講宋明理學的人，他們的學術觀點，是認定了宋明儒直承儒家北方大陸平原的經學傳統，不能兼顧到經學流變過程中的其他影響。其結果則堅持所謂「道學」的系統，必然的要反對佛學和道家。我認為持這種觀點，在歷史上是沒有證據的。即使宋儒本人，如大程子、朱熹等，都自承「出入老佛十餘年」，朱子也批評程門弟子受禪學所惑。宋儒道學傳也承認這一事實。我們現在為什麼要新添一重偏見，來廻護宋儒而排斥道佛？

——《新儒家哲學十八講》頁四九—五〇

【中國哲學之各家特點】

(1)儒家

由此看來，這種複合的精神人格非常寶貴，但是哲學家畢竟是人，而人之才情總是有所偏，所以佛學家傾向先知、宗教家，道家傾向詩人、藝術家，儒家則傾向聖賢；但是不管怎麼說，都可以說：中國哲學家不是平凡人物，都有傑出的精神，不是代表預言家，就是代表藝術家或聖賢。由此再看他們的另一特點：儒家身分不僅是個聖者，除了聖者之外還有別的特質。我現在想起英國羅素在哲學論文集中有一句話：「了解時間的不重要，是智慧之門。」我想他這句話只說對了一半，應當再說：「了解時間的重要，才是智慧之門。」因爲儒家從傳統方面看，由於承受尙書思想的啓示，他原可以把精神安排在永恆世界裏，但是儒家最重要的哲學寶典是周易，而這部書把世界的一切秘密展開在時間的變化歷程中，看出它的創造過程，由此看來，儒家若不能把握時間的秘密，把一切世間的眞相、人生的眞相在時間的歷程中展現開來，使它成爲一個創造過程，則儒家的精神就沒有了。所以我說儒家由孔子、孟子到荀子，都可稱爲Time-man「時際人」。

(2)道家

回過頭來看道家，情形就不同了。羅素在中國住了一年，事實上他欣賞的是道家，所以才說「了解時間的不重要，是智慧之門。」所以他在The Problem of China一書中對於中國儒家的精神，處處是誤解，正因爲他自己是道家的氣質。現在，記得我在密西根做訪問教授時，曾經問學生：假使老子、莊子的靈魂不滅，再回到現實世界，到了西方，他最欣賞的必然是太空船與太空人。因爲莊子說過「北冥有魚……化而爲鳥，其名爲鵬……搏扶搖而上者九萬里」，要升到高天之上去，所以道家可以稱爲「太空人」(Space-man)，這裏的太空，並不是幾何學、物理學上有形的空間，而是像德國藝術史家Wolfflin所謂的詩的空間，因爲如果是物理的空間，則在一層層的空間上仍受障礙，而詩的空間則可一直在上界騰雲駕霧，超升而了無障礙，如此一來，莊子乃可到達「寥天一」處，再回頭看世界，以地爲天，以天爲地，必然說「天之蒼蒼，其正色邪？其遠而無所至極邪？其視下也，亦若是則已矣。」以天爲地，才能看出本地的妙處，雲光燦爛，彷彿太空人在月球上對地球所拍攝之照片，成爲極美的領域。所以道家事實上是藝術幻想中的太空人，因此精神能如此超升，到達高超的境界，再回看世界，對於世間的許多愚蠢、愚昧、錯誤的地方才可以原諒。如此回到人間世，人間世便不是鄙陋世界。

(3)佛家

佛家的精神就大小乘合而言之，可以稱爲「交替忘懷的時空人」(Spacetime man with an alternative sense of forgeting)。如果採取小乘佛學，把人的生命投到現實世界，則現實世界一切生命活動都是昏念妄動，在其中形成貪嗔痴，產生輪迴的一大套束縛，使人類永遠解放不了。由此看來，小乘佛學裏整個世界都是無常，都在時間變化中，看不出其歸宿，只能看到輪迴中的束縛，煩惱、痛苦。但是大乘佛學卻把人的生命經驗依輪迴的圈套順流，順流之後，曉得這段時間束縛的構造，然後再反過來，使時間逆流，把時間之流變系統導引到永恆系統，如此一來，大乘佛學將輪迴圈套澈底了解後，另外找出一條相反的道路，由時間生滅變化中指引到永恆境界。因此，大乘涅槃經中從不詛咒世界是變化無常的，反而涅槃經所描繪的世界是永恆的。在小乘佛學講是「忘掉永恆」，只曉得生命在時間之流中輪迴；等他超脫解放到大乘的領域時，他又「忘掉變化」，把時間之流彈指間變成了永恆眞理。所以我說佛學家之小乘大乘合而觀之可謂爲「交替忘懷的時空人」。

(4)宋明理學家

至於宋明理學家，他們承受了三種傳統：第一、儒家，第二、道家兼道教，第三、佛學（大半是禪宗），所以宋明理學家主張生命與宇宙配合，產生與天地合而爲一，因爲一體的境界，具有「時空兼綜的意義」，可以稱之爲「兼綜的時空人」（Concurrent space-timeman。從以上幾方面看，才能了解這些傳統的特別精神。然後，我們再開始研究儒家。

——《原始儒家道家哲學》四一—四四

【中國哲學的發展】

中國哲學的發展曾經三遭墮落：

第一，暴秦之後產生兩漢思想，這時期政治武功昌明，實際上卻是精神墮落的時期，這一點司馬遷看得很清楚。兩漢幾乎都是「雜家」而沒有一位創造性的思想家，一般儒生專搞陰陽五行、穿鑿附會，對於秦政的遺毒卻未能加以補救，所以司馬遷以「漢承秦弊」四字概括。由於先有「秦弊」，所以起而革命，但是革命成功了之後在政治上又未能改革，所以漢代沒有一位創造性的思想家，是思想墮落的時代。

第二，在唐末五代十國時，不僅原始儒道衰退，連佛學也保不住。這個大動亂時期，政治黑暗，社會崩潰，我們由歐陽修的「新古代史」中可以看出；直到北宋才從文化、哲學、宗教上復興，但是明清之後又受異族的壓迫而一蹶不振。

第三，鴉片戰爭後，中國以被侵略的方式遭遇西方文化的衝擊，此時西方最精華的思想並未傳入，只是以飛機大炮爲後盾來摧毀我們國家民族的統一，加以近代教育之錯誤，使青年總以外國月亮爲圓，在精神上萎靡不振；後來雖想迎頭趕上，卻又食古不化，相繼模仿日本、歐洲、美國，而一一失敗了，五十年以來使得青年的文化意識、民族精神、人格尊嚴都喪失殆盡。

——《原始儒家道家哲學》頁三八

【中國哲學是「以價值爲中心的哲學」】

總之，在中國哲學上面一切萬有論，一切本體論，一切超萬有論，都有一個共同點——一定要同最高的價值哲學融會貫通起來成爲一個整體的系統。這一點可以說，中國哲學是「以價值爲中心的哲學」（valuecentric philosophy），不像近代的自然主義，從科學到邏輯知識論，都要把一切的價值化除掉，把宇宙化成中立宇宙。宇宙只是一個“neutral mosaic,”只是一個“neutral system,”在這裏面是無善無惡，非善非惡的中立世界；然後一切的科學都成爲那一套思想。這套思想，解放算是解放了，不受價值的束縛，其弊也，卻令人生起貧乏之感。但是在中國哲學上面，隨便那一派都是以價值爲中心的哲學。所以從這一方面，我們沒有“Pure Ontology,”“沒有”pure meontology,”“我們到處都是一種”value-centric philosophy of Being or Not-Being,”“因此這就是中國人要把世界與人生、人性點化成爲一個理想狀態。所以中國各派的哲學都不能夠叫做自然主義，都是叫做理想主義。不一定是唯心論，因爲唯心論可以受知識論的限制！

【中國哲學家的精神】

在東方，尤其是中國，所謂哲學家並不是在大學中販賣一些知識的人可以稱爲哲學家，還早呢！眞正的哲學家，精神上首先在宇宙立定腳跟，不沾染低層世界，然後他的精神層層超升、解放，直到精神世界的頂點，在那兒形成不朽的人格，再發出生命的光輝，這樣才算是哲學家。在西洋方面，如希臘的蘇格拉底、柏拉圖，所謂哲學家在價値界應當表現純靈之超升，把下層世界的一切束縛都解放，自己變成純粹精神之後，再回到此世間從事各方面的活動，則無事而不可，因爲他在精神上絕對自由，不至於陷溺在世界的下層，受其羈絆。所以中國哲學家以宋儒的名詞來說，應該是「處處表現聖者氣象」。那麼如何培養聖者氣象呢？就是要把自己的生命投到萬物、人類廣大的生命中，與之合流，然後再與宇宙的精神價値一同超升到很高的境界，才是聖者氣象。所以王陽明的弟子說「滿街都是聖人」，正是因爲他自己的價値標準、修養境界高了，不以鄙陋之心看人類，卻以其價値理想看人類，人類的眞正價値便立刻顯現出來。

——《方東美先生演講集》頁一〇四

——《原始儒家道家哲學》頁三二—三三

【中國哲人的胸懷】

中國哲人中，儒家意在顯揚聖者氣象，道家陶醉於詩藝化境，佛家則以苦心慧心謀求人類精神之靈明內照。要之，道家放曠於空靈意境之中，逍遙自得，宛似太空人之翺翔太虛。儒家豁達大度，沈潛高明，兼而有之，其於天人之際，古今之變，處處通達，造妙入微，期能踐驗高超理想於現實生活。佛家則蘊發慈悲，悲以疾俗憫人，慈以度人救世，苦心化爲大心，慧心於以落實。

——《方東美先生演講集》頁四五

【孔、老、墨三宗的統會】

儒家所以要追原天命，率性以受中，道家所以要遵循道本，抱一以爲式，墨子所以要尙同天志，兼愛以全生，就是因爲天命、道本、和天志都是生命之源。中國人酷愛生命，中國人極端尊崇生命的價值，所以對於生命，總求其流衍創化，以止於至善。離掉生命本身的價值，則宇宙即蹈於虛空；撇開生命本身的善性，則人類即趨於誕妄。考之論語，孔子以四時行百物生說天。贊易之乾元坤元，一則曰：萬物資始乃統天，再則曰，萬物資生乃順承天。生生之易純爲天之本體，道之大原，亦即是人之準則，故不能不以至德之善配其廣大。子思承其家學，發揮天命謂性，率性謂道的奧義。孟子繼起，主張知性知天的顯理，乃遂完成儒家人生哲學的基本義。從此以後，盡己性，盡人性，盡物性，贊化育以與天地參，就是中國人做人的極則。這種廣大精微，高明博厚的思想，可說是世界上最哲學的哲學。現在尙有不少哲學的叛徒，如焦大其人者，譏訕謾罵，眞是中國人的奇恥大辱。這些人連思想的國本都失了，還談甚麼復興民族，解救國難！

我這樣說，並非像昏瞶者流，尊孔賤道，或崇儒詆墨，我向來認爲孔、老、墨三宗之和會，是中國哲學的高妙處。此意可惜後人不知，更可惜儒、道、墨三家本身也有時不覺，遂致互相詆毀，自貶中國哲學的聲價。孔、老、墨三宗的統會，就在生命價值之積極的肯定，從此可以窺見中國道德的根源。老子說：「道生之，德蓄之，物形之，勢成之，是以萬物莫不尊道而貴德，道之尊，德之貴，夫莫之命而常自然，故道生之，畜之，長之，育之，亭之，毒之（河上公及畢沅均以聲義相近之成熟訓亭毒），養之，覆之，生而不有，爲而不恃，長而不宰，是謂玄德。」看此一段文字，舉以與原始儒家的學說相較，則道與天同爲生命本原，已甚顯明。生蓄爲妙道之行，長育、亭毒、養覆乃是生命之相，莫之命而常自然，蓋謂生命本身有絕大的力勢，創造自如，無有限制，正與易傳所稱翕含闢弘的大德之生，不異其體用，其尊其貴可知！生而不有，是通變神化，生生不息。爲而不恃，是勞謙不伐，有功不德。長而不宰，是開物成務，冒道趣時，惟變所適，往來通幾，所以成其大德。

——《中國人生哲學概要》頁五二—五四

【原始儒家、原始道家與大乘佛學之共同特色：㈠旁通統貫論】

余將原始儒家、原始道家、與大乘佛學三家統匯歸一類，而相提併論者，乃是鑒於其系統雖然歧異，然卻同具三大顯著特色：【㈠旁通統貫論㈡道論㈢個人品格崇高論】

㈠旁通統貫論　論語上孔子語曾參曰：「吾道一以貫之。」易曰：「天地之道，貞觀者也；日月之道，貞明者也；天地之動，貞夫一者也。」老子曰：「昔之得一者：天得一以清；地得一以寧；神得一以靈；谷得一以盈；萬物得一以生；侯王得一以爲天下貞。」「是以聖人抱一爲天下式。」

大乘佛學諸宗關於大千世界雖發展出種種不同之緣起論，然一旦臻於圓智統觀，則莫不泯入理想圓融之境，斯即一眞法界，瀰貫一切。於茲理想之一眞法界中，一入一切，一切入一，一多相攝互涵，一切與一切互具，融鎔浹化，契合無間，凝成整體統一，一如悟境本身所造，中文謂之「菩提道」。

——《中國哲學之精神及其發展》頁三六—三七

【原始儒家、原始道家與大乘佛學之共同特色：㈡道論】

㈡道論

「道」之一辭，雖爲諸家通用，堪稱共名，然於各系統之中，意指不一。儒家將包舉宇宙大全「一以貫之」之道析之爲三：

一曰天之道（又名天道或乾道），天道者、乾元也，即原始之創造力，資始萬物，復涵蓋萬物、一舉而統攝之，納於健動創化之宇宙歷程之中【易曰：「大哉乾元！萬物資始，乃統天」】，俾人與天地生命皆能充其量、盡其類、致中和、育萬物、位天地，盡性發展，充份實現，臻於最高價值理想之極詣，以完成「繼善成性」，「止於至善」之使命。

二曰地之道，地道者、坤元也，乃順承乾元天道之創始力，而成就之，厚載萬物，而持養之，使乾元之創始力得以緜延久大，賡續無窮，蘄向無限圓滿之境。【易曰：「坤厚載物，德合無疆，含宏光大，品物咸亨」】。

三曰人之道，人道者、參元也。夫人居宇宙之中心位置，兼天地之創造性與順成性，自應深切體會此種精神，從而於整個宇宙生命創進不息生生不已之持續發展歷程中，厥盡參贊化育之天職。其特色也，端繫乎一種對個人道德價值之崇高感，對天地萬有一切內在價值之同與感，並藉性智睿明，洞見萬物同根、天地一體之同一感。

道家論道，益馳騁玄想。就本體論言之，道之本身，超乎其他一切之上，乃是神而又神之神秘。藉布萊德雷（F. H. Bradley）之術語釋之，則爲眞而又眞之眞實，超越一切呈現、局部表現之限制。其不可言說性，復將一切文字語言描繪功能化爲烏有。然而，兼就宇宙論言之，道即用顯體，絜然貫入宇宙大全，是爲元一，依一序列而滋生萬有，包舉天地人三才與一切可思議之萬物，悉統於永恆統會之生藏（玄牝），齊物倫、泯萬差。就價值論而言，道體顯發無窮圓滿之價値，然而，同時復又將一切爭議不決之價値品級，一切爭論不已之道德德目，悉化爲無謂之談。道之本身內具至德，乃超越一切偏計妄析善惡、美醜等，故吾人於莊子著作之中，恆發現其對人間化——太過人間化——之儒家種種道德德目，揶揄嘲笑備至。

就佛學之眼光看來，究極本體乃是眞而又眞之眞實，而非表相如此。舉凡一切相對特殊之差別相狀，必須一一剝落淨盡，其全部內在本質始克如如朗現於光天化日之下。故於空之理尤爲注重。空之理乃作爲圓覺（圓滿實現）之理之前奏。任何物象，攝諸五官，悉受制於種種特殊之因緣條件。吾人有目而不能視；有耳而不能聽；而由種種感官法式作梗，物象乃限於感官所與；竟於能感主體，渾然忘卻。在清明意識之焦點上（所謂昭明靈覺），感官之分殊功能，以及物色之差別相狀，固悉攝於統覺，然於意義之重要邊緣，仍大部忽略。縱使沖淵默識，統於眞我，而卒以護持不墜，然其中仍有種種我執我慢，集處不去，在在爲眞理全幅呈現之障，有礙眞理之圓滿實現。故於佛學各宗，必須嚴劃初階致知與般若圓智之判；前者生於心能起用，心能者，語其本質，則在於了別分析；而語其限制，則又病析之不澈。後者逕指般若圓智之道，惟依精神之靈昭不昧，或藉天才之電光爍閃，或藉澈底系統化之悟解力產生整合作用，將一切透澈分析之結果悉化爲一大圓融統觀。一旦圓智頓現於精神靈昭，——頓悟是也，或凝聚於藉辛勤比量培養而成之通觀慧，——漸修是也，則般若智體與全眞之光融鎔浹化，是謂般若與眞如不二。當是時也，吾人即可內證聖智，當下即悟，是之謂「菩提道」。故吾人可斷言曰：知識不存，識滅智生。卒終爲論，吾人所恍然大悟者，即是光明四射之明覺本體。

——《中國哲學之精神及其發展》頁三七—三九

【原始儒家、原始道家與大乘佛學之共同特色：㈢個人品格崇高論】

㈢個人品格崇高論

中國形上學家多尙自我節制，尤貴自知。其論個人，恆兼顧其可觀察之現實性（實然）與理想化之可能性（應然）兩方面著眼。由現實至可能，其間原有一種極細密之自我實現歷程，一種極艱苦之自我修爲功夫，以及全幅自我實現之道。個人之現實情況，可能爲自然地、天生性善，然而事實上亦可能爲無善無惡，而恣意妄爲；且於緣起因果關係之中人可能處於一套限制與束縛之自然狀態。儒道佛三家所論人性本質，其出發點原迥乎不同。在自然存在之基本上個人既非當予犧牲之對象，亦非應受讚美之主體；吾人對之，只合當作一項碻切之現實，而如實接受之。人以其重要性，故宜接受；人以其偉大性，故顯重要。人性之偉大在於全幅發展，端賴擴而充之，大而化之，藉超脫點化、教化、理想化之過程，而止於至善。其最後產生之結果，如下文所示，乃是個人品格之崇高化，儒家謂之高明峻極之人格典型或聖賢；道家謂之神人或至人；佛家則謂之覺者，而上參佛性。為求臻於此種最高理想，三家戛戛獨造，嚮往各有千秋，然其致之之道及精神護持方式，則表現迥殊。非僅於三家之間，抑且于同派之內，彼此也風貌各異。

——《中國哲學之精神及其發展》頁三九—四一

三、原始儒家哲學

【「儒」的意義】

儒家這一個「儒」字，具有很廣泛的意義。譬如在春秋戰國時代，所謂「儒」，乃是泛而言之，等於當時的知識階級，因爲這一個字的意義很廣泛，所以有時不免引起誤解。甚至在某一個時代的知識階級裏面，其中固然是有特立獨行的人，但是同時也夾雜著知識界的敗類。所以，儒家這一個名詞，一方面是讚美的名詞，第二方面有人以爲是不好的名詞。譬如在論語裏，孔子就往往分辨「君子儒」與「小人儒」；甚至荀子，他本身是儒家，但是他對於儒家的某派——子思、孟軻，頗有微辭。他把儒分類爲⑴俗儒，⑵雅儒，⑶大儒。

就儒家這一個「儒」字而言，有時把它當做好的意義，有時把它當做壞的意義來看。那麼，什麼叫做「儒」呢？就揚子雲法言所謂儒，乃是「通天地人，曰儒」。就是一個大哲學家，他的思想系統賅括整個外在的宇宙，人類生活所寄託的地球，乃至於地球上面一切人類都包括在內。因此，他對於物性、人性，甚至於在生命領域裏面各種動植物的屬性，都能夠徹底地了解，然後才產生一種思想，確定人生的意義、價值以及地位。這樣的「儒」，借用戰國時代荀子的名詞來說，叫做「大儒」，就是通天地人的大儒。荀子再有一個名詞叫做「雅儒」，荀子對於雅儒沒有仔細解釋，不過，我們可以說，在莊子天下篇所謂的「鄒魯之士，搢紳先生。」能通六藝——禮、樂、射、御、書、數，即可說是雅儒了；而且這個雅儒就像周禮所謂「師氏」——他能夠徹底了解整個古代中國文化的六藝內容。同時，荀子再用一個名詞「賤儒」來批評儒家的別派，這個名詞未免下得太重了一點，不過在大儒與雅儒之外，至少還有俗儒——世俗的人；你不能說這一類的俗儒沒有知識，但是他對於知識不是就眞理的分寸來講，而把知識當做利祿的敲門磚，表面上他雖然也可以叫做「儒」，可是這個「儒」在當時知識界是知識界的敗類。從這些方面看，儒家是一個廣泛的名詞，若就哲學思想的內容來估定其價値，我們應當有幾類不同的分法：㈠通天地人的大儒。㈡通六藝的雅儒。㈢以知識爲販賣品來獲得利祿的俗儒。

——《方東美先生演講集》頁一一三、一五三—一五四

【原始儒家之分期及其兩大哲學文獻】

余論原始儒家，析爲三期：第一期之儒家承受一套原始初民之上古思想遺跡，企圖納諸理性哲學。第二期之儒家則根據另外一套不同之久遠傳承，創建一體大思精之思想體系，肯定人性之崇高峻極，天地之大美莊嚴，二者雍容浹化，合德無間，以燦溢完美之眞理於無窮。漢儒固可列爲儒家之第三期，聊充附屬耳。良以其陽儒陰雜，經生煩屑，訓詁飣餖爲事，哲學見地，卑無甚高，姑置之弗論可也。

茲專欲論列者，乃以孔、孟、荀爲代表之原始儒家。就此義觀之，所謂原始儒家乃是一方面承受一套洪荒上古時期之久遠傳統，或如若干解釋所言，僅係發揮舊說，同時另一方面，抑又創造出一永久性之傳承，垂諸後世而弗竭。合斯二者，遂爲全幅中國文化史之長程發展而一舉奠定其基型焉。余意蓋謂兩大哲學文獻：一曰尙書，一曰易經。

——《中國哲學之精神及其發展》頁五八

【原始儒家的兩大層面】

自余觀之，原始儒家兼有兩大層面：

第一、爲其因襲或保守面，强調「反古復始以報其本」，藉神秘化之「大中」以象徵「

迴向天上原型」。復藉「尊生」以解釋宗教祭祀種種及其意義，奉永恆界為生命之源。

第二、為其創造或進步面，藉逆轉永恆界之序列，並注以雄渾大力，於以見生生不已之賡續創造。

此二面乃相輔相成，藉以描繪絕對實在、實性之全幅眞相。故後期若干思想家便將「大中」意符與「太極」至理打合為一，形成「廣大統一」——「洪範統一」。

——《中國哲學之精神及其發展》頁一〇九

【中國尙書洪範皇極大中的報德返本】

其實我們本來是要求世界的理性化，而這個理性化就是從人文價値裏面的人文所化成，是「價値的理想化」。這個是在人類文化裏面所產生的spiritual aspiration（精神的向上嚮往），也就是要不斷的把人性的意義同價値，提昇到最高的價値理想上去。但是就原始的宗教來說，儘管是根據尙書「洪範」篇裏面，最高的宗教神已經退隱了。由於它已經退隱了，所以對於最高宗教神的本身，已經不能夠直接產生體驗，因此在思想上面就想出一套符號，將它當做理性的符號，這套符號就是「皇極」、「大中」。不過這個理性的符號是象徵宇宙背後有一個最高的秘密，這個最高的秘密，不是像宗教衰退後所生一個退隱的上帝，而是要把那一種隱藏在宇宙裏面的那個最高、最大的精神秘密提倡、或反映出來。於是再提出一個「天」，這個「天」不是像墨子所講的「人格神」，而是說這個天就像儒家裏面經由點化而成的philosophical God（哲學的神），它變做一個supreme symbol of truth（最高的眞理意符）、supreme principle of Goodness（最高的仁善原理）、supreme principle utmost truth（最高的究極眞理原理）。然後再把那一種東西當做宇宙一切存在的起源；在宗教上面，就拿這個作爲「報德返本」的心態；在人類的生命上面，將其視爲最高理想願望之所在；透過許多宗教的儀式，便把它體現出來。

——《華嚴宗哲學》（上册）頁一五九

【「皇極大中」釋義】

茲請專論「皇極大中」。先自字源學之問題談起。「皇極」一辭，質言之，實指「太極」。以「太」或「大」釋「皇」，自無疑問，蓋「偉大」之涵德，商周之人皆奉爲秉承於「

天」或「上帝」。「極」之一字，其具體原義但指某建築之「主棟」或「屋極之中」，或某房屋之「屋脊」。由之逐漸引伸而得種種抽象義，諸如㈠「中」、「中央」、「中心」，㈡「隱秘」，㈢「正」、「正直」、「正義」，㈣「高卓」，㈤「至上」，㈥「邃遠」，與㈦「究極」等。「極」字既指「追求至極」，甚或「究極鵠的」，即目的因，復兼指萬物所由生之本原，即根本或初因。「周書」第三十二篇——「逸周書」——至謂：「正及神人曰極，世世能極曰帝。」意即「上帝」也。中文之「帝」字，同其語義雙關，原指「神聖實有」或「天」；引伸言之，又兼指豐功偉蹟至德完美之大人內具神聖秉彝而言，身死化神，後人祀之若「帝」，蓋以其偉大至德而參與神性之謂也。在「神」與「神人」之間，雖有區分，終無間隔。

——《中國哲學之精神及其發展》頁七四

【釋「對越在天」及講孝道的理想和價值】

所謂「對越在天」究竟是什麼意義呢？因為中國是一個氏族社會，是從宗法社會演變出來的。因此，中國人在家庭中的生活行為是一切社會行為的根本；一切社會的組織都是從家庭裏面發展出來的。而在家庭生活中，最着重孝道，但是這個孝道不是盲目的「愚孝」，這在反禮教的人說起來就成爲「吃人的禮教」，他們根本不懂得中國家庭的組織。在中國人的家庭組織裏面，可以說是在國家有重臣，在家庭有重子。不一定父母的行爲都是對的，假如有了錯誤，那麼子女要起而勸諫，要抗議，要爭論；就彷彿一個國家的大政方針，君主處置不當，犯了錯誤，那麼三公九卿這些大臣要起而抗爭一樣。從這一方面看起來，中國人講孝道，是非常尊重生命以及生命的理想和價值。這個家庭、這個社會，就是從父母子女這一種血緣關係的「親親之義」的內層，來表現出生命的寶貴的價值。所以，講孝道要在善述其志。換言之，這依然是周易的根本思想——「繼之者善，成之者性。」

因爲生命不是由一個人來實現的，這一個人死了，生命就斷滅了。但是生命是具有久遠的價值的，這個久遠的價值在一個時間的段落裏面要求實現，一定不能完全美滿，還要繼續不斷的在長時間中，把現在還沒有完成的價值推之於將來，漸臻於完成。所以孝道是什麼呢？那是繼志承善、人文化成的道理。把家庭當成同善相濟、協力共成的場所，在這個場所中，一代懷的理想不能夠完全實現，第二代繼續努力，以求更美滿的實現，以至於第三代踵事增華，力求盡善盡美。所以在這一種情形下，宋儒在家庭中，起碼都是孝子，他要講孝道。孝道就是如果父母有錯誤，做子女的要抗爭，冀求抗爭之後能夠改過，那麼大家所希望的理想就有更進一步實現的可能。這樣一來，這個人死了以後，一定是「在帝左右」——昇到天裏面，生活在天帝的左右。這在宋儒注重孝道這一方面來說，他每一種行爲無形中都要發出「對越在天」的要求，對得住在天帝左右的祖宗。

——《新儒家哲學十八講》頁一六三—一六四

【尚書洪範系統之九大範疇】

自余觀之，九疇說乃是一篇極重要之上古哲學寶藏，沿聖垂文，傳承至今，語其年代，當在周前千年以上或不止。本書伊始，余嘗開宗明義，點出中國上古之形上學基調表現宛若一部神話、宗教、與詩歌之三重奏大合唱，睹斯篇可知也。質言之，其本身究竟有何眞實之歷史價值否？關於此層，請詳下文各節。

洪範系統，俱見尙書第十二篇，箕子奉爲天啓，以錫大禹（公元前二一八三—二一七六年在位），——禹建夏（公元前二一八三—一七五一年）。天以錫禹者，酬其治水之大功也，蓋嘉其一舉消弭歷代洪水之患，水利工程成就，當世無與倫比。據推計約當公元前二二七五—六年。九疇系統含九大範疇，茲釋之如下：

初一曰「五行」——謂五種自然元素【水、火、木、金、土】。

次二曰「敬用五事」——謂慎行五項內外生活方式【貌、言、視、聽、思】。

次三曰「農用八政」——謂謹施八項政務功能【食、貨、祀、司空、司徒、司寇、賓、師】。

次四曰「協用五紀」——謂燮理陰陽，恪奉天時，詳推曆律，釐制五項天文秩序【歲、月、日、星辰、曆數】。

次五曰【建用皇極」——謂建立大中意符為無上極則，以彰其根本大義【皇建其有極】。

次六曰「乂用三德」——謂致力培養三達德【正直、剛克、柔克】。

次七曰「明用稽疑」——謂按驗人事諸疑，澄而明之。

次八曰「念用庶徵」——謂察諸自然徵候，審以應之。

次九曰「嚮用五福，威用六極」——謂趨五福、避六凶。

上舉九大範疇，昔皆尊奉為上天神聖旨意之啓示。

——《中國哲學之精神及其發展》頁五九—六〇

【易經—中國哲學思想的源頭】

在這裏，我將向諸位推舉易經這一部偉大的著作，它是中國哲學思想的源頭，易經上說：「易簡則天下之理得，天下之理得而成位乎中矣！」

「易與天地準，故能彌綸天地之道。」

「與天地相似，故不違，知周乎萬物，而道濟乎天下，故不過。旁行而不流，樂天知命，故不憂，安土敦乎仁，故能愛」。

易經的基本原理，就在於持續的創造性。乾元爲萬物所自出，一切變化的過程，一切生命的發展，一切價值理想的完成和實現，創造前進都無已時。

——《生生之德》頁二六九—二七〇

【周易是一部集體的創作】

就十翼這一方面看，中國的古代，猶之乎西洋的古代，都是很少有私家著述。因此，古代許多重要的典籍都代表學派的集體智慧。六經不是成於一人之手。漢代今文學家說法是不可靠的，尤其是清末康有爲說六經皆孔子所作，這更是附會之說，事實上，六經是代表儒家師弟集合的著作，周易的十翼也是如此。再譬如孟子一書，一般認爲是孟子一個人的著作，但是近代經過章太炎（炳麟）考證說孟子還是同他的弟子的作品集在一起。在墨子更是顯而易見，天志、法儀、尙同這幾篇是原始的墨子；可是後來的大取、小取、經上、經下，這是別墨。莊子內篇、外篇、雜篇，也是學派的著作，不是一個私人的著作。而儒家又何能例外呢？此種例見，頗像希臘的兩個大的本事詩，Homeric Poems與Hesiod Poems，前人都認爲Homer, Hesiod是作者，但是經過近代的考證，證明這根本是古代口說流傳下來的歷史結晶，是集體的創作。因此，周易是一個集體的創作；原是孔子晚年連帶了天才的學生商瞿的合作結晶；這是純粹的魯學。但是以後一傳到了楚，一傳到吳，再傳到燕，尤其中間透過齊，而齊是陰陽家、雜家思想學術流行的地方，致使方士、術士說很容易就挾雜進來。因之，漢人所講的易，大半注重數術這一方面。漢代從田何、楊何一下傳下去了之後，施、孟、梁、丘都是從齊學那一方面傳的，所以變成術士之學，把眞正的孔子與商瞿所創作的眞正魯學，漸漸變質了。這個思想線索在象傳、彖傳、文言傳、繫辭傳、雜卦傳的頭一段，看不出其變質的痕跡，那是純正的孔子——商瞿之學；但是在說卦傳的思想內容就可以看出其中被變質的許多痕跡了，後來許許多多的附會完全是齊學的方士、術士之學挾雜進去的。

——《方東美先生演講集》頁一七八—一七九

【易經是一部顚撲不破的歷史文獻】

茲據儒家文獻種種原始資料而觀之，其形上學體系含有兩大基本主要特色：

第一、肯定乾元天道之創造力。

第二、强調人性之內在秉彝、即價值。

茲二者自遠古以迄今日結合構成儒家哲學之骨幹。表現此種思想型態最重要者莫過易經，更以荀孟之書輔翼之。荀孟除充實發揮一套富有原創性之形上學思想外，更昌明一套哲學人性論之基本學說。

儒家代表典型之時際人，故自然需要藉變易原理創造一套動態化育之範疇結構系統。易經原是一部顚撲不破之歷史文獻，惜誤解者多、而知道者鮮。余請揭示其歷史發展過程中之諸自然步驟如次：易經蘊涵一套層疊相狀之歷史發展架構格式，其中雖有哲學意蘊，然嚴格言之，其本身究非哲學性質。所謂層疊格式者，蓋指其於歷史發展過程中係漸次累進式而言。諸如：

（甲）一套圖騰社會之架構格式。

（乙）一套血緣社會之架構格式。

（丙）一套部落社會之架構格式——即氏族（家族之家族）聯盟。

（丁）依封建制度形成統一之王國。

（戊）王國漸失其統，終導致中央解體，是爲春秋時期。

（己）聯合統一，名存實亡，進入戰國時期。

（庚）六國兼併、統於一大帝國之下，秦後是也。

凡此一切，莫非歷史。

——《中國哲學之精神及其發展》頁一二三—一二四

【研究周易的途徑】

對於周易的研究，我常用清代一個漢學家焦循（里堂）的觀點(1)學易者所以通其象，(2)

學易者所以通其辭。那麼，第三點我加上一句，叫做學易者所以通其理。

所謂「象」者，就是最古老的易經，是周易六十四卦符號的體系。研究周易與研究詩有一種同樣的步驟，就是「詩三體：賦、比、興」，我們也可以說「易三體：賦、比、興」，賦就是把卦爻的擴充同文辭的連繫，當作歷史的記載，這是歷史家研究的對象，不是哲學家研究的對象；但是哲學家接受這些歷史的資料，他要憑藉哲學智慧，給予解釋，可是這個解釋是有層次的：⑴常識的解釋。⑵在古代半科學的解釋。⑶文字的解釋。⑷道德的解釋。⑸純哲學的解釋。

——《方東美先生演講集》頁一七九—一八〇

【易學的傳承】

北方的經學，有今文經學、古文經學，即兩漢經師的「師法」與「家法」。由於河北平原的人稟性厚重，風俗淳樸，性格單純而堅忍不拔。所以在這個地區的經學之發展在風格上與南方的楚學殊爲不同。比如以周易爲例：易學的傳授，據史記仲尼弟子列傳：孔子傳易於商瞿，輾轉相傳於漢初之齊人田何，八傳至武帝時的楊何，而太史公司馬談受易於楊何。這是周易的魯學，而田何是齊人，也可以說這是以齊魯爲中心的「大陸學派」。但是商瞿傳楚人馯臂子弘，弘傳江東人矯子庸疵，這就傳到了吳楚地區的長江流域了。我們瞭解到：孔子與商瞿之易學事實上是易傳——易彖傳、大小象傳、文言、繫辭傳——這是純正哲學的部分。但是再傳到齊學的時候，易學就變了。因爲齊地濱海，其人多自由幻想。因而在先秦時代，這個區域原是神仙家、方士家、術數家活動的地區。換言之，也就是後來鄒衍這一派所謂陰陽家思想流行的地方。因此，純正哲學的周易，東傳而至齊學，就滲雜了神仙術數的陰陽家思想。而後易六傳而至田何，八傳而至楊何，九傳而至施孟梁邱，一直輾轉相傳到後漢虞翻，多少都夾雜了術數的理論。然而如果就純正哲學的北方易學而言，在風格上應是質實厚重、弘大堅忍而充滿陽剛之氣的。但是一夾雜了齊學的方士術數之言，就不免打著儒家的招牌，實際上是雜家的身分了。

——《新儒家哲學十八講》頁四八—四九

同時，我們曉得，講周易不僅有儒家的周易，還有道家的周易甚至有道教的周易。你把「道藏」打開來一看：道家固有純正哲學方面的老莊易學，但同時也有神仙方士的道教易學。這的確是十分駁雜了！

【易經要義】

據司馬談、司馬遷父子之考證，此部新易理之革命哲學、啓自孔子本人，復經商瞿子木及其他後學等之踵事增華，傳承發揮，其要義可析爲四方面而縷述之如次：

㈠高揭一部萬有含生論之新自然觀　其說與稍後之陰陽家唯物主義視自然莫非一套由物質元素與物理變化表現爲機械秩序者，迥乎不同，而視全自然界爲宇宙生命之洪流所瀰漫貫注，一脈周流。由此種新自然觀看來，「自然」云云，略近於斯賓諾莎與歌德所謂之創造能生之自然，而非西方古典科學中之所造所生之自然。自然本身即是大生機，其蓬勃生氣，盎然充滿，創造前進，生生不已，宇宙萬有，秉性而生，復又參贊化育，適以圓成性體之大全。此種主張和諧實現化育歷程內具生機論，孔子實首發之，俱載于象傳、繫辭傳、及說卦傳前部分（其後部分或係後儒所加）。

㈡提倡一種性善論之人性觀　據萬物含生論之自然觀而深心體會之，油然而興成就人性內具道德價值之使命感，發揮人性中之美善秉彝，使善與美俱、而相得益彰，以「盡善盡美，美善合一」爲人格發展之極致，猶希臘人所嚮往之kalokagathia（即善即美、美善合一）理想，而實現此一最高之理想，惟人爲能。此義亦孔子首發之，具載於「乾、坤文言傳」，尤系統發揮於「象傳」，强調偉大人格之道德成就。

㈢發揮一部價值總論　繼完成上述系統化之新自然觀與提倡美善合一、蘄向人格究極圓滿之人性論之後，孔子復引伸發揮一套價值總論，將流衍於全宇宙中之諸相對性差別價值，使之含章定位，一一悉統攝於「至善」，化爲絕對價值。此繫辭傳之主旨也——爲大易全書總綱及其主腦所在。

㈣完成一套價值中心之本體論　以個人之創造性爲基礎，藉求圓成人性，齊昇宇宙萬般生命，止於至善，經孔子詮表之，形成一部價值總論，肯定性體實有，盎然充滿，瀰貫天地，澈上澈下，莫非價值。實乃一套價值中心之本體論也。堪稱代表儒家哲學之最高巔峯成就，俱見易經。

——《中國哲學之精神及其發展》頁一四五——一四七

【易經形上學】

易經一書，是一部體大思精、而又顛撲不破的歷史文獻，其中含有：⑴一套歷史發展的格式，其構造雖極複雜、但層次卻有條不紊。⑵一套完整的卦爻符號系統，其推演步驟悉依邏輯謹嚴法則；⑶一套文辭的組合，憑藉其語法交錯連緜的應用，可以發抉卦爻間彼此意義之銜接貫串處。此三者乃是一種「時間論」之序曲或導論，從而引伸出一套形上學原理，藉以解釋宇宙秩序。

——《生生之德》頁二八九

【易經哲學四大原理】

總結上述時間本質，卒終爲論，余請拈出三大原理，藉以彰顯大易之形上學意涵，十年前，余嘗論及其他若干原理，以闡釋易經哲學，俱見拙著「中國人生觀」第二章（頁七二—五）。自今觀之，余於其中所詳細詮列之第一原理「性之理」，猶不宜遽釋。故茲處所論有關易經哲學，合計約含四大原理。㈠性之理（即生之理）。㈡旁通之理。㈢化育之理。㈣創造生命即價值實現歷程之理。

——《中國哲學之精神及其發展》頁一四九

【易言立象以盡意】

儒家貞觀萬物，原亦設卦陳爻以應天地山澤雷風水火之形，日月四時之態，（易說卦傳第七第八第十一章更推廣卦象，以括具體之物類，頗不應理，疑是漢人妄增者。）考其要旨，僅在立象以盡意，援爻以通情，玩占以觀變。繫辭傳曰：「是故易者象也，象也者像也。彖者材也，爻也者效天下之動者也。」凡此云云：皆舍宇宙之形迹以顯其勢用，所謂窮神知化，「妙萬物而爲言者也」。乾道變化，首出庶物，坤厚載物，含弘光大，天地交而萬物通，其用也泰，天地感而萬物化生，其用也咸，天地革而四時成，日月得天而能久照，四時變化而能久成，其用也應恆，推而至於萬物，雷取其動，風取其撓，水取其潤，火取其燥，山取其堅貞，澤取其虛受，莫不有妙用流寓其中焉。

——《生生之德》頁一二八

【對卦象符號的三種解釋】

余茲重複强調曰：易經卦列之邏輯系統無非象徵表達形式上之可能性概然率耳。欲得其確義，勢須予以妥當之解釋。就易經而論，對其卦象符號便有種種不同之解釋。

第一種謂之事實陳述性之解釋，亦即常識性之解釋。在常識界吾人對外物所以感受興趣者，無論其爲自然物或工藝品，不外視作利生之器用工具。外物乃構成所謂之工具世界或器用世界。清初趙繼序曾作統計，列舉周易卦爻諸辭所載日用器物高達六十種之多，飲食營養之物十九種，植物三十種，動物九十七種。

第二種爲自然科學性之解釋，初及於時序變化、天文星象等；次及於自然地形地理狀貌等；三及於風土人情氣候氣象等。一、二兩項之解釋討論涉及原始萌芽科學與初期發展之物理自然科學。研易者多視易經乃專談哲理之書，謬矣。

第三種解釋乃兊就人生而爲言，屬理性心理學及文化史範圍。故可逕謂之人文主義之解釋。孔子於繫辭傳曾兩度提示：易經原文殆始於殷周之際，時當公元前十一、二世紀。【子曰：「易之興也，其惟中古乎？」】考諸史稽，可知殷周更迭實一大變動之時代，歷經長期戰亂之後始久享太平者。當是時也，前期靜態之殷文化乃逐漸爲郁郁乎動健而富於創造性之周文化所取代。

職是之故，孔子及其後學乃發起一項哲學思想之革命運動，沿承易卦之符號系統而賦予種種人文主義之解釋。爲達到此目的，孔子勢須將易經原有之陳事文句化作一套義理文句。此項化賦體爲比興之鉅任，即由孔子及其高弟商瞿（公元前五二二年生）共同肩起。嗣後，易書此部原屬紀史之作，遂一變而爲一套發揮易理之系統化哲學矣。

——《中國哲學之精神及其發展》頁一四三—一四五

【「易爲之原」的根本涵義】

「易爲之原」的根本涵義，乃在於昭告吾人，構成文化的基本精神，理當在哲學上去追求，而哲學絕不是偏狹的學問。要形成一個偉大的哲學思想體系，必須從現實的人生、現實世界，向上層層超昇，一直追求到價値高妙的領域，具有永恒的理境；而後成立一個系統的世界觀，作爲吾人精神上安身立命之所。由此看來，一個自然人在自然界中，儘管他能接近現實，也能獲得暫時的生存的滿足，但是從價値和意義方面看起來，他所接近的現實究竟是不是眞理所在的統一價値？由此我們可以瞭解到，哲學不是一個孤立的學問，它要透過自然科學，以取得和現實世界、自然世界的聯繫；還要更進一步的根據科學的瞭解，統匯各種知識，把它們從自然平面上樹立起來，成爲向上超昇的立體結構。一個哲學家首先要有這種才能，然後才有妙造自然，直透本體的見識，有了這種本領才配讀哲學。

——《新儒家哲學十八講》頁四二—四三

【易經的時間概念】

顯然地，作爲「時間人」典型代表之儒家，自不免要將一切事物，——舉凡自然之生命，個人之發展，社會之演變，價值之體現，乃至「踐形」，「盡性」、「參贊化育」……等等，——一律投注於「時間」鑄模之中，以貞定之、而呈現其眞實存在。

問題關鍵是：何謂「時間」？蓋時間之爲物，語其本質，則在於變易；語其法式，則後先遞承，賡續不絕；語其效能，則緜緜不盡，垂諸久遠而蘄向無窮。時序變化，呈律動性，推移轉進，趨於無限，倏生忽滅，盈虛消長，斯乃時間在創化歷程之中、緜緜不絕之賡續性也。時間創進不息，生生不已，挾萬物而一體俱化，復又「統之有宗、會之有元」，是爲宇宙化育過程中之理性秩序。時間之動態展現序列，在於當下頃刻刹那之間，滅故生新，相權之下，得可償失，故曰：時間之變易乃是趨於永恒之一步驟耳。永恒者，緜緜悠久，亘古長存；逝者未去，而繼者已至，爲永恒故。性體實有，連緜無已、發用顯體，達乎永恒。職是之故，在時間動力學之規範關係中，易經哲學賦予宇宙天地以準衡，使吾人得以據之而領悟瀰貫天地之道及其秩序。

——《生生之德》頁二九〇—二九一

【太極的涵義】

自然，顧名思義該是指世界的一切。就本體論來說，它是絕對的存有，為一切萬象的根本。它是最原始的，是一切存在之所從出。它就是太極，這字首先見之於易經一書中，易經上認為太極能生天地，又能遞生天地之間的一切的一切。後來到了宋代，由理學家更進一步發為無限的天理，為萬事萬物所遵循而成就最完滿的秩序。

——《生生之德》頁二七七

【釋「天地之大德曰生」】

「天地之大德曰生」，然並非生只一度而已，如尋常所謂靜態一度之生者，而是動態往復歷程。易經「生生」一辭，中文直解原作「生之又生」或創造再創造」，故余向採懷德海之術語creative creativity譯之，庶幾格義相當。戴震（東原）著《原善》，疏證大易哲學，兼發揮孟子性善之論，倡：「生生者、化之原；生生而條理者、化之流。」蓋謂「言乎人物之生，則其善與天地繼承而不隔者也。」（《原善》）

是故，原其始，則見乎天地宇宙無限生命之所自來；而要其終，則知乎萬物具體有限生命之所必歸【易曰：「原始要終以為質也」】。一是皆存乎創造變易之歷程中，而生生不已，新新相續。

——《中國哲學之精神及其發展》頁一五五—一五六

【易有三義】

講歷史誠然可以講變化，但是變化中，易從漢代鄭康成講，易有三義，一為「變易」，這是時間的實質；二為「簡易」，這是社會的組織；三為「不易」，眞正貫注了一種形上學的原理，在一切社會變遷發展的當中，不論如何變化，總是表現一種時間上的持續性，歷史上的持續性，然後在此講文化的類型，文化的精神，及文化的價值，這些可以說是永遠不易的。所以易當中，千變萬化之中有其不易之處，才講成這種持續性，而這種持續性是創造性的，不是重複性的，它像柏格森哲學中所講滾雪球的方法，雪球從雪山上滾下來，其容量重力逐漸擴大，終於滾成一個小雪山。歷史也是從演變中表現擴充發展，這個擴大不只是容量上的擴大，也是性質的提鍊，價值的增進。如此說來，可以瞭解周易這部書，從它符號系統的建立，文字的說明，直到哲學智慧，其中有許許多多活的道理，那是人類智慧衰落的時候，對於外界事情控制不住了，才以它爲秘密再找些筮草龜甲來卜筮。如果是把握了哲學上很高的智慧，我們還坐下來卜甚麼？

——《原始儒家道家哲學》頁一五三

【狹義的與廣義的周易哲學】

所謂周易哲學有兩種，一種是狹義的周易哲學，專就周易的符號系統如何完成，及常識的文字解釋如何瞭解來說明周易，那是王弼、韓康伯、孔穎達所作的工作，是狹義的周易。到了宋代與朱子同時的，講周易古本的虞廷，則代表宋代的狹義的周易哲學。而我們處在這個時代，接觸過印度、西方的哲學思想之後，哲學的觀點又和從前不同了；因此對於周易不僅僅講狹義的周易哲學，同時也可以講廣義的周易哲學，以周易純粹的儒家思想來貫通佛家華嚴的思想；同時以近代的法國柏格森的思想，或是英國的懷德海來說，也可以多方面地貫通。如此看來，因爲我們所接觸的哲學傳統多了，我們可以拿近代人的眼光來看周易，而彌補周易之不足。

——《原始儒家道家哲學》頁一六一

【周易思想的因襲與創造】

在儒家，雖然孔子也注重宗教，但是在宗教生活裏面，他將「禮」同「儀」完全分開來；儀是外在的，禮是內在的精神標準，以中庸的名詞來說，是以精神意義的「誠」、「至誠」來說明天道、地道、人道——「三才」之道。這等於是把古代傳統上面宗教的神觀念，給祂哲學化，變做哲學的眞理對象，如是，儒家傳受了洪範篇殷以來的思想，經過周公給祂道德化，春秋時代的三大顯學給祂哲學化。從此以後，中國的制度宗教變得很薄弱，而代替的不是道德，就是哲學的思想體系。從這麼一方面看，儒家所謂「信而好古」，是講詩、書；這都是從因襲古聖先哲的學說啓發出來的。因此這因襲的成分中就有創造。創造就是把道德與宗教的生活再賦予祂一個哲學的意義。那麼，儒家的哲學體系，就從因襲裏面創造出來。這創造的精神就表現在周易。

——《方東美先生演講集》頁一三三

【論語是「格言學」不能籠括整個孔子的思想】

「論語」這部書，就學問的分類而言，它既不是談宇宙發生論或宇宙論的問題，又不談本體論的純理問題，也不談超本體論的最後根本問題；而在價值方面也不談包括道德價值、藝術價值、宗教價值等各種價值在內的普遍價值論。那麼「論語」就不能歸類到任何「純理哲學」的部門。它究竟是什麼學問呢？就是根據實際人生的體驗，用簡短的語言把它表達出來——所謂「格言」！用來在實際的社會行為、政治行為、道德行為上，根據豐富的經驗，指導實際的人生，這樣學問稱為「格言學」（Moralogy）。

「論語」這一部書，當然對於實際的人生是非常寶貴的。它是人生經驗的結晶，可謂言簡意賅，字字珠璣。但是它既沒有論及宇宙全體，也不能包括本體萬有，也沒有對本體萬有的最高根原加以闡明，它雖涉及" Moral Items"、" Moral Virtues"——德目論，但是沒有普遍的價值論。總之，它即使充滿了豐富的人生之智慧，仍不脫「格言學」之範圍，「格言學」怎麼可以代表哲學全體？所以趙普可以拿半部論語去玩弄它的實際政治，其結果是有宋一代積弱不振，遑論遠邁漢唐？明明宋初開國君主的老師是陳摶這一類道士，但又被趙普用儒家的招牌玩弄了，這在學術上自然談不上「究天人之際」、「通古今之變」。何況宋儒很少具備了歷史上的「才」、「學」、「識」，於是元人根據宋人的宋史材料，在宋史中加了這個「道學傳」，形成虛妄的道學氣氛。這是一種「學弊」。

——《新儒家哲學十八講》頁二五—二六

【孟子的思想根源】

孟子的思想的根源在孔子，在大易的彖傳、文言傳、繫辭大傳上面。他的精神是「君子所過者化，所存者神，上下與天地同流。」所以孟子說：

「所欲之謂善，有諸己之謂信，充實之謂美，充實而有光輝之謂大，大而化之之謂聖，聖而不可知之謂神。」

在這麼一種情形下，生命才發揚光大，才可以貫徹天地。所以欲望這個字有兩種解釋：

一方面是禮記裏面所講的欲望，這大抵是從漢儒的觀點出發，所謂「陽德陰刑」。是把欲望歸到「陰」的一方面，它是罪惡。欲望都變成了" evil desire"（罪惡的欲望）但是孟子所講的欲及可欲之謂善並不是講欲望，尤其不是漢儒所講的欲望，他講的是創造欲，是一個人具有遠大的理想，要把他遠大的理想，根據天心，根據地的蘊育精神，把它培養出來。所以孟子先講性善，然後再講情——「乃若其情，則可以爲善矣。」然後才說「可欲之謂善」。這才是眞正的孟子精神。這是從生命的源頭說起，以性是善的，因爲它有創造性；情是偉大的情操，也是善的；然後要完成一切生命的理想價值，這種根本的創造衝動之欲，依然還是善的。

——《新儒家哲學十八講》頁一六七

【孟子深於易】

深於易的，不僅是商瞿這一派的人，從某方面看，甚至孟子也是深於易，猶之乎清代的漢學家惠棟就說周易的根本重要原則，除掉易經之外，再有禮記的中庸篇也是易的微言大義之寄意所在。所以，我認爲要通易經，我們不能像朱子把易當作卜筮之書。朱子這種說法把易經看成很簡單，流弊也非常之大！因爲易最初的起原，也許是供卜筮之用的；但是那個只是歷史發展的權宜段落，到了重卦一開始，就不完全是卜筮之書，而是哲理之書；等到彖爻辭以及十翼各部份組織形成了之後，就完全超越了卜筮的階段，變作純哲學智慧的表現。由此可見，根據周易的傳統，主要的部份是孔門弟子，不僅僅因襲了庖羲氏到文王這一個階段的成就，而主要的思想貢獻是孔門集體創作的貢獻；這是孔門哲學的根本經典。假使了解了這一部根本經典，再來讀三禮，及春秋三傳；然後拿來與春秋時代老子的哲學智慧、墨子的顯學作比較，就可以瞭解儒家在這一部份更重要的經典裏所作主張不是因襲、不是復活，乃是牠所表現的智慧是廣大悉備的創造性智慧！可以統攝天地人的一切存在、一切價值理想。而且，在價值的層面發展，一定要像禮記大學篇所說「止於至善」；如不止於至善，他就認爲精神意義不充足，目的沒有達到。從這一方面，再同大戴禮哀公問五義看，以這麼一個哲學智慧作模範作標準，在做人這一方面，就可以有路徑了。從人歷級超升到士↓賢人↓聖人。聖人在知識上面有廣大悉備的知識系統，當作他的智慧；依據智慧，發洩他的偉大的人格精神。所以，孟子所謂「浩然之氣」，就是周易乾元的這一個創造力量產生的。因此，我說孟子深於易，因爲他根據這一種最高的哲學智慧，了悟「充實之謂美，充實而有光輝之謂大，大而化之之謂聖，聖而不可知之謂神。」於是，把人格影響的力量，以乾元剛勁之氣，即所謂浩然之氣，發洩在整個的宇宙裏面，產生了「君子所過者化，所存者神，上下與天地同流。」的豪情浩意。這是何等的氣魄！在周易繫辭大傳中「乾，大生之德；坤，廣生之德。」乾元代表創造的力量，坤元代表孕育萬物的力量；在時間裏面展開來無窮的層次，才能「冒天下之道」，把握這麼一個哲學的智慧，形成他的精神人格。這個精神人格實在永遠不朽！但是孟子剛氣十足，而且有點過份，有時在學術上面，他究竟縱橫之氣多了一點！他不能像孔子可以容納道家思想的渾厚氣量。近人劉申叔（師培）在國學發微中指出儒家的思想可以容納九流的思想。可是孟子卻要闢楊墨，乃至於引起後來漢儒罷黜百家、宋儒闢佛。這是孟子以其極大的人格力量，發揮過份，有點踰越範圍。我們從現代人看起來，亞聖在人格裏面有時也表現白璧瑕疵。

——《方東美先生演講集》頁一四一—一四二

四、原始道家哲學

【道家的一貫之道】

道家的一貫之道，簡單而言，可以引莊子「天地與我並生，萬物與我爲一」來作代表，拿人的精神與宇宙的全體精神貫穿成爲一體。但是探本溯原，仍應回到老子第一章「道可道，非常道，名可名，非常名，無名天地之始，有名萬物之母，故常無欲以觀其妙，常有欲以觀其徼，此兩者同出而異名，同謂之玄，玄之又玄，衆妙之門。」由無說到有，由有追到無，到天地之始，萬物之母，如此澈底了解後，才可以抵達宇宙之本源、宇宙之秘密，老子用一個字來概括——玄。但不能一玄了事，好像見了大海就沉下去了，不足以發掘其秘密。因此不是一度深去，而是「玄之又玄」，深之又深地向宇宙眞相中追求，打破砂鍋問到底，將一切秘密追剿出來才可以了解全體。此道家一貫之道乃在「玄之又玄」中。

——《原始儒家道家哲學》頁二八—二九

【道家太空人的精神】

夫道家者、太空人之最佳典型也。【誠如莊子所喻之大鵬神鳥：「怒而飛，其翼若垂天之雲」……「搏扶搖而上者九萬里……。」】道家生活存在於一種空間世界，然卻既非物理空間，亦非雕刻與建築空間，——處處不脫阻礙抗拒之性質。道家所寄托之世界乃是一大神奇夢幻之世界。構成其世界之空間者正是美妙音樂及浪漫抒情詩歌中之「畫幅空間」兼「詩意空間」——一種充滿詩情畫意之空靈意境。（「畫幅空間」一辭係德國藝術史家海靈兮・魏爾夫林所鑄。）意象空靈、人物逍遙遨遊其間，恢恢曠曠，瀟瀟灑灑，故能「層層超昇，地地深入，重重無盡，探索重玄，浹與俱化」。道家本此玄想模式，故能遊心太虛，馳情入幻，振翮冲霄，橫絕蒼冥，直造乎「寥天一」之高處，而灑落太清，洗盡塵凡，復挾吾人富有才情膽識者與之俱遊，縱橫馳騁，放曠流眄，據高臨下，超然觀照層層下界人間世之悲歡離合、辛酸苦楚，以及千種萬種迷迷惘惘之情，於是悠然感嘆芸芸眾生之上下浮沉，流蕩於愚昧與黠慧、妄念與眞理、表現與實際之間，而不能自拔，終亦永遠難期更進一步，上達圓滿、眞理、與眞實之勝境。

——《中國哲學之精神及其發展》頁一六九—一七〇

【道家與黃老之說】

繼之而起的文帝、景帝都是信仰「道家」——但是「道家」這個字我是不亂用的——眞正的道家是老子、莊子，這叫做”Taoism“是”Taoist“。而戰國時代的神仙家、方士，一直到東漢末的五斗米教，六朝時的寇謙之，及以後的鍊丹派、符籙派；都可說是與純正的哲學家的道家之關係非常之少，而且誤解得出奇！所以我時常造一個名詞，叫做”Taoisoist“，他們是所謂”Selfstyled Taoism“（自封的道家），他們自命爲道家，其實是道家的曲說、邪說。而文景之世號稱的道家實際上是黃老之說，是如西漢初年河上公之流的神仙方士之說，或是如黃生之言的君人南面之說。與純正的道家哲學思想可說是不相干！

——《新儒家哲學十八講》頁一〇

【老子哲學的根本原理】

老子自道其立場曰：「余言甚易知，甚易行，天下莫能知，莫能行。」「言有宗，事有君。」味此二語要義，老子卓見之大本大原，蓋亦明矣。試諦聽其辭曰：

「道可道，非常道；名可名，非常名。無、名天地之始；有、名萬物之母。故常無、欲以觀其妙；常有、欲以觀其徼。此兩者，同出而異名，同謂之玄。玄之又玄，衆妙之門。」

「天下皆知美之爲美，斯惡已；皆知善之爲善，斯不善已。故有無相生，難易相成，長短相形，高下相傾，音聲相和，前後相隨。是以聖人處無爲之事，行不言之教。萬物作焉而不辭，生而不有，爲而不恃，功成而弗居。夫唯弗居，是以不去。」

「上德不德，是以有德；下德不失德，是以無德。上德無爲而無以爲；下德無爲而有以爲，上仁爲之而無以爲，上義爲之而有以爲。上禮爲之而莫之應，則攘臂而扔之。故失道而後德，失德而後仁，失仁而後義，失義而後禮。夫禮者、忠信之薄，而亂之首。前識者、道之華，而愚之始。是以大丈夫處其厚，而不處其薄；處其實，而不處其華。故去彼取此。」

上引第一段乃是有關超本體論、本體論、與宇宙論諸根本範疇原理之詮表。第二、三兩段則爲最高價值之揭露，聖人依之以行，足爲天下式。

——《中國哲學之精神及其發展》頁一七二—一七三

【老子哲學中「道」之概念】

「道」之概念，乃是老子（約紀元前五六一——四六七年）哲學系統中之無上範疇，約可分四方面而討論之。

一、就「道體」而言，道乃是無限的眞實存在實體（眞幾、或本體）。老子嘗以多種不同之方式形容之，例如：

⑴道爲萬物之宗，淵深不可測，其存在乃在上帝之先。【老子第四章：「道沖、而用之或不盈，淵兮、似萬物之宗；湛兮、似或存。吾不知誰之子，象帝之先。」】

⑵道爲天地根，其性無窮，其用無盡，視之不可見，萬物之所由生。【老子第六章：「谷神不死，是謂玄牝、玄牝之門，是謂天地根，緜緜若存，用之不勤。」】

⑶道爲元一，爲天地萬物一切之所同具。【老子第卅九章：「昔之得一者——天得一以清；地得一以寧；神得一以靈；谷得一以盈；萬物得一以生……其致一也」。】

⑷道爲一切活動之唯一範型或法式。「曲則全，枉則直；窪則盈；敝則新；……誠全而

歸之」。「虛而不屈，動而愈出」。（老子第五章）

(5)道爲大象或玄牝，無象之象，是謂大象，抱萬物而蓄養之，如慈母之於嬰兒，太和、無殃。【老子第卅五章：「執大象，天下往」；第廿八章：「爲天下谿，常德不離，復歸於嬰兒。」第五十二章：「守其母，歿身不殆……無遺身殃。」第五十五章：「含德之厚，比於赤子。……精之至也……和也至也。」】

(6)道爲命運之最後歸趨，萬物一切，其唐吉訶德英雄式之創造活動精力揮發殆盡之後，無不復歸於道，謂之「復根」（莊子），藉得安息，涵孕於永恒之法相中，成就於不朽之精神內。——自永恒觀之，萬物一切，最後莫不歸於大公，平靜，崇高，自然，……一是以道爲依歸，道即不朽。【老子十六章：「致虛極，守靜篤，萬物並作，吾以觀復，夫物芸芸，各歸其根。歸根曰靜；靜曰常。知常曰明；不知常，妄作，凶。知常，容；容乃公；公乃王；王乃天；天乃道；道乃久。歿身不治（殆）。」】

二、就「道用」而言，無限偉大之「道」，即是周溥萬物，遍在一切之「用（或功能）」，而取之不盡，用之不竭者。其顯發之方式有二：一、「退藏於密；放之則瀰於六合」——蓋道，收斂之，隱然潛存在「無」之超越界，退藏於本體界、玄之又玄，不可致詰之玄境；而發散之，則瀰貫宇宙萬有。故曰：「天下萬物生於有，有生於無」。「道生萬物」。二、「反者，道之動」——蓋實有界之能，由於揮發或浪費，有「用竭」之虞，故當下有界，基於迫切需要，勢必向上求援於「道」或「無」之超越界，以取得充養。故老子之强調「反者、道之動」，實涵至理。道之發用，呈雙迴向：順之，則道之本無、始生萬有；逆之、則當下萬有，仰資於無，以各盡其用，故曰：「有之以爲利；無之以爲用。」

三、就「道相」而言，道之屬性與涵德，可分兩類，屬於天然者，與屬於人爲者。前者涵一切天德，屬於道，只合就永恒面而觀之，計得：

(1)道之全體大用，在無界中，即用顯體；在有界中，即體顯用；

(2)「無爲而無不爲」；

(3)「爲而不恃」；

(4)「以無事取天下」；

(5)「長而不宰」；

(6)「生而不有」；

(7)「功成而弗居」。

反之，道之人爲屬性，即來自處處以個人主觀之觀點，而妄加臆測，再以人類拙劣之語言而構畫之，表達之者。撇開此一切人爲之偏計妄測等等，道、就其本身而言，乃是「眞而又眞之眞實」；「玄而又玄之玄奧」；「神而又神之神奇」。惟上聖者足以識之。

四、就「道徵」而言，凡此種高明至德，顯發之而爲天德，原屬道。而聖人者、道之具體而微者也，乃道體之當下呈現，是謂「道成肉身」。作爲理想人格極致之聖人，憑藉高尙精神，與對價値界之無限追求與嚮往，超越一切限制與弱點，故能慷慨無私，淑世濟人，而贏得舉世之尊敬與愛戴。惟其能夠捨己利人，其己身之價値乃愈豐富【「己能予人，己愈有。」】。惟其能夠如此，其己身之存在愈益充實。「是以聖人常善救人，故人無棄人；常善救物，故物無棄物。」由於老子之教，使吾人覺悟到，盡性之道、端在勤做聖賢功夫。而人之天職即在於孜孜努力、精勤不懈，促其實現。故凡能有以挺然自立於天壤之間者、其所必具之條件，即內聖之精神修養功夫也。

——《生生之德》頁二九六—二九九

【老子的政治思想】

老子的政治思想可分作兩方面看，其一是對於君人南面之術或實際政治攻擊得體無完膚。這一層可說是他對於陰謀政治的一種反政治意識。除此之外，更有偉大的政治理想。老子依慈惠的精神，大公無私的美德，教人從政，要學大道生育人類，衣養萬物而不為主的榜樣，絕不可視國家政權為一人的囊中物，而便其私圖，所以他說：「政善治」。所謂善治之政就是舍棄一切私心成見，渾渾然以百姓心為心，法道之無不生畜，法天之無不生成，法自然之創造進化，善貸且成。聖人之在天下，貴用身為天下，愛用身為天下，常善救人，常善救物，不是無為，而是「為而不恃」和「為而不爭」。老子極端嫌惡君主掠奪人民，「損不足而奉有餘」，所以他要提倡「損有餘而補不足」的天道。所謂無不為的政治，純是「善行無轍迹」的仁政德治。

——《中國人生哲學概要》頁八〇—八一

【知識與智慧】

所以在道家中，老子談哲學不是談學問——學問是知識的事，知識可隨時間之流在量與質方面進步的；若設想人類可根據知識分析、判斷、了解宇宙之一切，則一切被看透而宇宙無神秘之處。所以，老子講哲學要講智慧。知識固然須分辨正確的、錯誤的、或正錯之間的，若全盤接受，則知識中眞理固然有，而錯誤的或眞理錯誤糾纏著也接受了。近代西方哲學就犯了這個毛病，他們善於分析，把知識一日一日堆積起來，終至無所適從，像電腦所大量產生的知識，眞理錯誤均有。若以此知識來了解與指導人生，必使人生陷於茫無所從的地步。因此，老子講哲學，主智慧，曰：「反者，道之動。」把握最高的眞理標準，而且把一切近似眞理的相對知識丟掉，以今天的名詞來說，就是把許多知識看成包袱，因爲以錯誤的知識指導人生正是壓迫人生，使人生走上迷茫之路，所以必須把一切打著眞理招牌之相對的，甚至錯誤的知識捨棄，才可以遺世獨立，這樣並不是Leveling down（向下看齊），而是Leveling up（向上看齊），以求達到眞理的最高標準。近代西方社會所謂的平等，總是Leveling down，導致無理性的、盲目的Mass man來壓迫一切、控制一切，取代了所有眞理。

所以，當老子處於春秋戰國時代，社會逐漸崩潰，知識日漸增加，而錯誤亦隨著增多時，形成時代之大包袱，老子乃全盤丟下，直接向永恆世界去穿透一層mystery，二層mystery三層……一直向上永無止境：「玄之又玄」一直到人性寄託在永恆世界的眞相價值之最深奧的儲藏庫中。以這一眼光去讀道家哲學，才可以減低知識，增加智慧。所以老子寫書不需像現代人，一本書寫不成，再寫一本等等，他是深之又深的來寫，五千言中把哲學的大道理說盡，成就一部智慧的結晶。老子雖然不接受古代宗教的威權，但是他卻以哲學的威權取代了宗教的威權，使宗教上的上帝觀念，轉變爲哲學上的至高無上的精神，由Religious Conception of God轉變爲Philosophical Conception of God，而仍不失爲一種宗教。

——《原始儒家道家哲學》頁八四—八五

【莊子形上學】

老子哲學系統中之種種疑難困惑，至莊子（紀元前三六九年生），一掃而空。莊子將空靈超化之活動歷程推至「重玄」（玄之又玄），故於整個逆推序列之中，不以「無」爲究極之始點。同理，也肯定存有界之一切存在可以無限地重複往返，順逆雙運，形成一串雙廻向式之無窮序列。原有之「有無對反」也在理論上得到調和【「和之以天倪」】，蓋兩者均消弭於玄秘奧窔之「重玄」之境，將整個宇宙大全之無限性，化成一「彼是相因」、交攝互融之有機系統。最後，莊子點出老子思想之精義：「建之以常無有，主之以大一，……以空虛不毀萬物爲實。」同理，「變常對反」也於焉消弭。「萬物無成與毀，道通爲一。」

莊子之所以能有如許成就，乃是因爲他不僅僅是個道家，而且受過孔孟之相當影響，同時也受過那位來自名家陣容的契友惠施之影響。孔子在易經哲學裏儼然以時間在過去有固定開始或始點，只是向未來奔逝無窮。【「逝者如斯夫」！孔子川上之嘆。】然而莊子卻只接受時間之向未來之無限延伸，而否認時間在過去，由於造物者之創始，而有所謂任何固定之起點之看法。他深知如何根據「反者、道之動」之原理，以探索「重玄」，而毋需乎停滯在遼遠之過去中之任一點上。其實，時間對過去與未來都是無限的。時間乃是緜緜不絕，變化無已的自然歷程，無終與始。因此，儒家「太初有始」、「大哉乾元！萬物資始」之基本假定——事實上，爲解釋宇宙創始之必不可或缺者——在理論上也根本取消了。

不僅時間之幅度無限，空間之範圍亦是無窮。莊子更進一步，以其詩人之慧眼，發爲形上學睿見，巧運神思，將那窒息礙人之數理空間，點化之，成爲畫家之藝術空間，作爲精神縱橫馳騁、靈性自由翺翔之空靈領域，再將道之妙用，傾注其中，使一己之靈魂，昂首雲天，飄然高舉，至於寥天一處，以契合眞宰。一言以蔽之，莊子之形上學，將「道」投射到無窮之時空範疇，俾其作用發揮淋漓盡致，成爲精神生命之極詣。

這是蘊藏在莊子「逍遙遊」一篇寓言之中之形上學意涵，通篇以詩兼隱喻的比興語言表達之。宛若一隻大鵬神鳥，莊子之精神，遺世獨立，飄然遠引，背雲氣、負蒼天、翺翔太虛，「獨與天地精神往來。」御氣培風而行，與造物者遊。

——《中國哲學之精神及其發展》頁一八三—一八六

【「逍遙遊」寓言的微言大義】

「逍遙遊」，茲篇故事寓言，深宏而肆，詼詭譎奇，釋者紛紜，莫衷一是，如郭象、支遁（道林）、成玄英等，言人人殊，然皆莫不以己意出之。茲尅就上述之「無限哲學」及莊子本人於其他有關篇章所透露之線索旨趣而觀之，其微言大義及眞諦【可謂之一部至人論】，可抉發之如下，主張：

㈠至人者，歸致其精神於無始、神遊乎無何有之鄉，棄小知、絕形累。

㈡至人者，「審乎無假，而不與物遷，命物之化、向守其宗。」「極物之眞、能守其本。故外天地、遺萬物、而未嘗有所困也。」

㈢至人者，「入無窮之門，以遊無極之野，與日月參光，與天地爲常」；「守其一，以處其和。」

㈣至人者，行聖人之道，「能外天下；……能外物；能外生；……能朝徹，能見獨，能無古今，能入於不死不生。其爲物也，無不將也，無不迎也，無不毀也，無不成也，其名爲攖寧」；「彼方且與造物者爲人，而遊乎天地之一氣」；「魚相忘乎江湖，人相忘乎道術。」

㈤至人者，「與造物者爲人」；「功蓋天下，而似自己；化貸萬物，而民弗恃」；「無爲名尸，無爲謀府，無爲事任，無爲知主。體盡無窮，而遊無朕。盡其所受於天，而無見得，亦虛而已。至人之用心若鏡：不將不迎，應而不藏，故能勝物而不傷。」

觀此種種精神生活方式【象徵生命之層層超昇】，儼若發射道家式太空人之火箭艙，使之翱翔太虛，造乎極詣，直達乎莊子所謂之「寥天一」高處，從而提神太虛，游目騁懷，搜探宇宙生命之大全——極高明、致廣大、盡精微。「逍遙乎無限之中，遍歷層層生命境界」乙旨，乃是莊子主張於現實生活中求精神上澈底大解脫之人生哲學全部精義之所在也。此種道家式之心靈曾經激發中國詩藝創作中無數第一流優美作品而爲其創作靈感之源泉。惟有最偉大之浪漫抒情詩人屈原在幻想力之神奇瑰麗上可與之媲美。惟有第一流之哲學詩人曹植、阮籍可仰贊其高明，以祈求靈感，俾下筆如有神助，才思奔放，淋漓盡致，充份發揮於浪漫意象，極荒誕不經之能事，而情采豐，富麗萬千。

——《中國哲學之精神及其發展》頁一八六—一八七

【超脫解放之道含三大原理】

超脫解放之道含大理有三，茲述之如次：

㈠個體化與價値原理——主張萬般個性，各適其適，道通爲一，是大道無限，其中體化之有限分殊觀點，就其獨特性而論，必須接受之，視爲眞實，蓋任何個體實現各表價値方向，各當其分，故於其重要性不容否認或抹煞。是以郭象註莊子首章曰：

「夫小大雖殊，而放於自得之場，則物任其性，事稱其能，各當其分，逍遙一也。豈容勝負於其間哉？」

例如鴿子鼓翼，飛上小樹梢頭，大鵬展翅，摶扶搖而上者九萬里，其逍遙一也。

㈡超越原理——主張個體化與價値之實現皆受制於其本身特性範圍，而各有所不足，蓋有待乎種種外在條件、而多少非其所能控制者也。除非將個體存在之範圍予以擴大，納外在條件爲內在已有，個體即必受外在控制，而喪失其內在自由。於此種內具不足之缺憾，如支遁所示，故個體一旦實現，即必須致乎更崇高完美之境，以超越其本身之種種限制。然而個體本身既不斷外騖、逐物外馳，遂同時產生自我異化之危機。

㈢自發性自由原理——主張以浹洽自然對治斯憾。夫唯上智、至德內充，玄同大道，妙契無限，爲能冥合無待。郭象、向秀註此原理曰：

「……統以無待之人，遺彼忘我，冥此群異，異方同得。……是故統小大者，無小無大者也；……齊死生者、無死無生者也；……故遊於無小無大者、無窮者也；冥乎不死不生者、無極者也。」

「天地以萬物爲體，而萬物必以自然爲正。自然者、不爲而自然者也。……故乘天地之正者，即是順萬物之性也，御大氣之辯者，即是遊變化之塗也。……此乃至德之人玄同彼我者之逍遙也。……夫唯與物冥而循大變者，爲能無待而常通。豈獨自通而已哉？又順有待者，使不失其所待，所待不失，則同於大通矣！故有待無待，吾不能齊也。至於各安其性，天機自新，受而不知，則吾所不能殊也。」

郭、向注莊，暢言浹洽自然、自發自由原理，邏輯上與莊子主旨「天地與我並生，萬物與我爲一」實理無二致。

——《中國哲學之精神及其發展》頁一九二—一九三

【莊子相待觀要義】

相待觀之要義，莊子發之如下：

第一、在全部自然界中，自是觀之，則物物皆是也；自彼觀之，則物物皆彼也。故彼也是也，俱是相待而成，是也因彼，彼也因是，彼是相因故。就彼是相輔相成性而言，則是即彼也；同理，彼亦即是。

第二、在人際關係之領域中，凡自個人範圍觀之，則人人皆是一我，蓋人人皆以「我」自稱；然同一之人，自他人觀之，則人人皆是一他我，而稱之為「爾」、「他」，微他我，則此我烏得有？微此我，則他我為子虛。故我也，他我也，在本質上乃存在於一種相待而有之關係。

第三、在知識之領域中，我之所言，自我觀之，則可謂之曰眞。同理，爾或他之所言，自爾或他觀之，亦可謂之曰眞。故眞理固基於變異之立場，語其性質，則為相對、而非絕對。我所謂之眞者，其理我能識之；爾所謂之眞者，其理爾亦能識之；於他人亦然。爾所言之當否，我固可以疑之；反之，我所言之當否，爾亦有權質問。一旦觀點變改，立場更迭，則昔之一度為眞者，可以變假，昔之一度為假者，可以變眞。眞也假也，但表程度等別，而非種類不同。

——《中國哲學之精神及其發展》頁一九九—二〇〇

【莊子「齊物論」的特色】

由此實質相待性系統所表現之諸特色，吾人遂逕可契會莊子「萬物與我爲一」之最後結論。「故其好之也一；其弗好之也一。其一也一；其不一也一。其一與天爲徒，其不一與人爲徒。天與人不相勝，是之謂眞人。」眞人者，「與造物者爲人，遊乎天地之一氣。」且夫莊子之欲令孔子大弟子顏回改宗眞正道家，豈戲言哉！——着回曰：「墮肢體，黜聰明，離形去名，同於天道。」

最後，莊子終於完成其道齊萬物之宏圖，使無生物、有生物、人類、心靈、精神等一是皆同於無限，——無限者、即天道，瀰貫萬有，無乎不在，——於以揭示一大眞理：萬般個性澈底一往平等，乃自發性之自由所錫至福也。莊子第十七章「秋水篇」發揮一套形上學理論，藉明萬物如小大、有積無積、內外、心物、彼我等，一往平等，終無差別。其論平等性，實澈底之至。將舉凡一切基本差別，如變常、時間與永恆、善惡、貴賤、正謬、有爲無爲、有無、死生……等，統化爲「休乎天鈞」，「道通爲一」。此種齊萬物之方式乃是一種齊同萬物於精神昇揚之偉大運動，神乎其技，表演於神化莫測之玄境者也。自余觀之，斯乃精神民主之形上義涵，舉凡其他一切方式之民主，其豐富之意蘊，胥出乎是。

——《中國哲學之精神及其發展》頁二〇二—二〇三

【莊子的「至人」論】

「逍遙遊」一篇故事寓言，深宏而肆，詼詭譎奇，釋者紛紜，莫衷一是。然茲就上述之「無限哲學」，及莊子本人其他有關篇章所透露之線索旨趣而觀之，其微言大義、可抉發之如下：

(1)主張「至人」者，歸致其精神於無始，神遊於無何有之鄉，棄小知、絕形累【莊子「列禦寇」：「故至人者，歸精神乎無始，而甘冥乎無何有之鄉。」「小夫之知……迷惑於宇宙形累，不知太初」。】

(2)主張「至人」者，「審乎無假，而不與物遷，命物之化，而守其宗。」（「德充符」）「審乎無假，而不與物遷；極物之眞，能守其本。故外天地、遺萬物，而未嘗有所困也。」（「天道」）

(3)主張「至人」者，「入無窮之門，以遊無極之野，與日月參光，與天地爲常」；「守其一，以處其和」（「在宥」）。

(4)主張「夫聖人之道，能外天下，……能外物，能外生，……能朝徹，能見獨，能無古今，能入於不死不生，其爲物，無不將也，無不迎也，無不毀也，無不成也，其名爲攖寧」；「彼方且與造物者爲人，而遊乎天地之一氣」；「魚相忘乎江湖，人相忘乎道術。」（「大宗師」）【按：以上所言，指忘我、忘物、忘適、忘「忘」……者也。】

(5)主張「至人」者，「與造物者爲人」；「功蓋天下，而似自己，化貸萬物，而民弗恃」；「無爲名尸，無爲謀府，無爲事任，無爲知主。體盡無窮，而遊無朕。盡其所受於天，而無見得，亦虛而已。至人之用心若鏡：不將不迎，應而不藏，故能勝物而不傷。」（「應帝王」）夫惟如此，其個人之最後位格始完全確立於道之無限世界。

凡此種種之精神生活方式（象徵生命之層層超昇），儼若發射道家太空人之火箭艙，使之翱翔太虛，造乎極詣，直達莊子所謂之「寥天一」高處，從而提神太虛，遊目騁懷，搜索宇宙生命之大全——極高明、致廣大、盡精微，「逍遙遊乎無限之中，遍歷層層生命境界」乙旨，乃是莊子主張於現實生活中求精神上澈底大解脫之人生哲學全部精義之所在也。此種道家心靈，曾經激發中國詩藝創造中無數第一流優美作品、而爲其創作靈感之源泉。

——《生生之德》頁三〇〇—三〇一

五、佛家哲學

【人與宗教的關係】

作爲一種崇高的精神生活方式，宗教乃是人類虔敬之心的表達，人藉著宗教可以發展三方面的關係，首先是與神明之「內在融通」的關係，其次是與人類之「互愛互助」的關係，第三是與世界之「參贊化育」的關係。藉著神，我們得以存在於世、並且提升人性；在神之內，我們得知泛愛萬有、尤其普愛人類；經由神，我們更能觀照大千世界的無窮義蘊。要言之，宗教生活就是以熾烈凝鍊的情感投入玄之又玄的奥秘之中（Mysteriously mysterious mystery），那奥秘是超乎理性的，有時亦是內潛於理性的。任何人，無論其天生資質有何不同、知識程度有何不同、文化背景有何差異、社會地位有何差異，就其爲「人」而言，都是平等的面對這最偉大的奥秘，在它跟前一切眾生同具相等的價值與尊嚴——只要他們能入於熾烈凝鍊情感經驗的深處，即可由各種途徑、各個方向，臻於密契神明之境界。

偉大的宗教家都是眞正的神秘主義者。他們能夠通過重重難關而躍入「存有」（Being）的終極根源，那便是神明。在人對神性生命之終極關懷中，他才能覺知自身的存有，以及宇宙萬物原爲一體之存有。

——《生生之德》頁三二三—三二四

【宗教與道德】

綜上所述，茲可作一結論：就理性上言，宗教之本質在於道德；復次，再就宗教之統觀普遍生命大化流行言，道德之基礎乃在於宗教，故必影響人生各種事業及活動。自哲學上觀之，道德無假期。據古代中國人看來，上帝神明殊無興趣藉魔鬼「汝戲我」（Lucifer）以試探正義，遑論淨染同位？自中國心靈之眼光看來，龐麥（Boehme）之「神魔一體、淨染同位說」乃是荒謬。同時，人性本身雖內秉性善，然卻不祇爲一道德存在而已。古代中國人並非道德之度假者，更非道德假期之遊客。此種古代之「神性與人性觀」——實爲「神人一體觀」——乃是中國倫理文化之根源。一言以蔽之，上天之光明神力貫注人性，乃成就其內在的本來偉大，天德下貫，人德內充之故。余謂中國之人文主義，既爲一種哲學統觀，復深具宗教根本意涵，其精義胥在是矣！

——《中國哲學之精神及其發展》頁一〇四—一〇五

【亦哲學亦宗教爲佛學特質】

古德有所謂「通宗不通教，開口便亂道，通教不通宗，猶如獨眼龍。」此地的「宗」是指專重修持的禪宗而言，而「教」是指教理的解析，唯有解行並重，才能達到最後的終極目標。所以我才會說佛學是亦宗教，亦哲學。如果就它的最後歸宿來說，它是屬於宗教的實踐與體驗；但是在談到那個宗教的目的時，一時要透過學問的發展過程，思維的推理過程，才能令其圓滿普及一切有情大衆，而佛學正是具足了這一個特質。

——《中國大乘佛學》頁三七六

【中國大乘佛學的形成】

同時在這時代的哲學的智慧，後來便形成大乘佛學的十宗。但是十宗主要的出發點是印度的大般若經，在中國同老莊精神結合起來，成爲中國式的哲學智慧；這個哲學智慧，就是中國的大乘佛學。

中國的大乘佛學，第一個是三論宗。三論宗是根據各種般若經，藉鳩摩羅什、僧肇、僧叡的發揮，形成了哲學裏面的智慧學。

然後第二個是天臺宗。三論宗暗示世界的兩種層級的差別：一是現象界或現實界；二是理想界或超越價值界。然後從二元對立裏面設法造一個橋樑，把世界的低層和上層的境界聯繫起來。架了橋樑聯繫起來之後，然後天臺宗的精神就比較自由了。他從現實世界出發，馬上可以透到理想世界；透到理想世界是個上迴向，他在那個很高的精神境界裏面，把握了智慧，把握了理想，馬上又回頭，回到現實世界上面來。然後在二元對立裏面，發現了一個中道哲學，把宇宙各種層次的不同，都建了一個橋樑，建了一個梯子，把它聯繫起來。

所以由此可見，中國人的精神，一方面有超脫解放的優點，另方面又有平易近人的優點，就是可以把超越的理想在他的個人的生活、團體的生活裏面完成實現。這是天臺宗。

——《中國大乘佛學》頁二四

【中國佛學之發展】

中國佛學之全幅發展，歷時七世紀（六七——七八九年）之久，始臻極盛。斯固有賴於翻譯事業之不斷進行，與各宗開山著作之次第完成。自紀元七八九至九六〇年，佛學傳承乃轉趨細密精邃，尤以第六世紀爲主，前驅各派系統逐漸完成，逮乎隋唐（五八一——九六〇），十宗並建。至於各宗派理論系統之綱要，此處不及備述。其教義之複雜深邃，另有專書論列。

——《生生之德》頁三〇五

【中國大乘佛學前期的七宗】

甲、宗旨	乙、開宗者	丙、判效果
㈠本無	道安 →	本體虛空
㈡本無異	琛法師 ⇢	本體虛空
㈢即色	支遁（道林） →	物空（意涵：肯定心有）
㈣心無	溫法師 →	心無（意涵：肯定客觀實有）
㈤識含	于法開	

㈥幻化　壹法師　物空

㈦緣會　于道邃

綜上觀之，就歷史淵源上言，本無宗可溯至老子、支婁迦讖、王弼、支謙、康僧會等；就理論內容上言，亦以該宗最爲根本，爲其他六宗之所從出。毋怪乎道安於四世紀之際有東晉佛學界祭酒、一代宗仰之譽，支遁次之。

——《中國哲學之精神及發展》頁二一六

【中國以高度的文化去消化佛學】

於是高度的中國文化，根據老莊哲學的精神，把外來的佛典美化了。然後再以老莊哲學結合外來的高度的宗教精神、高度的哲學智慧，在六朝之後的北方產生了佛學的般若學。這般若學就是智慧學，而表達智慧的語言文字就是老莊的哲學文字。

這兩種東西結合之後，從北朝傳播到南朝，經過宋齊梁陳，一直到隋代幾十年裏，都是拿高度的中國的文化中統一的精神，去消化佛學。

這是中國學術文化上面一個大的復興。這個大的復興憑藉老莊的精神，去吸收外來的大乘佛學般若學裏面高度的智慧，形成高度的哲學。然後以這類哲學重新振作起來，把中國人頹廢的精神激揚之後，變成創造的精神。

——《中國大乘佛學》頁二三

【鳩摩羅什及僧肇三論】

莊子影響反映於鳩摩羅什一派，尤為顯著。此僧一代奇才——其佛學造詣精湛，其華文眾體擅妙，其手采傾倒一世，其譯品優美絕倫。居長安十三年，宛若「希娜克利亞」磁石一般，磁石吸鐵環，環環傳磁性，門下天才輩出，影響廣被。然其為人也，畢竟學者之氣多，思想家之才少。主要貢獻在於宏揚大乘玄宗。蓋前此中國佛學界多談般若，側重「本無」，而崇無抑有，如道安一派所代表者。羅什於「致慧遠書」與「維摩詰所說經疏」中不斷指出法身非有非無，超一切邊見，謂其為有抑無者，咎在文字言說、語言描繪之虛妄假相也，自宜空之。夫究極眞際者，玄也；空也者，空一切徧計妄執，顯萬法本性，純淨無染，是謂眞如實相。

羅什門下無慮千百，高弟首推僧肇（三八三—四一四）與道生（三七四—四三四），堪稱雙璧，燦若朗星，高懸形上玄慧蒼穹，精神影響，映輝不絕。

僧肇於其著名之「肇論」三論為形上學探究樹立下一高標典範：㈠物不遷論。㈡不眞空論。㈢般若無知論。文體優美典雅，論證謹嚴中肯，視野博瞻廣涵，見解淵妙深邃，洵精品也。肇幼嗜莊子，及研習「維摩經」舊譯後，其對道家之濃烈興趣始漸為佛學取代。然即就「肇論」第三（般若無知論）及「答劉遺民問」觀之，字裏行間，莊子之影響豈淺泛哉！

僧肇卓慧表現於三大玄旨：㈠動靜相待觀——動靜一如，變常不二。㈡即有即空觀——有無互涵，體用合一。㈢般若上智觀——知與無知，契合無間，鎔成無上聖智（智智）。

——《中國哲學之精神及其發展》頁二一九—二二〇

【道生之「佛性哲學」要義】

道生之「佛性哲學」，具有極大之重要性，其理由如下：（甲）於五六世紀之間，引發出多種關於佛性之解釋與學說；（乙）着重人性之「可使之完美性」，以佛性為典範，與儒家「人性純善」之說，若合符節。詩人謝靈運（三八五——四三三年）深契道生「頓悟」之說，為之撰文暢論孔子與佛陀成就之比較。（丙）道生之「頓悟」說，主張一切返諸內在本心，開禪宗之先河。（丁）重視理性之足以見體，開宋代（九六〇——一二七六年）新儒學「窮理盡性」之先河。總之，道生一方面代表佛道融會之巔峰；另一方面，爲儒佛結合之橋樑，使佛家各宗與儒家諸派思想潮流相結合，而長足進展。

——《生生之德》頁三一〇—三一一

【六朝末年後爲純中國大乘佛學】

以上所論，我們叫作中國大乘佛學的前奏。在這一部分的前奏裏面我們可以看見，所謂佛學，一方面是外來的宗教，第二方面是外來的哲學思想體系。但是在三國末年到兩晉時代，佛學發展的步驟是透過格義之學外表的附會，然後產生內在精神的體驗。但是佛學家，譬如道安、支遁、僧肇、僧叡、道生、一直到南方的慧遠，可以說實質上還是原本的中國道家的精神，在這裏面還不是眞正的佛學，所以叫做「中國大乘佛學的前奏」。從六朝到隋唐時代，佛學本身由獨立的發展變作一個獨立的研究，然後是獨立的思想體系。換句話說，它本身的根據，不應當再從道家裏面找淵源，而應當就它的本身看出它的基礎。這樣一來，從六朝末年，尤其從南朝梁陳到隋唐這一時代的佛學，變成純中國的東西，叫作「中國大乘佛學」。

——《中國大乘佛學》頁一六一

【中國佛學與印度佛學不同】

中國佛教與印度佛教兀自不同。凡混爲一談者，非失之誤聞，即出諸誤斷。作爲一派宗教，中國佛教之所以超乎印度佛教者，在能百尺竿進，另有一套理性神學。作爲一派理性思想，中國佛學抑又另採一種高層次（〝meta-〞舊譯後設）哲學型態，與印度佛學之爲一完成之哲學系統者，適成對照。就邏輯上觀之，印度佛學所表達之眞理適以組成一套完整之「客體、對象語言」，而中國佛學則適以凌駕乎其上，構成另一套「高層次、後設語言」，以新句法系胳而闡述之，余茲請自近代邏輯之觀點，辨析兩套思想模式，其中自不含任何對形式語言在純粹用法上之限制。在此種情形之下，所謂客體語言及主體語言多少均係就質上而言，非僅就量上而言也。此種高層次哲學與高層次語言之考慮，將導致另一重大之歷史事實。

——《中國哲學之精神及其發展》頁二四六

【中國佛學的獨特成就】

現在世界上因爲梵文裏面有許多佛學的重要資料喪失了，而巴利文裏面祇是小乘佛學的記載，缺了大乘佛學，所以現在眞正要研究印度的佛教、印度的佛學，反倒在中國的漢文同中國的藏文裏面有主要的材料。而且，這思想經過中國人整理之後，使原來的晦澀及糾雜化除了。經過中國人的研究，使佛學不僅僅成爲一種系統，而且可以透過種種不同的思想系統去瞭解。像三論宗的系統、天臺宗的系統、法相宗的系統、俱舍宗的系統、成實宗的系統、華嚴（宗）的系統、密宗的系統，從這許許多多不同的路徑去瞭解佛學，它的意義就非常之顯豁了。由此也可見中國佛學對於整個世界文化具有很大的貢獻。

——《中國大乘佛學》頁一七七

【小乘的宗派】

我們討論過這個問題之後，再回過頭來看中國哲學上面對於佛學最明顯的劃分：小乘與大乘。小乘佛學在印度本身，從上座部與大衆部劃分了十八部，合併起來成爲二十部。關於這一段歷史，印度的佛教徒世友寫了「異部宗輪論」這一部書，已經把它概括了。等到小乘佛學由印度南傳之後，到錫蘭及其他東亞地區的發展，就逐漸把這二十部思想融會起來。根據唐代玄奘同曇光的瞭解，已經可以劃成六種不同的學說；從這六種不同的學說北傳之後，透過喀什米爾，然後傳到中國，而在中國祇是以兩部重要的論來作它的憑藉，一部是成實論，第二部就是俱舍論。所以中國在六朝以前，講小乘佛學祇有兩種：一是以俱舍論爲根本，叫作俱舍宗；然後以成實論爲根本，叫作成實宗。但是這兩派小乘佛學在六朝以前還算流行，等到六朝以後大乘佛學充分發展起來，它們在中國就不十分流行了。

——《中國大乘佛學》頁二六一

【最重要的四宗】

所以中國的大小乘合觀之，本來有十宗之多，但是從純正哲學的觀點看起來，最重要的是從六朝到隋唐時代的天臺宗、三論宗、法相唯識宗與華嚴宗。因爲密宗是不立文字的秘密法，講究修持的；至於禪宗也可以不立文字，主要靠參禪，講究宗教的實際經驗；所以這兩宗雖然根據哲學，但是它本身還是可以同哲學劃分開來。但是在三論、天臺、法相、華嚴這四宗裏面，不管從宗教的觀點看起來，或者是從哲學的觀點看起來，它們的宗教同哲學都不能夠分開。離開哲學的智慧，宗教精神無從體驗；離開宗教精神，哲學智慧也不能夠達到最高的玄妙境界。所以我在此地，從哲學的觀點看起來，就這十宗裏面特別著重三論宗、天臺宗、法相唯識宗與華嚴宗。因爲在這四宗佛學裏面，哲學智慧的發展都達到最高的層次。

——《中國大乘佛學》頁二六七

【華嚴哲學集中國佛學思想之大成】

隋唐時期（五八一——九六〇年），中華佛教十宗並建。限於時間，僅特舉「華嚴」一宗爲代表，其主要理論系統極能顯揚中國人在哲學智慧上所發揮之廣大和諧性。至少就理論上言之（歷史上或未必盡然），華嚴哲學可視爲集中國佛學思想發展之大成，宛若百川匯海，萬流歸宗。

華嚴要義，首在融合宇宙間萬法一切差別境界，人世間一切高尙業力，與過、現、未三世諸佛一切功德成就之總匯，一舉而統攝之於「一眞法界」，視爲無上圓滿，意在闡示人人內具聖德，足以自發佛性，頓悟圓成，自在無礙。此一眞法界，不離人世間，端賴人人澈悟如何身體力行，依智慧行，參佛本智耳。佛性自體可全部滲入人性，以形成其永恒精神，圓滿具足。是謂法界圓滿，一往平等，成「平等性智」。

——《生生之德》頁三一一

【華嚴哲學爲眞正機體統一之哲學可以解決一切二元對立性的偏執】

對於以上經過這一階段的分析之後，便可以發現，佛學發展到唐代的華嚴宗哲學，才是眞正的機體統一的哲學思想體系的成立，不過這並不是指華嚴宗初期成立的理論，因爲像三祖法藏大師在某一方面，仍然要受大乘起信論的影響，多多少少還帶有二元分裂性的痕跡。但是一發展到四祖澄觀、五祖宗密，在深受禪宗思想的影響下，再仔細去探究整個華嚴經的宗教教義、哲學義理時，我們便會發現在華嚴宗思想的籠罩下，宇宙它才徹始徹終、徹頭徹尾是一個統一的整體，上下可以統一，內外可以一致，甚至於任何部分同任何部分都可以互相貫注，而任何部分同全體，也可以組合起來，成爲一個不可分割的整體。所以從這麼一個立場看來，華嚴宗的這一套佛學思想體系，在中國哲學發展上是眞正具有獨特的見地與嶄新的貢獻。對於這一個嶄新的貢獻，這一個具足整體的智慧，從我的觀點上看來，是可以醫治希臘人的心靈分裂症、也可以醫治近代西洋心物能所對立的分裂症，甚至還可醫治佛學在印度方面所產生的心靈分裂症。因爲我認爲華嚴宗的第一位大宗師杜順禪師，雖然祇是留傳下來兩篇簡短的文章，但是在思想開創的工作上面，他的確是具有了不起的貢獻。

——《華嚴宗哲學》（下册）頁三〇一三一

【眞正的宗教精神是心佛衆生三無差別】

然而在大乘佛教華嚴宗的一眞法界裏面，最後連佛與衆生的差別也沒有了；心佛衆生都是同樣的精神，同樣的心靈狀態，而這個同樣的精神、同樣的心靈狀態，就不必再拿那些語言文字把它記載下來。否則，反而會變成一種僵固的陳蹟。因爲眞正的宗教精神是活的精神，而用語言文字所記載下來的都是相襲的陳蹟，所以我們必須要把這個相襲的一切陳蹟都化除掉，將它轉化成活的精神，這才是眞正的宗教精神。

——《華嚴宗哲學》（上册）頁七八—七九

【要研究華嚴經應具有深厚的宗教情操】

瞭解這些觀點，那麼我們才眞正曉得華嚴經，它確是具有一層非常深厚的宗教情緒，而且同時在它的宗教情緒裏面，卻表現了高度的哲學智慧，這個高度的哲學智慧，他雖然是用metaphorical language（隱喻的語言），symbolic language（象徵性的語言）表達出來，但是這種表達並不是無根據的幻想，它可以說是一種創造的幻想。如果我們拿這種創造的幻想來印證近代科學的發展路徑，便會發現有許多趨勢不但不違背，而且還可能就是一種很大的思想推動力。所以我們讀華嚴經，不要出之於輕心慢心，任何學問，假使你拿輕心慢心去待之，便會產生疏忽鬆怠的態度去應付，那麼無論何種學術，都是歸之於滅亡。

——《華嚴宗哲學》（上册）頁一二九

【哲學智慧宗教熱誠融貫成生命精神之核心】

理解了這個道理之後，我們才曉得爲什麼華嚴經裏面，一定要提出一尊大佛——毗盧遮那佛出來，說明整個世界的構造，從這個裏面去體會他的精神意義，從這個精神意義裏面再去判斷精神生命的價値，然後不僅僅是產生知識，更把它化做智慧；不僅僅是智慧，更要把這一種智慧融貫到我們生命的核心裏面去，所謂精神中心裏面，把哲學智慧、宗教熱誠，融貫起來產生一個大的思想體系。它最後的目的是什麼呢？在希臘哲學上面有所謂 The function of philosophy is sense of the appearance of the world.（哲學的功能在於品味宇宙大千之風貌）。哲學要拯救世界的錯誤，才能夠憑藉着眞理去瞭解世界光明的結構。從這一點上去衡量，則東方人同西方人的見解是一樣的。在希臘無論蘇格拉底、柏拉圖、亞里斯多德，從他們遺留下來的哲學中都講得很玄妙，不過我們不能像近代的黑格爾那樣跟柏拉圖學，把哲學最後的玄妙處也劃歸到宗教，因爲如果把哲學劃在宗教領域去，那就無法可說了。我們應當像亞里斯多德把哲學最高的發展，變成與宗教神學合而爲一。但是合而爲一之後，並不是說 rational consideration of philosophy（哲學的理性考慮）沒有了，而是說哲學的智慧已變成不是智慧，而是變做華嚴經最後所說的「入不可思議境界」。這個入不可思議境界，就是點化爲當做最高的精神領域，最高的玄妙境界。

——《華嚴宗哲學》（上册）頁一三一—一三二

【四十華嚴為最好的哲學概論】

所以在這個階段，我勸各位看華嚴經時，先從後面入法界品看起，就是從四十華嚴看起。據我所知，這部四十華嚴將是世界上最好的哲學概論，它是根據人的天分、才情、因緣，然後指點他的天分如何發展，才情如何發揮，因緣如何了斷與把握，這些都是拿具體的生命經驗來體驗、來印證。也就是說人要陷入許多錯誤之中，才能夠認識眞理，經過許多次的困惑，才能夠把握眞正的眞理，因此作學問並不是孤家寡人才可以做學問，而且任何學問都不是從我們現在開始，前有古人，後有來者，當我們在學校沒有能指點我們的先生，我們可以尚友古人。這樣子就可以根據四十華嚴裏面去追求學問的境界、學問的步驟、學問的程序，最後便可以獲學問的結果。這些結果都不是僅僅就自己本身所能圓滿達成的，還要虛心到世界的每一個角落去學習，甚至我們可以跟魔鬼學，這樣我們可以曉得魔鬼到底是怎樣害人的，而自己並不去害人。

——《華嚴宗哲學》（上册）頁一三〇

【效法善財童子五十三參】

倘若我們都能應用這一種態度，在學問的領域中去虛心學習、虛心體驗，每個人起碼都像善財童子有五十三位善友，在知識上的前輩，虛心跟他們學習與體驗，然後他才能以別人的錯誤，作爲自己的警惕，看出別人的錯誤，應警惕自己不要陷到那個錯誤裏面去。這樣子在學問方面才眞正能一步一步接近眞理，而這個眞理才不是空洞的abstract truth（抽象的眞理），而是根據生命的體驗、閱歷，是親自體會出來的。而且這個體會都是以別人爲活榜樣，溶解透進到我們自己的生命領域，其間的酸甜苦辣，如人飲水，冷暖自知。在經過了深厚的閱歷之情形下，才能形成圓滿堅固的信念，信圓果滿，眞實不虛。

——《華嚴宗哲學》（上册）頁一三一

【華嚴宗在求完美極詣的一眞法界】

這個consummation of perfection（完美的極詣——圓成實性），以華嚴經的宗教道理來看，就是「一眞法界」。這個「一眞法界」，是最神聖的精神領域，也是它的宗教領域。但是對於這個最神聖的宗教領域是什麼東西呢？這是由各種價值所莊嚴而組成的最後結果。因此在這裏面有眞理、在這裏面也有美、在這裏面也有善，它已經把許多價值聯繫起來，最後變成像柏拉圖所講的axiological unity（價值學的統匯）。這個價值學的統匯，我們可以叫做sacredness of the world（世界的神聖莊嚴性），或sacredness of life（生命的神聖莊嚴性）。在這一種情形之下，人類的藝術、人類的科學、人類的哲學、人類的宗教，便都能一起貫串起來，變成「一眞法界」裏面極重要的精神構成因素。

——《華嚴宗哲學》（上册）頁一六二

【華嚴經是地地昇進至最高理想境界】

如果我們依據華嚴經的說法，就是「地地昇進」，也就是說，即使說你發心要行菩薩道，也不能夠僅停滯在初發心的菩薩本位上，一定要從十信、十住、十行、十廻向，然後再從初地昇到二地，二地昇到三地，地地昇進，把生命的境界一層一層提高，價值理想、價值標準也一層一層向上面發展，最後才把最高的價值理想在最美滿的生命狀態之下圓滿實現。這就譬如一個人登山，一定是行遠自邇，登高自卑，惟有昇到山頂上面時，才可以統攝一切均在眼下，所謂「登泰山而小天下」是也。也就是說當你閱歷一切層層的境界之後，你才曉得其間的比較，知道下層不如上層，上層之外還有更高的上層，於是不斷拿創造的力量，把生命提昇到最高的理想境界。如此便超越了從前所痛恨、所鄙視、所仇視、所敵對的世界，一一的超越之後，便達到最高的理想價值世界。這時再反觀現實世界的形形色色，便會發現這個現實世界已經沒有罪惡，因爲所有的罪惡已經被你化除掉了；沒有愚蠢，因爲所有的愚蠢已經被你超越了，沒有缺陷，因爲一切的缺陷已經給你彌補起來了。

——《華嚴宗哲學》（上册）頁一八六—一八七

【華嚴哲學圓滿和諧不同於其他哲學爲宗教的婢女】

在中國佛學的發展史上，初唐一直到中唐、晚唐，華嚴宗這一支派的大乘佛學思想，從經典的傳譯、教義的形成、哲學問題的思考與處理，均有很高的發揮，並將其教義通達到極其圓滿和諧的最高哲學智慧。這種情形，如果我們從西方哲學的理路看來，卻往往會把哲學當做是宗教的工具，然後再根據哲學的智慧去說明宗教的教義。譬如就像中世紀時代，在西方哲學的發展反而變成爲handmaid to religion（宗教的婢女）。但是在中國佛教哲學領域中，譬如三論宗、天臺宗、同法相唯識宗，也都有一種趨勢，在它們的教義中，便把實相般若安排在宗教的最高領域裏面，然後再講觀照般若、文字般若、方便般若，把現實世界一一點化了，然後才逐漸將它們接引到最高的宗教領域裏面去。所以從這裏面，我們便可以看出來，在天臺宗、法相唯識宗裏面，它們可以說是以宗教爲主，以哲學爲輔，而且也是以哲學爲工具，把哲學的智慧引到最高的宗教領域裏面去。

——《華嚴宗哲學》（上册）頁三五一—三五二

【華嚴宗哲學在建立一而不一即體即用無所不賅的形上學體系】

現在在這一方面，我們可以說中國華嚴宗的哲學是爲什麼事而產生呢？其實華嚴宗的哲學就是從杜順大師開始提出法界觀，然後智儼大師承繼而撰述十玄門，再產生一個大宗師法藏的無窮緣起，然後澄觀大師再把這些觀念綜合起來（並且還受到禪宗的影響），不僅僅籠罩一切理性的世界，而且可以說明這個理法界才是眞正能夠說明一切世俗界的事實構成。然後才能形成事事無礙法界，成立一個廣大無邊的、和諧的哲學體系。希望能透過這一個觀點，把從前佛學上面所講的十二支緣起論的小乘佛學，原始佛教的缺點給修正過來。如此也將能對所謂賴耶緣起、如來藏、藏識緣起，那一派理論對立的矛盾性，都一一給剷除掉，然後大乘起信論裏面體用對立的狀態，所迫切需要那種橋樑，也把它建設起來。最後可以建立一個「二而不二，不二而二」的「即體即用，即用歸體」無所不賅的形而上學的體系。

——《華嚴宗哲學》（上册）頁四一三

【禪宗的特質】

倘若我們再從禪宗的立場來看時，中國佛教中的禪宗認爲：當你在未參禪之前，對於禪的知識還很幼稚，經驗還很貧乏，境界（理想）還沒有，所以見山還是山，見水還是水。這是因爲他這時是從常識的觀點和理智分別心去看山看水，當然，這時的山水是還沒有透過你生命的山水。既經參禪之後，我們便不再把山看作聳立在自己面前的自然物，因爲你已經把它點化而爲與萬物合一，這時山便不再是原來的山，水也並不是原來的水，山與水均被點化掉了，唯有這樣，山才不是由頑石構成的，水不再是由濁水所構成的。不過當我們眞正大徹大悟將自己的生命已經理想化之後，便已把山水都融合在自己的生命裏面，也把自己融合在山水裏面，而此時的山水才眞正是山水，這是因爲山水是有生命的山水之故。到了那時候就不會再拿肉眼來看世界，而是拿「慧眼」來看世界，拿「法眼」來看世界，拿「佛眼」來看世界。

——《華嚴宗哲學》（上册）頁一八七—一八八

六、新儒家哲學

【新儒家哲學的分派與分期】

我們把宋明清儒家的思想，分做幾個大派。共有三個段落：從北宋五子到南宋的朱子，我稱之為“Neo-Confucianism of the realistic type”（唯實論型式的新儒學），然後從南宋的陸象山到明代——尤其是王陽明同他的學派，我稱之為“Neo-Confucianism of the idealistic type”（唯心論型式的新儒學），然後從明代中葉之後，尤其是王陽明學派以後，王學普遍流行，也顯現了很多的弊端，因為產生了一種反響，我稱之為“Neo-Confucianism of the matteralistic type”（自然主義的新儒學）。比如王船山的說法，我稱它做“Functional-Naturalism”（功能派的自然主義），然後是顏元李琳的說法，我稱它做“Pragmatical-Naturalism”（實用的自然主義），然後是戴東原這一派的說法，我稱它做“Physical-Naturalism”（物理的自然主義）。而這一類自然主義的說法，對於先秦儒家的形上的精神而言，多多少少都是一種貶抑。對宋儒的形上精神而言，也多多少少是一種貶抑。經過這層貶抑之後，把哲學的精神從高遠的境界，拉到現實世界上面來。一旦哲學拉到現實世界，固然是切合現實世界的條件而較易解釋了，但哲學的精神也從此毀滅了！

——《新儒家哲學十八講》頁一〇〇—一〇一

【新儒家哲學要義】

自北宋以迄清代中葉爲新儒家哲學時期，然新儒諸子心態氣質各異，約可分爲三派：唯實主義，唯心主義，與自然主義。三派理路雖殊，然其大要仍以歸趣孔、孟、荀之古典傳承爲主旨，則其致一也。

各派差異，溯其原因，約有下列數端可言者：

(一)粵在遠古，尙書洪範篇所含藏之永恆哲學與周易生生不已之根本義尙未調和。

(二)新儒各家皆多少受過老莊道家以及禪宗之影響。

(三)新儒立身處世，道德態度至爲嚴肅（可譬諸道德上之清教徒），而因所處時代殊異，對於指陳時弊及挽救人心之主張見解，亢自不同。

三派旨趣雖殊，然其立論亦自有公同點，如下所述：

㈠於宇宙萬物感應天理——秉天持理，稽贊萬物，觀察人性，體常盡變，浹化宇宙，感應自然。

㈡思想結構旁雜不純——宋以後儒者承先秦兩漢魏晉六朝隋唐中華文化各方面，因之在思想結構上頗難全盤擺脫舊說，獨創新義，時或不免援道證佛，變亂孔孟儒家宗旨。

㈢精神物質合一，人爲宇宙樞紐——大宇長宙中，物質精神兩相結合，一體融貫，人處其中，悠然爲之樞紐，妙能浹洽自然，參贊化育。

㈣秉持人性至善理想，發揮哲學人性論——人類對越在天，升中進德，化性起僞，企圖止於至善。

——《中國哲學之精神及其發展》頁一三—一四

【周易爲初期理學思想的大本大源】

周易實在是一部奇書，中國歷代的思想都可以附會其說。北宋幾個學者亦鮮有不談周易者，除了二程之外亦鮮有不受道家乃至道教的影響者。比如周濂溪的「太極圖」是襲取道教的思想，已如前述，邵康節更是道教的嫡傳弟子李之才的學生。所以他講周易、講象數，往往要講河圖洛書，這些東西在他講起來，好像也成了一套有系統的關於周易的學說，但是我勸諸位把胡渭的「易圖明辨」這一部書再仔細看一遍。胡朏明在這部書的第二部分，對於宋儒講象數之學、講術數之學、河圖洛書這一類東西，特別把它道教的來源指出來。所以邵康節所講的周易，事實上也是道士易的一種，我們對它的態度也應該像王弼一樣，把河圖洛書之說中爲周易配了卦位，配了方向這一類迷信的東西，一舉予以廓清，然後才可以回到純正的周易哲學這一方面去，重新回到儒家哲學的本原。

——《新儒家哲學十八講》頁二〇四—二〇五

【宋明儒家的共同主張：「以天地萬物爲一體之仁」】

宋明儒家，在哲學方面有一個共同的主張：實現「以天地萬物爲一體之仁」。這個「仁」道的精神，不是像禮記中所述的，只是以「仁」爲宇宙的中心。因爲這樣的「仁」道，還不足以發皇其眞精神，眞價值。而是要把「仁」的精神擴大了，深透到宇宙萬物的全體裏面，然後再廻轉向內，把宇宙萬物攝取回來，在自己的心性上面來觀照、來體現。這就是道家

「府天地、備萬物」的一種精神，以之爲引導，再進一步接受先秦儒家「天人合德」的主張，或是漢人「天人合一」的主張，即宋儒所謂「天人不二」。

——《新儒家哲學十八講》頁七二

【宋儒立身治學的偉大風範——「爲往聖繼絕學，爲萬世開太平」】

泛觀宋史，宋代哲學家，大抵皆砥礪志節，力學有成。其出身不是利祿之門的「官學」，而是敦品勵學的「私學」。因而宋儒最有知識份子的氣節和尊嚴。譬如周濂溪以一個小小的司理參軍，爲釋囚事，即面斥轉運使王逵，慨然辭職告歸，終使王逵感悟。再像是程明道，從容教誨神宗：「陛下奈何輕天下士？」神宗恭謹答對：「朕何敢如是？」再像是程伊川，容貌莊嚴，連在皇帝面前也不少假借，有一天在侍講於哲宗之前，宋哲宗隨手折了一根柳枝。伊川先生立即就嚴詞責備他：「方春發生，不可無故摧折！」

有這樣的知識份子，才有高明的哲學思想，如邵康節的「大心體物」，張横渠的「爲往聖繼絕學，爲萬世開太平」。都是把哲學當做高貴的眞理來看待，昂然特立，不稍委屈。所以然之故，即在孟子的一句訣：「說大人則藐之！」

宋儒立身治學，不循功名利祿之途。他們大部份都是所謂在野的哲學家。但是他們的學說思想一經提出之後，立刻可以產生一種道德上的精神力量，用以移轉社會上墮落敗壞的風氣，發揮極大的澄清天下的效果，五代而後的中國社會，所以能由剝而復，再造生機，宋儒厥功至偉，治史者不可不察焉！

——《新儒家哲學十八講》頁九九—一〇〇

【宋儒固執於道德理性】

宋代的儒家思想與老莊思想，也有一個基本的不同點，那就是宋儒的思想着重於把握理性。不論這個理性是”Speculative Reason“（思索的理性），”Transcendental Reason“（超越的理性）或者是”Devine Reason“（神聖理性），甚或是”Natural Reason“（自然理性），”Human Reason“（人類理性），總之，宋儒的傳統都是一個大的理性主義者。他們上天下地一直到內心，都是一個通上下，徹內外的「理性」。這種思想的傳統和道家的思想一比較起來，馬上就顯出一個很大的缺陷——在情緒、情感，情操生活方面很貧乏。也就是宋儒堅持理性的結果，對於人類的欲望、情緒、情感這方面都不敢沾染。於是乎他們的生命不是開放性的而是萎縮性的。假使這種萎縮性的生命情調持續不開展的話，那麼，孔子所謂的「意、必、固、我。」樣樣都沾上了！這就很容易構成一個理性上的偏見了。

——《新儒家哲學十八講》頁七六

【新儒家哲學乃是透過老莊道家的子學來瞭解經學】

依據學統之觀念，中國經學之流傳，大致可分下列幾個時期：①在孔子以前之成周時代爲「儒氏」之道——所謂「師以賢得民，儒以道得名。」②孔子而後爲孔門六藝之教。③嗣後，六經之學輾轉傳播，遂有南北之傳，齊魯之分。因地緣之不同，人格之差異，乃沾染雜學，以參雜了陰陽家、五行家，乃至方士神仙術數之思想爲尤甚。④兩漢之際，號稱經學時代，經有今古文之分。而魯學中衰，齊學盛行；經學南傳而楚學漸興。齊學富方士術數之色彩，楚學有道家老莊之思想。⑤漢末以至魏晉，楚學獨秀，相率以子解經。換言之，是依據子學爲中心、爲樞紐，而形成另外一個學統，替代了北方嚴守師法、家法的經學。⑥隋唐時代，經學止於注疏，佛學盛行海內。⑦五代亂後，宋儒做人方面在建立道德人格，以挽人倫隳喪之弊；於爲學方面在恢復學術正統，企求銜接先秦之儒家思想，成立所謂「道統之傳」。即所謂「新儒家哲學」。

然而，所謂宋代之「新儒家哲學」——道學、理學、性理學，企圖紹承先秦儒家思想，限於時代的限制，必須要以南方的經學爲媒介，也就是透過老莊道家的子學來瞭解經學。

——《新儒家哲學十八講》頁七一—七二

【唯實主義派新儒學北宋五子哲學要義】

周敦頤（濂溪）首倡太極圖說，開新儒學之先河。太極圖說之眞僞已引起後人紛紛懷疑，並予以不同之評價。周氏此圖，得自道教中人，已成定案。觀其據以化爲宇宙發生論，採取道家先天向下流衍說，便兀自與儒家向前創造之程序型態截然不同。濂溪眞正哲學要義，通書實首發之。觀其自價值中心本體論及人生論之觀點，對上古永恆哲學與動態變易哲學間之衝突，力求其融會貫通，且更據以闡明「聖人誠幾」之神妙，足見其眞正之哲學造詣乃在此而不在彼也。邵雍倡大心體物，自是不難拓展知識領域，囊括自然天地之種種層界。其哲學體系可依下列諸原理闡釋之：㈠有限變異性。㈡交替律動性。㈢變化感應性。㈣蘄向圓滿性——形體性情，盡變浹化，蘄向美滿。㈤人心合德太極性——人心之靈，備天地、兼萬物，合德乎太極。㈥知識規準客觀性——眞知誠明，以物觀物，備極客觀。㈦時分相對性。

張載承受孔孟眞傳，倡言「天地之塞，吾其體；天地之帥，吾其性；民吾同胞；物吾與也。」橫渠以此種與天地萬物同體之襟懷，發揮民胞物與之生命勝情，而建立其哲學體系，旨在「爲天地立心，爲生民立命，爲往聖繼絕學，爲萬世開太平。」其形上學處處充滿此種精神之使命感。其志宏、其願偉矣。

程顥機體一元論之要點，厥爲人與宇宙同體，故廣大生命旁通統貫，由是而領悟人心之靈無乎不在，而性情亦隨宜發展，祥和浹洽，適應萬變而不窮。即此一層言之，一代儒宗，其所受老莊道家及大乘佛學之精神感召，亦云大矣。

程顥所崇信者，乃弟程頤亦舉莫能外。惟程頤秉性執拗，又過度篤信抽象理性之作用，往往陷於邏輯困惑而不自知。程頤自謂深通易經微言大義，然其因受新道家王弼貴無論之影響而誤解易理處，亦所在多有。程頤抑又改變其同時哲匠所崇信之「格物的本體論」，而爲「儗人的本體論」，並據以結合周易之變易哲學與尙書洪範篇之永恆哲學。其銜接點關鍵在於密察情所未發時吾人秉性之「中」，嗣又將此一深心內證之「中」化作與大道或天理同體。依據此義，程頤深信人類如能將自身與宇宙渾化泯同，便自不難完成人性。惜其所謂完成之人性者，依舊未能免於善惡二元論之困惑，斯可憾耳。

朱熹哲學乃係匯聚眾說之集合論，而非獨自創獲之一貫系統。其所憑藉者，乃採自周敦頤、張載、二程、李侗等諸前輩。總而言之，貫乎其形上學理論者，約有五大基本概念：㈠天道之體統。㈡歧義之理性。㈢人性之生成。㈣「中」之內省體驗。㈤心靈之主宰。朱熹漫將此五大概念合冶一爐，使之縱橫貫串，而視作可以輾轉交替之同一體，因之時時陷於邏輯矛盾性。

——《中國哲學之精神及其發展》頁一四一—一七

【氣魄恢宏的張橫渠】

張載，字子厚，陝西長安人，居於橫渠鎮，世稱橫渠先生。少喜談兵，甚至想以兵家的謀略結客取洮西之地。二十一歲的時候，他初見當時一位很有才氣的文臣大將范仲淹。范仲淹一見他就看出他的才氣發展最好是在思想方面，就勸他說：「儒者自有名教可樂，何事於兵？」於是張載才收斂了少年狂性，安下心來讀書。起初讀中庸，又研究了多年的釋老之學，終於歸宗於六經，尤其是易經。曾經在長安街上舖了一張虎皮講易經，聽從的人非常多。以後他寫了幾篇小文章——卻是大思想，像是正蒙及東西銘等，又寫過一本易說。由於他的思想體大思宏，才把萎縮的北宋初年的儒家思想的發端，恢宏擴大了！他說：「大其心則能體天之物！」是一位有極大的創造的思想能力的人。他寬弘的思路與氣魄，可補北宋諸儒的褊狹萎縮之病。他的思想精神，不是朱子所能充分瞭解的，因此朱子注正蒙終於不能竟其全功。他的思想一直到明末才深深影響了清初明遺臣王船山。王船山的張子正蒙注，是迄今爲止最好的注。

——《新儒家哲學十八講》頁二一八

【張橫渠的《正蒙》是宋代系統最完整的哲學著作】

那麼現在進一步說到張橫渠的著作，先就他的《易說》這部書來看，照理講，這是談周易的思想，應該能夠旁通統貫，表現統一的主題，成立一部完整結構的著作。但是，他把《易說》這部書，弄得也很雜亂。因爲他是根據論語裏面散漫的片斷，來解釋本來已經形成統一思想體系的周易。這成了什麼東西呢？好像並沒有把周易的思想合得攏，卻把它打散了！

所以他的《易說》算不上精粹的小品。

但是，從張橫渠的《正蒙》十七篇來看，這的確是宋代哲學著作中，思想最能集中，組織最完整的大著作。一方面他有眞性情，二方面他有大氣魄，三方面立論縝密又有極好的行文手段。因此一篇文章到他手中，寥寥數百字，即足以稱情暢意。所以《正蒙》確實是一篇完整的著作。尤其是經過二程子特別推崇而提揭出來的「西銘」（原名是「訂頑」，小程子改名爲「西銘」），更是一篇精鍊的焯煌大文。

「西銘」這篇文章，從「乾稱父、坤稱母」而下，一氣貫注，直到「存，吾順事；歿，吾寧也。」中間行文，是一點鬆懈都沒有。因爲他能夠眞正體會到先秦的儒家思想，從社會的家庭組織裏面，把人類中個人的眞性情給流露出來了。然後再把《孝經》的思想同禮記禮運篇、祭統篇的思想，結合起來，而使「孝道」擴充了成爲一個尊重生命的「宇宙情操」。

由於禮記中尊重生命的情緒，對於生命所從來的根源，是用一種「報始返本」的情緒反應，從而，由人類的家庭擴充到人類的社會，再擴充到整個的宇宙，說明宇宙中廣大生命之所從來。然後這樣一來，對於所謂「乾元」、「坤元」——「大生之德」和「廣生之德」起了無限尊敬的情緒，最後再把它歸到「太極」的統一的地方。並且還要同孟子的思想配合起來，所謂「盡心、知性、知天」。他把握住了原始儒家中至少是孟子的重要思想之後，又回到他自己本身的生命這一方面，把他自己的真性情發洩出來，去體會孟子「說大人則藐之」的精神，養成浩然之氣。

所以說，有這樣子大氣磅礡的思想表現，最有精神，最有氣魄，在宋儒中首推張橫渠！

——《新儒家哲學十八講》頁二九〇—二九一

【邵康節由道入儒】

邵康節是個很富才情的人，治學也很虛心，但是他學問的來路很雜。他從道家轉到儒家，這一點是無法隱瞞的。所以他主要的一部著作—《皇極經世》，其中內篇六十四篇是他自己寫的，或者是再經過他兒子邵伯溫補記的；外篇是他門弟子所記。但是這一部書可以稱為儒家思想的典籍，那是不對的！因為他在許多地方滲進道家的思想，因為他得到道家李之才的傳授，把從「周易參同契」到道士陳摶及种放、穆修等人的思想牽引進來了。他在歷史上做了一個很大膽的附會：拿「元、會、運、世」四個概念形成了他的一套歷史哲學。從唐堯肇位起到後周顯德六年（趙匡胤受周禪的一年），皆以事紀年，列表載明一切興亡治亂的大事。

邵康節有些地方確是很富歷史智慧的，他把三代以來的歷史演變，列成了一個經世年表。其中若干歷史判斷也能清楚的說明。所以就有人說他在歷史上有預言的本領，就有了不少傳說和附會，似乎確然是神乎其事。不過有時他的歷史判斷太過大膽，就不免形成荒唐的迷信。然後他又拿這一套歷史哲學的觀念——元、會、運、世，附會到音韻學裏面，講聲音之學，又講音樂的所謂律呂之學。這樣子寫成的一部《皇極經世》，相傳他有三個學生看得懂。但是我不相信有三個學生眞正能夠瞭解他的思想。如此典籍具在，從我們現化人的眼光看起來，有許多我認爲是很荒謬的思想。但是也有許多很新奇的思想，值得我們注意。

——《新儒家哲學十八講》頁二二一－二二三

【周濂溪的《太極圖》不是源自周易而是道教之僞託】

眞正在「北宋五子」中，首先受到推崇的儒家是周濂溪。而周濂溪據云有兩部主要的著作：一是《太極圖》。而《太極圖》，顯然是一幅僞託的圖。爲什麼說是僞託的圖呢？因程顥、程頤都是周濂溪的及門弟子，但二程子終身沒有提到關於《太極圖》的一個字。同時，再就宋初開國的歷史來看：种放、李之才都是受學於道士陳摶。而所謂《太極圖》，實際上是道教鍊丹時的丹鼎之法。從前的道藏是不易得的，現在考查道藏之「上方大洞眞元妙經品圖」中，就是「太極先天之圖」，完全是一個道教的東西。再就宋代一部漢宋合揉的易書，朱震的《漢上易解》，也明白的說周子的《太極圖》出自种放、穆修，而最早可溯自道士陳摶。因而清初的胡渭著《易圖明辨》，把周子的「太極圖」和道藏的「先天太極圖」一起畫出來，結果幾乎完全一樣。於是，宋代號稱儒家的周濂溪的《太極圖》竟全然是道教的東西。而且這幅《太極圖》經過朱熹二十多年的研究，卻認定出自儒家，是周濂溪的創作。

我們再從周易本身來看，周易守「乾」「坤」。「乾元」是一個創造的權力，「坤元」是蘊育的權力。在時間上，它完全是一個向前、向上創造的過程。但是《太極圖》，上面一圈是「無極而太極」；下面是「陰靜陽動」；再下面是「五行」，再底下就是「乾道成男、坤道成女」；終於「萬物化生」。這個圖式，從哲學方面看起來，根本不是創造！如果就西洋哲學來看，它是一個" The theory of emanation" ——新柏拉圖學派的「萬物流出說」。是從上面最完滿的境界，一層層的莫名其妙的墜落下來的。根本不是周易的" Evolutional theory"（進化說），也不是" Creational theory"（創造說）。

這種道教的東西，朱子竟然稱爲最得周易本旨，但是卻與周易無關。即使「太極圖說」的解釋，可用隋朝的蕭吉所著「五行大義」完全解說清楚，但這依然不是儒家的思想，而是陰陽五行家的思想。

——《新儒家哲學十八講》頁六四—六五

【從哲學的觀點對「太極圖」及「太極圖說」之批評】

就哲學的觀點而言，「太極圖」及「太極圖說」，它不是一種「本體論」（Ontology）。即使安上了一個「無極」，也不能像是正統道家哲學的「超本體論」（Me-Ontology）。同時，從它把道教的小周天之行氣向上逆行，反轉成爲二氣五行向下衍生的過程看來，我們還不能稱它爲「宇宙論」（Cosmology）。充其量，它也祇是個「宇宙開闢論」（Cosmogony）。

何以我們說它只是個「宇宙開闢論」呢？它最上面是「無極」，下面接着是「太極動而生陽，動極而靜。」「靜而生陰，靜極復動。」如此陽動陰靜合併起來，形成一套氣化作用；從氣化作用裏面，然後「陽變陰合」而產生金木水火土。這樣一來，便從陰陽二氣之中產生物質裏面所謂的"Matters Copy material Phenomena"即所謂「五行」。「五行」之後又生男女，男女之後再化生萬物。照這樣看起來，它只是一套"Descriptive

Cosmogony”（記述的宇宙開闢論）。何以我只說它是” Descriptive Cosmogony”，而不說它是” Explanatory Cosmogony”（辨明的宇宙開闢論）？因爲它從無極到太極，從太極到陰陽二氣，再從陰陽二氣到五行，由五行而男女，最後化生萬物。這裏面根本沒有理論的線索藉以說明理由，它只是就宇宙裏面，從它所想像的根原的初步變化，一直到具體的二氣五行以及男女萬物，共分五個層次加以敍述，根本沒有說明理由。所以，關於這種東西，我們實在不能把它當作理論的系統來看待。它絕不能像是周易裏面的彖、象、文言及繫辭大傳，有一套完整的理論系統。

——《新儒家哲學十八講》頁一一一—一一二

【《通書》是頗具哲學價值的一部書】

假設周濂溪祇留下太極圖及太極圖說這麼個東西，那麼，我們可以說，他在哲學上的地位是渺乎其微的。但是有宋一代，尤其是北宋五子及其門人，在談哲學的時候，都是把周濂溪當成發動儒家思想復興的第一人。好像他就是新儒家哲學的先驅（Pioneer of new Confucianism），如果要追問其原因，所幸他還有另外一部書——原來的名字稱做《易通》，一般稱做《通書》。從哲學的觀點來看，《易通》確是一部很重要的哲學文獻。在整整四十篇的《易通》中，它的價值也非太極圖說所能比擬的。

周子的《通書》，在行文的體裁上，很像漢代楊雄所寫的《法言》，又很像隋末唐初王通所寫的《文中子》。但是據我個人的評價，這部書的哲學價值，較之楊雄的《法言》要高；其思想內容比王通的《文中子》爲豐富。因爲在這四十篇中，第一、二篇，就分上下篇來談「誠」。這兩篇文章的思想，我們可以透過歷史來找它的根源。大致說，它的根源有三：一是源於尙書「洪範篇」的思想系統，也就是夏殷以來所流傳的Mystic religion。另一種根源，就是周易文言傳及繫辭大傳。第三種根源是禮記的「中庸篇」。

——《新儒家哲學十八講》頁一二六

【朱子誤解了《通書》】

所以，《通書》假使是不加註解，我們把它當作生命具體的體驗而以一種簡明扼要的語言表達出來，那也不失爲一本好書。但是由於朱子拿太極圖來誤解通書，這不但沒有增加這部書的價值，相反的貶損了這部書的價值。

由此可知，我們平常讀書，最重要的是要有見地。需知一派哲學思想，不是憑空產生的。它在文化背境中自有其歷史條件：前有來源，後有效果。它也不是一個單獨的道理，而是經過許多人的體會與經驗來發揚光大的。但是對於別人的著作，必須要從眞正的好的一方面來發揚光大，不可將錯就錯，甚至加以誤解、加以曲解。因此，對於宋儒的解釋，我的立場是一定要還出它歷史上的證據：好的地方固然要找出它的來源，錯誤有缺陷的地方，也要還出它的證據。否則，宋儒立論，在邏輯推論上已不夠嚴謹，有時根本不合邏輯。假使我們詮釋宋儒著作的時候，態度也不夠嚴謹：不注重歷史的證據，不按照邏輯的秩序，這樣子所得到的結果，就不成其爲學問，有時簡直是害人。從這一點看起來，在座的同學一定看過別人講宋學的書，然後拿來對照我所講的，就顯得我持論太苛。但這也是無可奈何之事，因爲我不願把心歪了來害人。所以講學問就要扳起面孔，根據眞實的歷史證據，追究它的來源，說明它的效果，而後再估定它的價值。這樣才是瞭解而不致誤解。

——《新儒家哲學十八講》頁一六一

【朱子推崇「太極圖」是由於學術上的固執成見】

中國學術界中，有時不可想像的古怪事都會出現。拿後來的謬見去蹧踏前人的學說。這是道家的道教裏出現了這段怪事。現在，我再舉出一段怪事，就是在北宋五子中的重要人物周濂溪。根據朱子說起來，周濂溪的著作很多。但是留傳下來的只有兩種：太極圖說和通書。而太極圖及太極圖說，朱子十分推崇，認爲是學術上偉大的創獲，乃是孔孟以來所未有。甚至朱子評定這本書的價値，有時還超過孔孟。因爲朱子把周易視爲不過是卜筮之書，而太極圖及太極圖說則是孔孟以來所未有的大文章。而再根據他同時代的黃端節的說明，朱子對於太極圖及太極圖說，浸淫了二十六年之久，一直到他臨死前幾天，還同學生們談到太極圖說，朱子自已也說，對於這部著作用功了三紀之久，十二年爲一紀，那麼實際上還不止二十六年。以朱子的博學，對於這麼一部小書，用功了二十幾年，而且評價爲「孔孟以來所未有」。那麼，我們後人讀此書，能不能相信他的說法呢？據我的立場，是不敢苟同的。因爲朱子雖然博學，但對此書則不免是學問上的固執成見。在當時陸象山的哥哥陸梭山，曾屢次寫信與朱子討論，說「太極圖」及「太極圖說」不一定是周濂溪的著作，因爲這裏面有很多話是理論上說不通的。要麼就是抄別人的，要麼就是他年輕時代學問還未成熟時的作品；否則周濂溪不可能寫這麼一本毛病百出的小書。此外，朱子所私淑的二程子——程顥和程頤，他倆是周濂溪的嫡傳弟子，對於周子的風采，有不盡的欣賞贊歎，好像是無入而不怡，在他先生的春風化雨之下，才曉得孔顏樂處何在。照理說二程子受業於乃師，對於乃師的著作自是最清楚不過了。可是二程子一生講學，從未提到「太極圖」及「太極圖說」。甚至朱子的至友張南軒也說這個東西是假的。並且在宋代有一個很大的經學家朱震在談易學的時候，明明說這個太極圖是得之於一個道士穆修，穆修得之於种放，种放得之於道士陳摶。據說，陳摶在終南山中，把太極圖刻在石壁上面。照此來看，太極圖的傳授是很清楚的。假使把這個傳授的淵源再向上追溯，陳摶又得之於呂洞賓呂嵒。它的根本思想的來源是在漢代的魏伯陽的周易參同契。

從各方面看起來，都是鐵證。何以朱子要一口咬定了這是古今以來的一大哲學著作，而且是孔孟以來所未有？這是什麼道理呢？因爲這本書最初的來源是在道藏，這道藏的最近的版本是「大明道藏」。當然是深鎖在北平白雲觀裏，用黃綾包裹了，外面的人可以去偷，但是無法去看。但是今天在臺灣，「大明道藏」已經印出來了，在「國」字號裏，你可以去查一查，這個「太極圖」明明在那個地方。

——《新儒家哲學十八講》頁一〇八—一一〇

【自然主義派新儒學要義】

唯心主義新儒學發展臻於巔峰之際，王廷相乃倡唯氣論及唯物論作爲反動，一方面反對陽明心學，另一方面亦反對朱子及其學派。洎乎十七、十八兩世紀，自然主義派賡續發展，終乃形成王夫之之功能派自然主義；顏元、李塨等人之實用派自然主義；及戴震之物理派自然主義。之數派者，其主要興趣仍在宇宙論及哲學人性論上，且以種種論證，證明人性純善，復據宇宙論及人性論之觀點，大聲疾呼：一切哲學家均須自天上回到人間！努力以求人性之充分發展，藉使至善之理想得以完成實現。惟中西自然主義彼此之間顯有一大差異：後者恆標榜價值中立；而中國哲人則於宇宙觀、及人性觀上無不繫以價值爲樞紐。蓋違此理想，即成智障！

——《中國哲學之精神及其發展》頁一八

【陸象山及王陽明之唯心主義派新儒學要義】

陸王兩氏同以心體爲萬物之支點，視一切知識、存在、與價值等概屬心靈眞相之展現。象山思想可以下列諸原理攝之：㈠萬有同心論。㈡人性平等論。㈢人心上躋天道論。㈣仁義彰顯心性論。㈤理想價值超越論。

陽明據價值統一原理爲主幹，而著手建立人與萬物同體之機體主義哲學系統。復據以申論身、心、意、知、物（知之對境）元是一件，層層相互連鎖，一體融通，而不可分割者，並將象山之「理想超越性原理」化作「理想內在性原理」。蓋以廣大心體普在萬物，爲人人物物之所同具，而當下悉成現實矣。「大學問」一篇暢論斯旨，顯示天地萬物一體之仁，乃以聖賢之人格生命爲其表徵。據此立論，陽明復進而發揮「二元統一原理」，以存在與價值，心智與物象，知識與行動，人心與人性，人性與天道，兩相浹化，一體不分。其究也，陽明乃偵知朱子所運用之哲學語言與朱子所信守之哲學理論處處扞格不通，違礙理體矣。

——《中國哲學之精神及其發展》頁一七—一八

【陽明哲學精義】

一五二四年，陽明哲學造詣臻於巔峰，而程顥之影響尤爲彰著。由是觀之，陽明之思想發展，如浪子回家，終於重新回到眞正儒家精神。下列六大宗趣，其彰明昭著而碻切不移者也：

①心乃良知之淵

一念良知，澈首澈尾，靈昭不昧，精察萬物，如如朗現，無纖毫之妄，良知明鏡高懸，一切虛妄，無所遁形。

②人性純乎至善

至善本體即是良知。故本然之良知，無所不善，深存乎性，亦即未發之中，廓然大公，乃性體之本然，人人之所同具者。此處陽明直有接於孟子之傳。

③人心恒定而非動，乃循理故

理內在本心，心循理，故未嘗有所動也；動即爲欲、爲情，然皆無所動於本。蓋欲念習染，纔拂便去。雖情動於中，而絜之以理，則情無不暢。凡此一切，皆由心體本然大中至正，良知發用，嶄向正蒙，止於至善，有以致之。

④未發之中，即是良知

性體靜寂、應感而動。心即性，心體即性體，旁通統貫，周流六虛，小大精粗，無乎不在，故無先後內外動靜之分。蓋此心渾融一體，與彼是互斥、兩橛二分，了不相應。易繫辭傳曰：「易无思，易无體，寂然不動，感而遂通天下之故。」（陽明曰：「心即良知」，「良知即易」。）旨哉斯言！是故寂然不動者，心之體也；感而遂通者，心之用也。循理，則心未嘗有所動也，故恆定，是謂未發之中；及其動也，以理絜情，以情制欲，發而皆中節，是謂已發之和。是故未發之中即是已發之和。兩者是一而非二。此處陽明直有傳於中庸、易傳之傳。

⑤專一主靜，何嘗於理

自周子（敦頤）導理學之先河、倡「主靜」之說以來，形上思潮趨向於專在「靜」字上下功夫，（宋元以降），世人無分釋俗，爭習禪靜，寖然成風。陽明有鑒於此，眼見新儒之走火入魔，期期以爲不可，乃振衰起弊，高揭「太極生生之理，妙用無息，而常體不易」之旨。倡宇宙常體一如，不可强制而爲二，妄分動靜。其實動靜變化，剛柔相濟，相反相成，適成宇宙秩序，於以見天地之大美。

⑥綜上所述，新儒凡三變

肇始於理學，演發爲性學，終成於心理。可謂之濫觴於「理」，集大成於「心」。宋以降，唯實與唯心，二元與一元，尊德性與道問學，重重對諍，爭訟不決。然各派同具一大共同特色，而萬變不離其宗者。諸不同派別之形上學理論系統發展無不以哲學人類學（哲學人性學）爲其共同基礎。致良知之道在於使吾人之人性充份彰現，——「盡性」是也，使吾人之人心發揮極致——「盡心」是也，心性合一。新儒各家最後殊途同歸，統攝匯於一「澈底唯（天）理論」之一元系統，良知之明覺精察處，即是天理流行。此心澈上澈下，瀰貫天地，周流六虛，廣大悉備，無所不該，而虛靈不昧，篤實光輝，含光與熱，和熙如朝陽。世人但覺其寒，如冷鋒襲來者，勢必群起而攻之，想個中必別有緣故，另當別論可也！

——《生生之德》頁三八五—三八七

【王陽明的心學探微】

年四十，陽明始倡「心學」。其中透示一方面受過張載（一〇二〇——一〇七七）、程顥、象山諸人之影響；另一方面又饒有禪宗機趣。心學乃心之體用兩面觀：「心統性情，性者心之體，情者心之用。」（程子曰「心一也：有指體而言者，寂然不動是也；有指用而言者，感而遂通是也。」）故心兼動靜：靜指其爲天地未發之中（常態）而言，「性本寂靜」是也；動指其既發已發（動態）而言，「應感而動」是也，或發爲知覺，或發爲思想，或發爲喜怒哀樂之情。其最理想之心境：「靜無不中」，「動無不和」，「發而皆中節」，是之謂「體用一源」。

陽明承宋儒遺風，將心、性、理、天，以及人心與道心等，統化爲一元，而一以貫之，圓融無礙。旨在「直有接於孟子之傳」，倡「心主於身，性具於理，善原於性」。無論其自覺與否，陽明實已大大拓展了儒家領域，寖寖乎與華嚴佛學相接壤。蓋華嚴主旨：「萬法唯心造。」陽明則明白揭示：「在物爲理，處物爲義，在性爲善。因其能處而異名，而皆吾之心也。」心外無事，心外無理，心外無義，心外無善。質言之，吾人任何活動行爲，皆依心起用者，如意、知等一切莫非心之所涉。故「格物者，格其心之物也；格其意之物也；格其知之物也」。然卻毫無陷於「自我中心論斷之窘局」之虞。「正心者，正其物之心也，誠意者，誠其物之意也；致知者，致其物之知也。豈有內外彼是之分哉！理一而已」。茲處所言，皆陽明用以證明：心之睿知界，能所合一。心外無事，心外無理，故心外無學問。「故君子之學惟求得其心。雖至位天地，育萬物，未有能出於吾心之外者也」。基於諸如此等理由，陽明乃直接象山之傳，欣賞不置，蓋象山於朱子心外求理之說，亦大不以爲然，予以系統之批判、駁斥之不遺餘力，倡萬物之理性秩序皆存乎爾我之心中。「吾心即物理」，一聲喝破混沌！

陽明思想大盛之際，將心學予以簡化，喻心若鏡，可謂之「鑑論」，處處透露神秀（六〇六—七〇六）與惠能（六三九—七一三）之影響。夫鏡有多種，而鑑度各異：——有昏鏡、有明鏡、有昏明參半之鏡。聖人之心，皦如明鏡，略無纖翳，通體靈昭，一片精神之光，適情變化，隨物見形，一一如如朗現，妍者妍、媸者媸，庸者庸，一照而皆眞。常人之心，若鏡惹塵埃，必須時時勤拂拭，以復其心體靈昭之本然。下愚之心，冥頑不靈，可譬諸一面暗褐色之反光鏡，斑垢駁雜，反射無光，必須痛加刮磨一番，始能照明於物。凡此種種心靈攝持與精神修養功夫，其最終目的在使人人成爲聖賢。聖人之心，皦如明鏡。純乎天理，而無一毫人欲之雜，昭明朗澈，普照萬物，無所不該。此種精神之光，虛靈不昧，藉其照明發用，澈貫乎三光之上，九地之下，足以參悟天地萬物之意蘊盎然充滿，洞見宇宙一切存在實相莫非天理燦著。（陽明曰：「無往而非實學，何事而非天理」？）

陽明心學於其哲學思想之後期發展有極重大關鍵：是即「良知」概念及「致良知」之說。「良知」一辭，英語中無適當譯名。良知固不離感官理智，然卻既非感官知覺，亦非理智知識。世人恆有智巧精明萬分者，然其理智知識方面之精明巧慧，適呈現爲另一種形態之愚不可及。陽明釋良知曰：「心之本體即是天理也，天理之昭明靈覺，即所謂良知也」。無已，余嘗以「Conscientious wisdom」一辭釋之：意指形而上之直觀睿知，發爲道德慧見，精察靈明，如貓之捕鼠，「一眼看着，一耳聽着」——視聽、言動、心意、全神貫注，剎那之間，一體發動，迅準百無一失，形成精神力量，足以於行動世界應機處世，無往而不自得。良知當體起用，使吾人遂能體悟人心與天地，雍容浹化，合德無間，而眞能「上下與天地精神同流」矣。聖人只是順其良知之發用，藉以體認天地萬物俱在其良知發用流行之中，「何嘗又有一物超於良知之外，能作得障礙。」

陽明於答大學問一章中，謂良知即明德之本體：「天命之謂性，粹然至善，其靈昭不昧者，此其至善之發見（顯），是乃明德之本體，而即所謂良知也」。聖人亦惟藉此靈昭不昧之心體而體悟良知，更藉良知發用，而達乎天地萬物一體之仁。故親民愛物者，莫非良知之發用流行。〔是之謂「明明德於天下」〕

夫惟聖人爲能致其心之天理於事事物物，使事事物物皆得其理，而心之天理即是良知，良知理想於焉實現；一旦實現，則事與理合，圓融無礙，終而臻於心體睿知界之究極最高統會〔是之謂「復其心體之同然」〕。聖人之心，澈上澈下，洞見宇宙大全之理性秩序，視一切衆生在精神生命上同源一體，視一切存在在眞實價值上燦然一如。凡此等等，在理論上皆爲良知睿見之所洞察無訛，而必藉理想高尚、規模完善之行動，以實踐之，——知行合一故。臻此境界，陽明乃高唱「樂爲心之本體」。蓋「仁人之心，以天地萬物爲一體，訢合和暢，原無間隔」。

——《生生之德》頁三七七—三八〇

七、中國人生哲學

【中國先哲的宇宙境界】

宇宙本來指着空間和時間。上下四方叫做「宇」，往來古今叫做「宙」。宇和宙連在一起，就是空間時間的系統。這在近代科學上是作如此解釋，所以一切物體的動靜變化，都落在空間時間裏面。這種說法本無大錯，但由中國先哲看起來，却不甚圓滿，因爲空間時間只是機械物體存在的場合，拿來當作全體生命的環境，一部分雖很確實，另一部分却不恰當。生命除掉物質條件之外，更兼有精神的意義和價值。中國先哲所謂宇宙，其實包括物質世界和精神世界兩方面，並須使之渾然化爲一體，不像西洋哲學往往把它們截作兩個片斷來看。易經繫辭傳上雖說「形而上者謂之道，形而下者謂之器」，後來宋儒如張載、朱熹等雖亦有「虛」「氣」或「理」「氣」分別的主張，但是仍然於「道」「器」「虛」「氣」及「理」「氣」之間，求得其一貫處。這些說法却不能拿來和西洋精神物質二元論混爲一談，更不能矯揉削弱，使之傾向於偏狹的精神或物質一元論。中國人的宇宙是精神物質浩然同流的境界。這浩然同流的原委都是生命。

——《中國人生哲學概要》頁一二—一三

【中國先哲的宇宙觀要義】

㈠中國先哲所觀照的宇宙不是物質的機械系統，而是一個大生機。在這種宇宙裏面，我們可以發見旁通統貫的生命，它的意義是精神的，它的價值是向善的，惟其是精神的，所以生命本身自有創造才能，不致爲他力所迫脅而沈淪，惟其是向善的，所以生命前途自有遠大希望，不致爲魔障所錮蔽而陷溺。我們的宇宙是廣大悉備的生命領域，我們的環境是渾浩周徧的價值園地。

㈡中國先哲所體驗的人生不是沈晦的罪惡淵藪，而是一種積健爲雄的德業。在這裏面，我們也可以察覺中和昭明的善性。它的本原是天賦的，它的積累是人爲的，因爲是天賦的，所以一切善性在宇宙間都有客觀的根據，不隨人人之私心而汩沒；因爲又是人爲的，所以一切善行，均待人人之舉凡自爲，不任人之好惡而轉移。我們先天的稟賦亢自與善性混然同體，我們後天的德業亢自與善性浩然同流。

㈢宇宙的普遍生命遷化不已，流衍無窮，挾其善性以貫注於人類，使之漸漬感應，繼承不隔。人類的靈明心性虛受不滿，存養無害，修其德業以輔相天與之善，使之恢宏擴大，生化成純。天與人和諧，人與人感應，人與物均調，處處都是以體仁繼善，集義生善為樞紐，所以我在前面屢次提醒過，我們的宇宙是價值的增進，我們的生活是價值的提高，宇宙與人生同是價值的歷程。

諸位明白了上述幾點，纔可以探索中國先哲道德生活的根源。

——《中國人生哲學概要》頁五一—五二

【中國哲學中天人合德的關係】

一般而言，在整個中國哲學的發展中，天人和諧的關係可分成六類，其中一半屬於早期儒、道、墨三家偉大的系統，另一半則是漢代以後所次第完成，仍以儒家為主，而涵攝其他各種和而不同的思想。

前者與後者最顯著的不同，就是其和諧關係都建築在天人合德、生生不息之上，這個天人合德的關係可稱為「參贊化育」之道，簡單的說，它肯定天道之創造力充塞宇宙，而人道之生命力翕含闢弘，妙契宇宙創進的歷程，所以兩者足以合德並進，圓融無間，為求簡明，我將以一系列的圖例來說明這些關係。（僅錄其一，餘請參閱原書）

㈠原始儒家：人類參贊化育，浹化宇宙生命，共同創進不已。

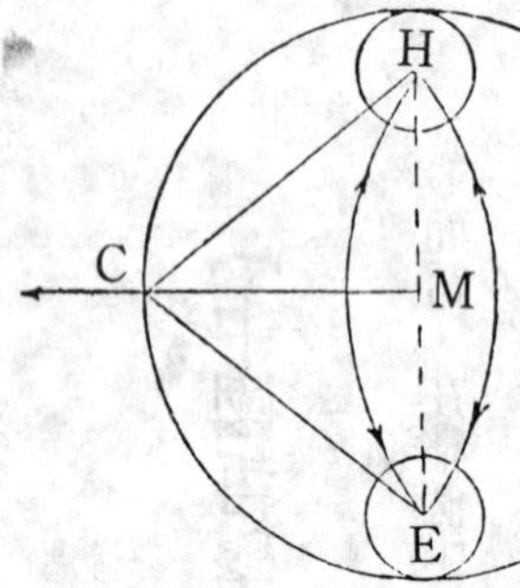

上圖代表廣大和諧的宇宙，人（M）不只是其中一部分，而且是創造中心，以宇宙之心為其心，作為創造的原動力，然後沿著CM線，向前創進不已。上面的半圓代表「天」的領域，由天之道挾其無窮生意以貫注萬物，一切物質與精神乃能在此生機瀰漫之中浩然同流。上面小圓的中心H，代表無窮的原動力，沿CH線表現其原始的生命衝動，也就是萬物資始的「大生之德」，然後沿著HE線漸次貫注地面，使之漸漬感應，繼承不絕，而地面在不斷承受天的創造力量後，在E——地球——所代表的孕育力量，一方面沿EH來緜延持養原始的生命力，一方面沿CH表現其化育萬物的「廣生之德」，因此合天地生生之大德，遂成宇宙，盎然充滿生機，而HE與EH中間所包容之處，就是人的偉大存在，受天地之中以立，兼天地之創造性與順承性，故能效天法地，自強不息，化為積健為雄的偉大行動，從C點開始向前運轉，則代表著天、地、人三才並進，在宇宙生命的創進歷程中，共同發洩至大至剛的創造力，生生不息，緜緜不絕，上面這些看法正可說明在儒家中人及宇宙的和諧關係。

㈡道家：環繞道樞，促使自然平衡，各適所適，冥同大道而臻和諧。

㈢墨子：人與宇宙在兼愛之下和諧無間。

㈣漢儒：天人合一、或人與自然合一的縮型說。

㈤宋儒：人與宇宙對「天理」的一致認同。

㈥清儒：在自然力量相反相成、協然中律下的和諧。

——《中國人的人生觀》頁九一—九五

【宇宙是所有存在的統一場】

宇宙，在中文裏原是指「空間」和「時間」，上下四方的三度空間叫做「宇」，古往今來的一系變化叫做「宙」，宇和宙一起講，就表示時空系統的原始統會，「宇宙」兩字中間如果沒有連號，就是代表一個整合的系統，只在後來分而論之的時候才稱空間和時間，西方即使Minkowski所說的四度空間性，亞歷山大教授所說的「空間——時間」，都不能貼切地表達「宇宙」一詞中時空的不可分割性，最接近的講法倒是愛因斯坦所說的「統一場」，在中國哲學家看來，宇宙正是所有存在的統一場。

——《中國人的人生觀》頁三二—三三

【天人合德參贊化育】

要之，在自然的大化流行中，中國哲學認爲人應善體廣大和諧之道，充份實現自我，所以他自已必需殫精竭智，發揮所有潛能，以促使天賦之生命得以充份完成，正因自然與人浩然同流，一體交融，均爲創造動力的部份，所以才能形成協合一致的整體，如果有人不能充份實現自我而有缺憾，也就是自然的缺憾，宇宙生命便也因不夠週遍而有裂痕。

此所以孟子指出人人有貴於已者。我們是完美的，因爲我們可以盡性，我們是偉大的，因爲我們可以成物，對於一切事物我們應該友善，對於一切人類我們應該相愛，因爲仁人以愛包容一切，猶如智者以知瞭解一切，這種廣大和諧普遍放光，正是人人均應追求之道，如此，天與人和諧，人與人感應，人與物均調，處處都以體仁繼善、集義生善爲樞紐，然後天地之間，才能怡然有序，一切萬物也才能盎然滋生。

我們一旦在心中有這種高貴情操，便可徹底透悟中庸的偉大宣示：

「唯天下至誠，能盡其性，能盡其性，則能盡人之性，能盡人之性，則能盡物之性，能盡物之性，則可以贊天地之化育，能贊天地之化育，則可以與天地參矣。」（廿二章）

換句話說，當人們憑藉其創造生機臻入完美境界，即可與天地合其德，與神性同其工。如此的人即可稱為理想的精神人格，儒家稱之為「聖人」，盡性踐形，止於至善。道家則稱之為「至人」，本性高貴，行動偉大，智慧充溢。墨家則稱之為「博大完人」，兼相愛而交相利。

上面講的理想精神人格，乃就人的可能性與潛力而言。然而，就現實來看，人眞是如此偉大嗎？我想西方莎士比亞說過類似的話：「有些人生而偉大，有些人行而偉大，有些人則受感召才偉大」，莎士比亞或許把這些區分當做互不相容，我卻不以為然，因為宇宙的普遍生命創化不已，浹其善性以貫注於人類，使之漸漬感應，繼承不隔，所以說人人生而偉大，只要能率此天命之性，人人充份發展，則不可能沒有偉大成就。

——《中國人的人生觀》頁一六—一七

【自然與人的關係「廣大和諧」】

若問人生於何處，根據中國哲學，人生於自然之中，而自然乃是大化流行的境界，其神韻紓餘蘊藉，盎然不竭，其生氣渾浩流衍，暢然不滯，如果有人投身於此大化之流，正如同一滴雨水融入河流，即能一體俱融，共同奔進，「自然」與個體相遇前或會覺得個體多餘，但一旦水滴融入河流渾然同體，即能變成波瀾壯闊的一部份，浩然同流，這時你中有我，我中有你，猶如甜蜜的愛侶一般，心心相印，足以譜出共同心聲。

在中國人看來，自然全體瀰漫生命，這種盎然生意化為創造衝力向前推進，即能巧運不窮，一體俱化，恰如優雅的舞蹈，勁氣內轉而秀勢外舒，此時一切窒礙都消，形迹不滯，原先的拘限扞格都化為同情交感，因此中國哲學家認為，自然與人生雖是神化多方，但終能協然一致，因為「自然」乃是一個生生不已的創進歷程，而人則是這歷程中參贊化育的共同創造者。所以自然與人可以二而為一，生命全體更能交融互攝，形成我所說的「廣大和諧」（comprehensive harmony），在這一貫之道中，內在的生命與外在的環境流衍互潤、融鎔浹化，原先看似格格不入的，此時均能互相函攝，共同唱出對生命的欣賞讚頌。

——《中國人的人生觀》頁一四—一五

【人之五品】

然則，人之所以偉大，其故安在？大戴禮記上有一段記述孔子應魯哀公問政之對答：人之理性發展經歷五個階段，故可分五品：從(1)一般庶民大眾，經過教育，變化氣質，可以成爲(2)知書達禮的士人，士人「明辨之，篤行之」，嫻於禮樂，表現爲高尚之人生藝術，即成爲(3)君子，「文質彬彬，是謂君子」，其品格純美，其心理平衡，其行儀中節合度，再進一步，加以陶冶，即可以成爲(4)大人，大人者，其出處去就，一一符合高度之價值標準，足爲天下式；動作威儀之則，一一蹈乎大方，而大中至正，無纖毫偏私夾雜其間；其品格剛健精粹，一言而爲天下法。修養至最後階段即進入(5)聖人（或神人）境界，聖人者、智德圓滿，玄珠在握，任運處世，依道而行，「從心所欲，不踰矩」，故能免於任何咎戾。其所以能臻此者，端賴「存養」、「盡性」功夫，有以致之，明心見性無入而不自得。由此無上聖智，一切價值選擇，取捨從違，無不依理起用，稱理而行。其成就之偉大若是，故能德配天地，妙贊化育，而與天地參矣！

——《生生之德》頁二九四

【「內聖外王」境界】

至於人性與其在宇宙中之地位，中國人，無論其爲個人小我或社會大我，均不以遺世獨立爲尙，冀能免於與世界脫節，與人群疏離之大患。其志向所趨，一心要就整個生命體驗中，充份領略全宇宙之豐富意蘊，與夫一切聖賢人格之篤實光輝與高明博厚氣象。凡人生境界不克臻此者，必其內在秉彜有所不足，而其個人人格發展過程不幸中道摧折或遭遇斲傷，有以致之。故中國先哲無不孜孜致力，注重人格修養，藉以提昇至於「內聖外王」之理想境界。兩者兼備，始足以圓成人之內在美善本性——此「個人」之所以終能成爲「大人」者也。

——《生生之德》頁三一五

【論君子與小人】

自然人只是和其他動物一樣具有本能、衝動、習性、知覺的一種自然的存在。他如果剝去了人性上特有的價值，所剩的，和其他生物一樣，只是物質界的一員而已。這是現代生物科學、自然科學、和心理科學所描繪的人。當然中國哲學家也不能否認這種實際的存在，但中國哲學家稱這一類的人，只是小人。所謂小人，是指在理智和道德方面有問題的人，爲什麼呢？按照荀子的意見，人如果在物質缺乏的情況下，他將爲了爭取食物，及其他的物質資具，而不顧羞恥、不講道義，甚至不怕死亡。在一個把爭權奪利視爲目的的世界中，能善用巧詐，敢於作僞的人往往便成了英雄人物。這樣的結果如何呢？請聽孔子所說：

「小人不恥不仁、不畏不義，不見利不勸，不威不懲。」（繫辭下傳第五章）

「小人以小善爲無益而弗爲也；以小惡爲無傷而弗去也。」（同上）

這是指小人的行爲。荀子認爲人之所以爲人，不是因爲他只是二足而無毛，善於爭權奪利，而是因爲他由禮儀及教化的陶冶能趨向於善，他能依照仁義的道理，光大他的生命。他必須要做一個君子。

什麼是君子？一個君子能了解天地之機，見機而作。他非禮不取，非禮不動，處事寬大，目標高遠，但他之所以有此胸襟，乃是由於他有中正的態度，音樂般的溫和，詩般的熱情，以及深睿的史識。他有這種高度的教養，使他不至於像小人似的沉於物欲，這也就是得力於他內在的完美。在中國哲學家的眼裏，人是可以由自然人變化氣質而成就崇高的人格。易經象傳中曾一再强調：

「君子以儉德辟難。」（否卦）

「君子以自昭明德。」（晉卦）

「君子以辯上下定民志。」（履卦）

——《生生之德》頁二六五—二六六

【中華民族篤信之道】

中華民族篤信之道有三：

㈠篤信過去黃金時代之理想性，吾人自可依之而編織種種生命之美夢。

㈡篤信現在不朽之眞實性，其中自可以健動創造之實踐界居主導之地位。

㈢篤信未來展望之無妄性，旨在開拓新機，萬法平等，爲眾苦覓求澈底究竟解脫之道。

職是，吾人於全民族之集體智慧（共命慧）實不可須臾離，是即「聖賢、詩人、先知」之三重複合人格所顯揚，而分別以儒、道、佛（大乘）三家爲表徵者也。

——《中國哲學之精神及其發展》頁四七

【人生的意義在於成就德業實現價值】

上面我們已看過人與自然的關係，現在讓我們來看人與人自己的關係。根據中國哲學，人之所以偉大，乃是可以堅忍奮發，實踐所有潛能，所以偉大的成就即是價值的實現，這就是人生之根本意義所在。從「自然」來看，我們可知人「能夠」如何，然而，從歷史來看，我們則知人「應該」如何。人與「自然」和協一致，意味着共同創進，然而在歷史之流中，人類是自己的主人，理應集中所有原創力，確立方向，全神奔進。這不只是拓展新機，更爲了在文化活動中激發精神的覺醒。因爲生命之善或價值之光都不是自然的禮物，必需經由新的良心、新的激發與新的天才，才能積健爲雄，完成德業。唯有在文化理想光照之下，一個新的生命氣象始可脫穎而出，將原始生命轉化爲人文生命，也唯有如此不斷求新求進，生命的創化才不致偏差有誤，要之，正因先天的秉賦與善性混然同體，故後天的德業更應與善性浩然同流，唯有如此，生命格局才能顯示出恢宏的氣宇。

——《中國人的人生觀》頁一七

【中國人怎樣做人?】

中國人做人，不僅僅從做人做起，而且要遵循道本，追原天命，尙同天志，仰觀俯察，取象物宜，領略了宇宙間偉大的生物氣象，得其大慈至仁兼愛之心，袪除偏私錮蔽別異之見，纔能恢恢曠曠，顯出博厚高明的眞人來。中國的大人、聖人是與天地合德，與大道周行，與兼愛同施的理想人格。宇宙間的普遍生命有些微隳敗，有些微缺失，有些微殘害，便足阻礙人道之止於至善，中國善人的同情心是博施普及，旁通統貫的，有一物損其性，有一人傷其生，即是因爲我們做人未盡其善。這一層確是中國先哲的人生哲學要義之所在。我們生而爲中國人，絕不能喪失這種偉大的精神。中國人做人，不是枝枝節節地做人的這一邊，做人的那一邊，做一個完人幾分之幾。中國偉大的哲學家最看不起小人，小人只是一個人的小數點，諸位想一想，小數點的人還像樣嗎?眞人、至人、聖人、完人纔是我們道德人格的理想。所謂眞人、聖人、完人的生活，就是要攝取宇宙的生命，來充實我們自己的生命，更須推廣我們自己的生命，去增進宇宙的生命。宇宙與人生交相和諧，取同樣的步驟，向前創造，向前展開，以求止於至善。

——《中國人生哲學概要》頁四五—四六

【中國人的道德標準】

我們爲甚麼要有道德?，更依據甚麼精神來行這個道德?道德是生命的綱紀，又是生命價值的具體表現，我們本着中國人酷愛生命的根性，不忍把它看作盲目的本能活動，所以要慎重選擇高尚的理想，並且奮勉努力，使這些高尚的理想，一層一層地完成實現。我們不僅僅活着，而且要培養高妙的本領，以增進生命的價值，使之日趨於善，最後，更求止於至善。這却如何可能呢?關於此層，孔子、老子和墨子已經爲我們指出了一貫的標準。這便是孔子的忠恕，老子的慈惠，墨子的愛利。所謂忠恕，所謂慈惠，所謂愛利，名異而實同。我們可以說，這三層也就是中國人道德上一貫的精神。孔、老、墨是我們民族的先知先覺，於道德生活體驗最深，觀察最透，所以說出來的話，正是我們全民族所要說而又說不盡的至理名言。他們眞正是我們的道德發言人。

——《中國人生哲學概要》頁五六

【忠恕的意義】

所謂忠恕，究竟何取義呢？大戴禮記孔子答哀公問小辨，說：「知忠必知中，知中必知恕，知恕必知外，知外必知德。」又說：「內思畢心曰知中，中以應實曰知恕，內恕外度曰知外，外內參意曰知德。」這裏所謂知忠必知中的中字，與易經彖傳上「大中以正，各正性命」「剛中而應，大亨以正，天之道也。」「剛中而應，……順天命也。」及左傳上劉康公所謂「民受天地之中以生」的中字，取義正復相同。大抵孔子及其他儒家所謂中，都是指着大公無私的生命精神。此在中庸上，更是說得精透，所以直標出中字爲天下之大本。天地位，萬物育，都靠這大中以正的普遍生命，於此可見內思畢心曰知中，就是直透天地生物之心的核心。知中必知恕。恕字從如從心，探求天地生物之心而如如（中以應實之謂如如），即是恕。賈子道術篇云：「以己量人謂之恕。」說文訓恕爲仁，漢儒如此釋恕，再上溯至於韓嬰與荀卿，更深明此意。荀子說：「聖人何以不欺？曰，聖人者以己度者也，故以人度人，以情度情，以類度類，……以道觀盡」（荀子非相篇）。從自我生命的體驗，轉而同情於他人的生命，和順於人人的生命，旁通於物物的生命，浹化於大道的生意。見到無一物無一人的生命及其善性，不與我的生命及其善性合體同流。這便是恕的功夫。易之无妄，中庸之至誠，大學之藏心以恕，正心以誠，無所不用其極，也是透澈發揮忠恕一貫之道。體忠恕以直透生命之原，合外內以存養生命之本，善由是生，仁由此成。這是儒家道德觀念的最勝義，我們體會到此種勝義，又怎能不己立立人，己達達人，知性知天，存心養性，成己成物，轟轟烈烈，完成至善的道德品格，以參於天地，贊其化育？

——《中國人生哲學概要》頁五七—五八

【慈惠的意義】

甚麼叫做慈惠？說文：慈、愛也。爾雅釋詁：惠、愛也。說文：惠、仁也。周書謚法：愛民好與曰惠。廣雅釋詁：惠愛恕利。人、仁也。莊子天地篇云：「愛人利物之謂仁。」慈惠與忠恕是同樣的精神，其要點就是以仁心度物，以慈惠愛人，所以老子嘗說：「聖人在天下，惵惵為天下渾其心。」「聖人無常心，以百姓心為心。」他有這種慈惠的精神，纔能見道無執，善貸且成。天地有生物之心，我能忖度之，人得天地生物之心以為心，我亦能忖度之，老子以道觀盡，故能「貴以（章太炎云：以、用也。）身為天下，則可寄於天下，愛以身爲天下，乃可託於天下矣。」貴用身爲天下，愛用身爲天下。老子因爲有這種偉大的慈惠心，所以他談到修身、修家、修邦、修天下，處處以身觀身如其身，以家觀家如其家，以鄉觀鄉如其鄉，以邦觀邦如其邦，以天下觀天下如人人之天下。這樣說來，老子據慈惠以言仁愛，眞是無所不用其極了。

——《中國人生哲學概要》頁六〇—六一

【兼愛的意義】

墨子發明兼愛之旨以言仁義，其能洞見一貫的道德標準，也與儒道兩家相同，關於此層，他自己說得非常具體而透澈。法儀篇曰：「天之行廣而無私，其施厚而不德，其明久而不衰，故聖人法之。」試問這裏所謂法儀，與孔子「天地之無不持載，無不覆幬，……四時之錯行，……日月之代明，萬物並育而不相害，道並行而不相悖」之大德，和老子大道氾生，天地長生，以及聖人尊道法天地，生而不有，爲而不恃，長而不宰之玄德，更有甚麼差別？墨子之體天志，儒家之參天地，道家之法天道，正是如出一轍，所不同者，名而已矣。

——《中國人生哲學概要》頁六一—六二

【中國人的道德生活】

㈠中國人生活的興趣是寄託於現實的人間世，認爲一切價值都可以在這兒完成實現，故不必與現實世界絕緣，以求得出世的宗教歸宿；㈡生命之目的不只是爲我，更不是自私，我們必須盡量發揮普徧的同情，熱心救世，赤誠愛人，纔能取得生命的意義與價值。生命的活動是人類的共業，善之所趨，美之所向，都是以人類全體最高的幸福爲止境。個人主義的人生觀，除却極少數外，在中國哲學上是無地位的。

——《中國人生哲學概要》頁七五

【中國人的道德精神】

我們道德的生活寄託於三種偉大的精神：㈠要體天地生物之心以爲仁，澈底做到盡己盡人盡物之性的功夫，方能忠恕貫通，止於至善；㈡要法天地自然之長生，領略大道之無不成化，做到去私容公，用身爲天下的功夫，纔算玄同妙道，成就上德；㈢要總天下之義以尙同於天志，爲天之所欲，盡去天下之大害，做到「爲人猶爲己」的功夫，始覺仁至義盡，周愛人人。我們現在如果要談中國先哲的政治信仰，必須以此等處爲出發點，方能認識他們的偉大。

——《中國人生哲學概要》頁七五—七六

【中國人是最哲學的民族】

中國先哲人生哲學的各方面，我前已分章略加敍述。現在綜合看起來，深覺這種學說對於我們的生命，十分積極地肯定其意義與價值。我們的興趣寄託於現實境界，始終要透視和把握這裏面的種種眞情至理，從來不作出世逃禪的幻想，所以能將生命的各方面體察周到，使之充實而有光輝，但是我們的精神雖寄託於現實，同時却又能啓發空靈的理性，產生微妙的哲學，衝破種種藩籬，超現實而隣於理想。因此我們活着，不但要滿足一己的要求，更須引發無限的同情，解救他人的患難，使生命全體交融互攝，如花之密，如香之稠，處處令人興奮陶醉。中國民族和中國民族的先知先覺所以能夠闡發如此高超的哲學，就是因爲我們所託身的宇宙，不是冥頑的物質系統，而是精神的價值領域；我們所蘊蓄的心性，不是污濁的罪惡淵藪，而是積極的創造活動。宇宙之至善純美挾普遍生命以周行，旁通統貫於各個人；個人之良心仁性順積極精神而創造，流溢擴充於全宇宙。宇宙之與人生雖是神化多方，終覺協和一致。這可作濃情似蜜，深意如環的人生哲學。依據這種哲學來做人，則人我和諧，彼此各以善行相扶持，培養偉大的道德人格；依這種哲學來審美，則物物均調，彼此各以眞相相感召，陶鑄瑰琦的藝術典型；更依這種哲學來從政，則人人中和，彼此各以同情相順應，完成理想的國家組織。如此看來，有誰敢說，中國人不是最哲學的民族？更有誰敢說，中國民族的患難不能發揮哲學的精神以求解除。

——《中國人生哲學概要》頁八七—八八

【現代人的煩惱】

生活在這樣一個世界上的人，假使還有點宗教情操，還有一點宗教理想，還有一點哲學智慧的話，可說是最痛苦的人了。因爲他所嚮往的宗教神聖的價值，道德的高尙理想，哲學的廣大智慧，由之而開展出來的無窮世界，在這個「煩惱世界」中無法實現。因此，我雖不同意Heidegger的哲學，但是這一方面，我卻與Heidegger深有同感——此生此世是生存在最煩惱的世界，最醜惡的世界之中。

現代人的痛苦也往往在這裏：假使你沒有理想，而鑽到權力的空隙裏，鑽到金錢的空隙裏，鑽到低級享樂之中；這一類人可說天下滔滔皆是。但是，如果你懷有偉大的心胸，要像道家「原天地之美，而達萬物之理。」把精神提升到「無何有之鄉」的「寥天一」之處，如同德日進（Pierre Teilhard de chardin）所謂的" Omega Point"——宇宙極峰之上，去觀照世界；否則，這個世界可以說是一無可取。

——《新儒家哲學十八講》頁九二—九三

【人生的命運須憑高度智慧抉擇】

關於宇宙的未來和人生的命運，前面安排着兩種路向，一是和諧創造的坦途，一是矛盾毀滅的邪徑。我們在思想與行動上究竟何去何從，須憑高度的智慧才能抉擇！

——《生生之德》頁二五一

【人生的憑藉在於至善的理想】

至於人生的憑藉，在中國哲學看來，則在高標至善理想，融入自然的創化歷程中，以追求其完成實現，這種「善」源自無限也邁向無限，像中國在十八世紀有位名思想家戴震，他在原善一書便闡述得極爲中肯：

「善曰仁，曰禮，曰義，斯三者，天下之大衡也。上之見乎天道，是謂順，實之昭爲明德，是謂信，循之而得其分理，是謂常。道，言乎化之不已也，德，言乎不可喻也。理，言乎其詳緻也，善，言乎知常體信達順也。」「性，言乎本天地之化，分而爲品物者也。限於所分曰命，成其氣類曰性。各如其性以有形質，而秀發於心，徵於貌色聲，曰才。資以養者存乎事。節於內者存乎能……呈其自然之符，可以知始，極於神明之德，可以知終。」

正因中國哲學對人性潛能充份瞭解，從其剛開始的鼓舞作用到最後的精神高峰，皆能深自體悟，所以能夠使人善盡其責，在仁愛的意識下——尤其是汎愛眾的意識下——根據智慧的導引而完成神聖使命，換言之，宇宙之至善純美挾普遍生命以周行，旁通統貫於各個人，而個人之良心仁性又順積極精神而創造，流溢擴充於宇宙，因此，他的生命感應能與大化流行協合一致，精神氣象能與天地上下同其流，而其盡性成物更能與大道至善相互輝映。要之，他的創造活動源自同情仁愛，因此其人文教化足以產生理性秩序，而其根據理性秩序所產生的義行，更能彰顯公義原則；所以他的精神穆穆雍雍，足以迸發智慧火花，終將成爲一位聖賢，充份實現他生命的神聖性。這是何等壯美的存在——在現有世界中還有比這更偉大的嗎？

——《中國人的人生觀》頁一五——一六

【中國形上學中的三大人格類型】

道家之詩人靈感或氣質，可說是得天獨厚，使他們得以憑藉詩人之眼放曠流眄，但見人人之私心自用，熙熙攘攘，奔競於濁世，均須一一加以超化，使之臻於理想的實存境界，方能符合高度的價値準衡。在佛家之心目中，這便與解脫超度，蘄向「涅槃」之說十分相近，而涅槃說同時又爲對應「眞如」（「如來」或「法身」）之絕妙描繪。由是觀之，道家哲學可說是替後來中國佛學朝着大乘方向發展，作了最好的舖路。

道家觀照萬物，舉凡局限於特殊條件之中始能生發起用者，一律化之爲「無」。「無」也者，實爲「玄之又玄」之究竟眞相，宛若一種生發萬有之發動機。道家之終，即是儒家之始。與道家形成尖銳强烈之對照者，是儒家之徒往往從天地開合之「無門關」上脫穎而出，運無入有，以設想萬有之靈變生奇，實皆導源於創造賡續，妙用無窮之天道。天德施生，地德成化，騰爲萬有，非惟不滅不滅，而且生生不已，寓諸無竟。因此呈現於吾人之前者，遂爲浩瀚無涯，大化流衍之全幅生命景象，人亦得以參與此永恒無限、生生不已之創化歷程，並在此「動而健」之宇宙創化歷程中取得中樞地位。總而言之，儒家之宇宙觀，視世界爲一創化而健動不息的大天地，宇宙佈濩大生機，生存其間的個人生命可有無限的建樹。宇宙之意涵既然如此，作爲理想人格之聖人，其巍峨莊嚴，高明峻極，也當如是——是之謂「聖者氣象」。

佛學在中國之初期發展，原本覺得儒家此種處處「以人爲中心」之宇宙觀，過於牽强，於是乃轉而與道家思想相結合，將人生之目的導向求圓滿、求自在之大解脫界。然隨着時間之進展，不久即看出儒家思想中的種種優點，並發現其中與佛學思想在精神上有高度之契會：儒家當下肯定人性之「可使之完美性」，佛家則謂之「佛性」，而肯定爲一切眾生所具有者。佛家思想既是一套哲學系統，又是一派宗教教義。佛教弘法大師都具有先知的知能才性，把目光凝注在人類最後之歸宿處，與夫未來一切有情眾生之慈航普渡的大解脫上。

綜上所言，我們現在可用另一種簡明扼要的說法，藉以烘托點出瀰貫在中國形上學慧觀之中的三大人格類型。在運思推理之活動中，儒家是以一種「時際人」（Time-man）之身份而出現者〔故尙「時」〕；道家卻是典型的「太空人」（Space-man）〔故崇尙「虛」，「無」〕；佛家則是兼時、空而並遣〔故尙「不執」，與「無住」〕。

——《生生之德》頁二八六—二八七

【「先知、詩人、聖賢」三重複合之人格類型】

曠觀人類歷史，此種「先知、詩人、聖賢」三重複合之人格類型，實言之有徵，衡諸中國，亦不例外。商殷之世（西元前一七五一—一一二二年），政府施政悉準於「祝氏」之建言——祝者、祭司或精於占術通神之儒。比及周代，郁郁乎大盛，進入文化上更高成就階段。祝氏職掌漸增，轉入師儒之手。於京畿太學中心設置師保，以三德六藝施教，掌德教與德行等教化大權，是爲「師氏」與「保氏」。公元前八世紀中央政權分散，六世紀封建制度解體，原屬貴族政體結構內之學術中心亦因之而瓦解。民間天才傑特之士遂脫穎而出焉。彼等搖身一變成爲「先知、詩人、聖賢」三重複合理想人格之代表，爲世欽仰，肩負推動學藝政教之大責重任而宏揚之。大天才家如老、孔、墨諸賢及其後學等，乃相繼出現歷史文化舞臺，現身說法，取前賢祝氏之術藝而代之。

──《中國哲學之精神及其發展》頁四二─四三

【人格的超昇】

人格的發展不是以現實爲止境，現實只是一個出發點，只是我們根據人性的才能，把牠大而化之。如在儒家，都要把人從常人變作士，從士變作賢，從賢變作聖，從聖變作大聖；這是儒家對於人格向上面超昇的一條路徑，不達到大聖的地位，即認爲人的成就沒有發展到理想的階段。同時道家也說：「不離於宗」，就是莊子中的天人、至人、神人、聖人，也是向人格的理想發展這一方面去發展。在佛家中，現實的人是一個顛倒的人，生活在顛倒世界上面的顛倒人、愚昧的人，所以每一個人在知識上面要自我解放，在能力方面也是要求自我解放，提出一個高尚的理想，在那個地方鍛鍊、閱歷了種種境界，這就是華嚴經十地品所說的，一個人是一個凡夫，每一個人都要超凡入聖，聖還有許多品格：初步、深度、高度解放的人，悟入一眞法界，做了菩薩、阿羅漢，大菩薩，然後再成佛；如此把人性發揮到一個最高的最光明的精神階段，變成佛性。宋儒從周濂溪起就主張「士希賢，賢希聖，聖希天」，一直向上面發展，還是根據原始儒家思想的，所謂「博厚配地，高明配天」完成聖人的理想。像這一種思想在中國哲學上面是第三種通性，叫做「人格的超昇」（Exaltation of Personality）。這是「一以貫之」的方法，在各種不同的道論，都是要把世界提昇到理想的存在平面，人生要配合這個理想的世界，要從人類現實的知能才性培養出來美的人格、善的人格、眞誠的人格，這樣產生「理想化與圓滿無缺的人格」（Idealized personality，integrity of human personality）。

——《方東美先生演講集》頁七二

八、西洋哲學

【希臘哲學的原理】

希臘人之智照實境，慧孚名理，依據下列原理：

⑴宇宙之存在是有而非無，社會之幸福是眞而非妄，人性之根身是善而非惡。

⑵宇宙、社會、人性三者所含攝之情理，斷盡迷障，風不能橈，雨不能沴，雪不能寒，逐處都是空明境界，晴雲繾綣，清輝流照。（Homer: The Odyssey Bk.IV）。

⑶天之高明，地之博厚，人之純篤，各抱至誠，守正誼（Justice）以爲式（Euripides: Troados,884-9)。

⑷心靈精純，可以闡幽辨微。

⑸知識之在宇宙，能攝一切相及一切相相，性質偉大，價值崇高，莫與倫比。（愛波羅精神之優美處）。

⑹萬事萬物之變現，如其實以求之，是爲人類到眞理所由之善路（Parmenides）。

(7)心能明理，還須自察，知能燭物，還須自照。夫以察察之心，顯昭昭之理，不僅生智，更起智知，不僅成慧，更使慧明，知之爲知之，又知知之所以爲知之。人各明其理，復以其理之明，迴光返照。人各致其知，轉以其知之眞，凝神內注。故知慧不特是智慧，又爲智慧之智慧。（Plato: Charmides, 164-167）。

(8)心之所求，神之所守，悉準智慧，歸趨幸福，反是則陷入無明，激起禍害。

——《生生之德》頁一四七——一四八

【希臘人的「擬物宇宙觀」】

希臘人之宇宙，一質實圓融之形體也，語其空間，則上下四方，其大有垠；語其時歷，則往來今古，其序有盡；語其物類，則地、水、氣、火，坌集如環。詞人所謂「天似穹廬，籠蓋四野，天蒼蒼，野茫茫，風吹草低見牛羊」，最能寫象希臘人之宇宙。此種思想吾嘗稱之曰：「擬物宇宙觀」。以其極言世界形象之「具體而微」也。物之德麗於形，視之可盡其態；物之量定於位，撫之可得其體；物之質依於空間之流轉，運之可見其歸宿；（如水流濕、火就燥，清氣上騰於天、濁塵下凝於地是也，）物之變寓於時間之往復，察之可識其絜齊，態極焉，體著焉，故常流轉而形弗喪，往復而性猶全。希臘人之稱物也，往往贊其全性，顯其完形，蓋必如是，其圓融無漏之軌度，始彰彰可考。宇宙（Cosmos）云者，即具此軌度之全體境象也。吾人分疏希臘科學之體系，哲學之創獲，其宇宙觀念，固未有能軼出此種類型之外者，橫亙紀元前，六、五兩世紀，希臘人據以說明宇宙之構造者厥爲一種基本質料（Phusis），其名與義雖應各個思想家之特殊需要，而展轉變異，然究其實則同爲一種獨立不改周行不殆之元素，萬物盈天地，皆由之而構成，舍此以外，更無眞際矣。其後數理論、多元論、原子論應運而興，稍稍糾正此單純觀念之失，然其思想之根柢，固猶建立於此基本概念之上，確乎其不可改易也。

——《生生之德》頁一一七

【希臘人的空間觀念】

每種民族各有其文化，每種文化又各有其形態。吾人苟欲密察一種民族文化之內容，往往因中外異地，古今異時，不能盡窺其間所蘊蓄之生命活動及其意向。無已，則惟有考核其文化符號之性質而徵知其意義焉。空間者文化之基本符號也，吾人苟於一民族之空間觀念澈底了悟，則其文化之意義可思過半矣。「此種基本符號，貫注於各個人各社會，各時代而為之矩矱，一切生命表現之風格，悉於是取決焉。政治之體制，宗教之儀文，道德之理想，藝術（括圖畫音樂詩歌而言）之格調，推而至於各種科學之規範，無一不附麗於此。」（O. Spengler語）希臘人宇宙之質，既極具體而微，故其宇宙之形，亦隨之而跼促有限，蓋空間賅藏萬物者也，萬物之封域已屬狹小，而空間之廣袤，即闐闐易滿，斯二者體合無違而後宇宙始臻和諧之妙境也。空間一詞，在近代科學上純為抽象理智攝持萬象時所呈之形式，其結構至為繁賾而玄妙，然在希臘時代僅乃顯示感覺經驗之境相而已。「感覺現象參伍錯綜，必萃於空間而後其秩序始明，其分限乃顯，是知空間者，萬化中之久理也，繁事中之簡象也，吾人執空間之定型，以網羅變異百出之感相，則其歷久不變之境界與系統昭然若揭矣。」（Cassirer語）希臘民族窺探宇宙之隱祕，往往挾具體空間以衡之，故其所能仰觀俯察者僅此品物流行，保合大和之昭明境相耳。天地交而萬物通，其形象皆宅之於空間而後安，易曰：「觀其所聚而天地萬物之情可見矣」。其希臘人之謂乎？

——《生生之德》頁一一八—一一九

【希臘人的時間觀念】

希臘人空間之範圍異常狹小，吾前已言之矣，其時間觀之內涵尤爲薄弱，眞乃令人詫異不置。夫以文化創獲如此豐贍之民族，竟於其本身生命活動所經歷之時序，淡漠無深切了解，寧非怪事耶？吾之爲此言，非謂希臘人無歷史也，〔實則西洋歷史科學導源於希臘之赫爾杜塔斯（Herodotus）及蘇色大地斯（Thucydides）〕特其載籍所敍述之民族或個人生命經驗，僅爲段段完整之事跡，至其發展之進程，與遞變之線索，則甚隱晦耳。若是而謂希臘人胸中缺乏時間意識，亦非過言已。（O. Spengler語）茲且臚舉數事以爲佐證，奧林坪競技，希臘人蕩魄搖魂之盛會也，其年代多漶漫不可考，參預此會而獲冠軍獎者希臘民族之人豪也，其名姓常淹沒而無聞，甚且於聯邦條約之訂定，亦祇載明此約，應於今後百年繼續有效，至今年究爲何年則未嘗著錄。他如域外殖民之始於何代、國際戰爭（如Trojan War）之綿延幾時，多不見諸歷史明文。尤可異者，柏拉圖稀世之大哲也，其眞姓名猶多荒謬之傳說。

——《生生之德》頁一一九

【純正的希臘哲學】

純正的希臘哲學就是尼采所謂「希臘悲劇時代的哲學」，其思想之梗概，我在第二章中已略加敍述，並稱之爲物格化的宇宙觀。彼處所述，僅及其外表之間架，茲所論列，當及其精神之核心。甚麼是純正希臘哲學的精神？其所表現之要義究有幾層？純粹的希臘哲學，不管其宗派如何歧分，其思想如何異趣，總表現幾層基本相同之點。自然奧衍，奮運生機，萬象畢出，孕育人類，人類蓄德，含弘光大，冥觀遐想，契合自然。尼采云：『我們語及「人道」，窮極根柢，似覺其義蘊特別，頗與自然不同。實則這種異趣只是虛設假立，絕無其事，自然之屬性與人類之素德，兩相增益，一體俱化。人類之超詣高才正是自然，故能以此身之浩浩，包天人之奇奇。』這種思想可以說是天人無間論，盡人之心以畜天（指自然而言）其合縉縉，正如吾國朱子所謂「人蓋未始離乎天，而天亦未始離乎人也。」（朱子太極說）。人與自然浹而俱化，固是希臘思想的通性，但是此地所謂契合，並非屈人就天，以人爲自然的順民，亦非强天從人，以自然爲心中虛構的影像。人天體合，正緣天與人都是普遍生命的流行。『近代科學常好假定某種機械的質力以說明自然界之變化，並且這些質力交互牽合，其動作之總和遂構成自然觀。但是除卻這種機械的觀念逐漸流行之外，尚有一種更久遠，更有神采的……哲學與之並駕齊驅……其心靈的起點並非觀察自然之外表現象而窮其次第，乃是鬱積一種情感去體驗自然的生機，譬如春日晴和，曉風拂面，我們情懷浩渺，覺週遭都布濩着大自然的盎然生氣，彷彿芳陰下，翠條邊，正有某種生命精神迢迢飛度，迸注其生香活態於我們的心胸，趣令噓吸神光，同情感召，有意境欲開，心花競吐之妙。以這類的本能爲起點，那種幽久的，非機械的……精神哲學直悟到自然並非機械力之體系，而是一種活的生命，活的人格之統會，其神光煥發，精彩耀露，處處沁入心脾。」（W. Pater語）這個見解就是希臘的萬物有生論（Hylozoism）。

——《科學哲學與人生》頁三〇八—三〇九

【希臘哲學評價】

我們在上面的討論裏，把希臘哲學分作兩種重大的趨勢，一是物格化的宇宙觀，一是價值化的唯神論。兩種思想的樣法各有優劣。遠在上古，一般人仍墨守神話與宗教的迷信，屈服於自然界之威勢，絲毫未能解脫外力的束縛。泰里斯等獨能運用靈思，把繽紛的物象都化作純簡的理境，使人類秉智慧之榮光，戡天役物，享受心神的自由，實是人類思想史上絕大的解放。這一層最值得我們永久紀念。他們研究之對象只限於沈滯的物質，不能兼顧人生活動裏意義之欣賞，價值之創造，是其弱點，後來一遇反動，乃遂一蹶不振，長使科學精神消沈頹廢，殊爲可惜。然而從這種物格化的思想樣法裏亦還能看出一種優點。科學家研究物質現象，其目之所視，耳之所聞，手之所觸，心之所思，都是些現實的境地，久而久之，遂產生一種愛好自然的心情。當希臘之盛世，天才輩出，各本其肯定現實世界之心情，奉具體物像爲圭臬，創作平易近人的法令制度，整秩齊絜的文藝美術。這類積極的貢獻縱不能完全令人滿意，至少亦較後代遯世逃禪的宗教衝動高明百倍了。近人尼采謂希臘眞正的哲人當推蘇格拉底以前的思想家。這種論斷頗爲允當。

柏拉圖價值化的唯神論，雖亦不免沾染宗教的出世思想，然而他的數學的發明，審美的情操，政法的建設，倫理的貢獻，處處都令人興奮，領受理想化的生命，感悟一種高貴的情趣。柏拉圖推論宇宙，寫象人生，妙在超自然而合乎自然，遺現實而鄰於理想。他的宇宙觀與人生觀純是詩的意境。王靜安先生謂『詩人對於宇宙人生，須入乎其內，又須出乎其外，入乎其內，故能寫之，出乎其外，故有高致。』（見人間詞話）柏拉圖在哲學上所造之境，所感之情，可算是入乎其內，出乎其外了。同是一個價值的宇宙觀由亞里士多德寫出來，令人只覺是『天似穹廬，籠蓋四野，天蒼蒼，野茫茫，風吹草低見牛羊。』淺近無甚雅量，平易無甚高致。人類流寓在這種幽晦的宇宙裏，只能感受『萬帳穹廬人醉，星影搖搖欲墜』的頹廢意態。亞里士多德雖教人仰望天神，崇尚天機，以求得宗教的滿足，然而人類處在這種過渡的物質世界上，終覺有跼促轅下，意注何處之感。

——《科學哲學與人生》頁一一〇—一一三

【希臘思想的眞精神】

希臘人之於世界，視爲具有人格，流露生命，其於人類，也看作發揮生性，含攝自然，由是而言，其物本主義的宇宙論，不期而合於人本主義的人生觀。人格形成小天地，宇宙透露大生機。盡己則盡物，物中有我，明天以見性，性外無天，人資萬物之性以爲道，道法天地，物冒人類之性而成德，德貫生靈。希臘哲學家對於人與自然的和諧所以能看得如此深透，就是因爲他們富有悲劇的智慧。尼采說得好：『哲學家試把宇宙的鈞天廣樂攝入自己，妙奏和聲，然後締造種種意念，投向身外，其冥想之透闢，宛如創造的藝術家，其同情之深厚，頗似宗教家，其思想之窮原盡委，極深研幾，則又類乎科學家，他自覺渺小之身可以展拓開張，包舉宇宙，同時卻又能蕭灑出塵，回眸內注，自視爲世界的反景，他能保持這種冷靜頭腦，正緣他有戲劇家的才能，一方面幻已作人，擬儀摹態，繪出心聲，同時卻又深知援人入我，絜情體物。寫就奇文。』我們誠能以此種心神注視希臘悲劇時代哲學之發展，自覺其思想表面縱極平庸，內中特多深意。

總而言之，希臘人起初對於宇宙之存在，生命之流衍，確實有些惶恐，後來雄心勃發，竟以偉大的毅力戰勝了世界的危機，實現了生命的光榮，然後放眼四顧，覺宇宙全境貫注形象之美，條理秩然，人類周遭滿布歡愉之感，生機活潑。尼采嘗說，希臘悲劇時代的思想是悲觀的，然從藝術上着想又是樂觀的。這句話確實可以概括希臘思想的眞精神。

——《科學哲學與人生》頁三一一—三一四

【希臘人的科學精神】

古代希臘是近代歐州文化之母，傳下了一種重要的寶物：科學。科學精神是希臘人的根性，他們對於任何現象都要尋出一種合理的秩序，訂定一種整齊的規律，求得一種精確的知識。全部希臘天才的創造品都是從這種理性的要求裏面產生出來的。希臘的數學，天文，物理固然是他們求眞衝動的表示，即如文學藝術亦隨在呈露這種精確的精神。他們何以能有這樣驚人的成就呢？正是因爲他們篤信眞即是美，眞即是善。科學的眞確性是希臘人的權衡，他們生命的理想，凡不符合眞的標準都是錯誤，都是腐敗。希臘人之根性處處都要把他們所觀察證驗的事象囊括於幾種確鑿的原則之下，以明其系統的關係。我們如說希臘文化之各部都是科學的結晶，或不免過分，然而這些文化產品確是一種符合科學精神的民族性之表現，因此希臘人的理想隨在都要運用理性以指導人生。

——《科學哲學與人生》頁五六

【蘇格拉底的人本主義思想】

蘇格拉底亦是人本主義的急先鋒。他的思想有三個要點。一、他所最反對者厥爲物格化的宇宙觀。倘若宇宙的現象僅是些物質或原子的機械動作，人生將根本失卻意義的光彩，價值的尊嚴，而爲狂妄的行動了。唯物論者縱把宇宙現象說得天花亂墜，亦不能詳明其根本的義諦。宇宙既是茫無目的，渺無意義之盲動，則人生之價值的創造將失所憑依了。我們如欲糾正此種過失，須是接受卜洛泰哥拉斯所倡導的人本主義，人生之根身是意義的實現。人類秉生命之榮光向前活着，處處都要鑑別眞僞之分，美惡之辨，認識宇宙之全體不是盲動的機器，乃是一個完成目的，實現意義，創造價值的場所，我們思想應以活躍的人性爲藍本，不應以死沈的物格爲範型。二、我們在生活的進程裏，雖是奉行人本主義，視爲不刊之至理，但是我們活動之目的在增進全社會的幸福而不在個人的私利。人類求知。處處都要符合普遍的標準，啓發眞理，以爲人群生活之南針，絕不能察察爲明，流於詭辯。人類德行處處都要謹守儀型，有倫有義，絕不能暴戾恣睢，殘生損性，杜塞德機，必如是而後人人有正誼之操，無邪僻之行，正如莊子所謂「人含其明，則天下不鑠矣，人含其聰，則天下不累矣，人含其知，則天下不惑矣，人含其德，則天下不僻矣。」三、蘇格拉底篤信目的論，因此，他的思想遂饒有宗教的色彩。這種態度乃是他對於物格化的宇宙觀所生之反響。前代科學家究心物象，縱到極深研幾之地步，亦只能說明自然界的次因，至於宇宙基本的理性，究竟的目的，捨神力外，絲毫無法解釋。神是造物主，是一切價値的保障者。惟其有神，所以世界上各種事象都有一個合理的結構，至善的歸宿。蘇格拉底的世界觀乃是一種倫理的宗教觀。神奇的理性是世界的創造者，其運行之模樣亦頗近似人類的理性。只有這種威靈赫赫的神我，才能化裁萬物，範圍人心。蘇格拉底始創目的的惟神論，其流風所及遂養成後代希臘思想家反科學（物質科學），信神道之慣性。

——《科學哲學與人生》頁九九—一〇一

【柏拉圖思想】

柏拉圖繼承師說，一方面反對科學的唯物論，而他方面又痛惡懷疑的相對論。前者偏狹武斷，曲說自高，盡失宇宙之眞詮；後者支離滅裂，流爲詭辯，搖蕩社會之風紀。

柏拉圖在共和國第六章裏把宇宙全體分成兩截：一是感覺所緣的形象世界。一是理智所慮的純理世界，前者復分爲影象世界與物象世界，後者更剖成數理世界與法象世界。感覺所緣，幻與不幻，都是塵濁，污染心靈，結果只助庸俗之人養成曲說私見而已。上面所稱之物格化的宇宙觀就是這種曲說私見，至多亦只是些疑似疑眞、忽是忽非的冒牌科學。柏拉圖的數學造詣頗深，他說數學所研究者乃是抽象的純理，不是具體的實物。數學家借用物體的形象，創立淳樸的臆說，然後按步就班，引歸結論。數學須有此種高超解脫的色彩，根本與物質絕緣，始配稱爲科學。最後在法象世界裏我們本着純理所慮之對境，乃是眞如實性及第一原理。這種純理的運用，柏拉圖叫做析辨術，只有它才配稱正確的科學。換句話說，正確科學的對象，不是無性質之別，無價值之分的，渾噩的，常變的物質，乃是許多眞實的價值如眞善美等。柏拉圖所想像的法象世界，價值世界純是一種詩的意境。他厭棄污濁的塵相，獨自往來於精神世界，一則以求眞實的科學與哲學，一則以明高貴的人生之旨趣。

——《科學哲學與人生》頁一〇二—一〇三

【從柏拉圖的「靈魂超昇」看改造世界】

現代學者尤其是學哲學的人，只是緊緊抓住一個「理」字，而把「情」字疏忽了不去發揮。這對任何一個時代一哲學思想而言，都是一個致命傷。比如在西方哲學方面，你假使把柏拉圖的哲學，只透過巴美尼德斯來闡釋的話，我想，柏拉圖的精神老早就枯萎掉了。在柏拉圖的著作裏，雖然他對於當時代所謂的悲劇詩人，在內心中不盡然瞧得起。但是他對於悲劇詩中的精緻篇章是誦記爛熟的。只要是在適當的地方，他立刻引用悲劇詩人的詩句。所以柏拉圖除了後期成熟的作品如Theastetus、Sophistes、Philebus、Parmenides等篇之外，中期作品裏面，如Gorgias、Symposium等篇，就文學方面而言，實具有詩人的豐富情緒的表現。他把哲學的智慧，融入藝術的純美的境界裏面去，而後循着愛美的心情，使靈魂一層層往上超昇，越過一切相對美的境界，一直昇入絕對純美的境界。同時在道德方面，也透過一切相對的道德價値，而層層超昇到絕對善的境界。猶之乎在科學方面，他能夠把下層世界也就是相對的科學知識的境界，以畢達哥拉斯的辦法：設如發現了一個科學的眞理，立刻就在宗教的祭壇上跪下來頂禮膜拜，即以此眞理爲基礎，以虔敬之心探求更高的科學眞理。於是，從知識的、常識的差別境界，超昇入數理世界，再以此數理世界爲條件而達到絕對的眞理。使科學成爲哲學。由此看來，柏拉圖在靈魂超昇的過程中，經過種種辨證的步證（Dialectic Steps），層層超昇而入於藝術的淳美境界，道德至善的領域，以及達到最高最抽象的科學知識，再以此爲條件，而獲得最普遍的哲學眞理。

這是很好的一個例子——偉大的哲學思想可以改造世界。它不像近代許多存在主義的思想家們，不僅是在那個地方演悲劇，而且是演雙重悲劇！甚至演三重悲劇！重重悲劇下幕以後，依然是精神侷促於現實世界中，心靈不能超脫解放，埋沒在這個「最煩惱的世界」中。

——《新儒家哲學十八講》頁九六—九七

【柏拉圖對眞善美價值統一的探討】

我們在上講中就曾提到柏拉圖在他的主著Republic（理想國）一書中，對於宇宙劃出一道中分線，然後指上面的爲形而上界，下面的叫形而下界。那麼對於形而上、形而下就被這個宇宙的中分線所分隔而斷然成爲兩截，從此以後Plato在他的思想發展中，固然是走上了另一條道路上去，這一條道路就是Parmenides（巴門尼底斯）、Socrates（蘇格拉底）的老路上去發展，其向上面去search for the highest mode of truth（探究最高境界的眞理）。所以他不得不從經驗科學、物理科學跳出來，跳到數理界的範疇中去找出路，然後才使他在數理界中找出一種永恒的Mathematical world and mathematica forms（數理世界與數理法相），並且就以它爲踏腳石，再綜合希臘的數學家Pythagoras（畢德哥拉斯）在數學方面的成就，而展現了一個New Mathematical theorem（新的數學理論），而且欣喜若狂的馬上跑到他的宗教祭壇前面，跪下來祈禱，說他在精神上面已經獲得了解放了，已經更提昇一步了。

獲得了這種啓示之後，於是Plato（柏拉圖）便開始發揮他的藝術才情，開拓了一個嶄新的world of beauty（美的世界），這就是Symposium Dialogues（對話錄饗宴篇）裏面所描寫的。在衆多的Sensible objects（感覺對象）裏面，柏拉圖要透過他的藝術才情，才能夠彰顯出他的perception of beauty（美的領略），但是那也只是relative beauty（相對的美），還要把它化成ideas（法相理型），也就是要變做absolute form of beauty（美的絕對形式）。於是這樣一來，柏拉圖才搭上了一個更高的臺階，使得他的精神領域再度昇到一個更高的道德世界上面去，然後他才發現moral value（道德的價値）、moral ideas（道德的理念）。如此不斷的向上面去追求，追求再追求，所追求的是什麼呢？就是這個三重世界——絕對的、數學的forms of truth（眞理之法相）；藝術上面的forms of beauty（美的法相）；以及道德上面的forms of goodness（善的法相），要把這三重世界給統一而聯繫起來。但是在這三方面，其實就等於是精神世界的三重奏，如何把它們聯繫起來便成爲最重要的課題。因此柏拉圖到了晚年的時候，便說，對於這一個問題，如果要從差別性的立場，把數理界方面、藝術界方面與道德界方面的絕對眞善美給聯貫起來的話，那麼將會形成一個最高的價値學的統一。另外他又說：在我這個時代，只有我才有這個資格來解決這個問題，但是我卻不能夠辦到。這在柏拉圖的第七、第十三封書札裏面曾敍述得清清楚楚。因爲要解決這個問題非常的困難，雖然他發現了絕對的眞善美的世界，但是卻是各自表現其絕對性，如果互相對照起來還是成爲三重，爲沒有法子統一的多元體。所以他要透過價値學的統一，才能把絕對的眞善美給聯貫起來，這也就成爲柏拉圖只能夠夢想而不能夠達到的一種理想了。

——《華嚴宗哲學》（下冊）頁五七—五八

【柏拉圖的理想國將現實理想化而提昇到眞實的理想境界】

再換另一個角度來看，倘若我們研讀了柏拉圖同笛卡爾的著作之後，我們便會發現在笛卡爾的著作裏面就有一個很好的比方：他說有許多人喜歡在地下室裏面比劍，喜歡在黑暗的夜裏比劍，這是什麼緣故呢？因爲他們在那個暗無天日的地方，可以乘機暗劍傷人，而讓人絲毫看不出來以達到他的目的。因此倘若有人建議說，既然是要比劍，爲何不到外面的光天化日之下來比呢？這時那個比劍的人一定會躲到地下室裏面不肯出來。因爲一旦到了光明的世界裏面，他除了忍受不了外面刺眼的陽光以外，他根本無法在比劍的時候，乘機再用暗劍傷人的方法，倘若他非用不可的話，一定會被大家看出來。所以笛卡爾便指出：比劍是具有兩種境界，一個是在黑暗的場合裏面比；一個是在光明的場合中來比，前者是暗藏着陰謀詭計，見不得人，當然是不公平的，唯有在光天化日下才能夠比出高低。

但是以柏拉圖來說就不同了，柏拉圖在他的「理想國」一書裏面就說：大家不幸的都脫離了眞理、脫離了理想、脫離了價值標準，因而便生活在黑暗的領域中，而自己根本就不知道，結果就莫明其妙的生活着，而沒有任何光芒來照射，或者雖有照射，但是它所彰顯的也僅是宇宙的陰影、人生的陰影。所以柏拉圖，他就無法拿哲學家的那一種氣派來說，你們這些都是下賤的人，只曉得在黑暗裏面討生活，他總是很親切地來描繪，當人們生活在黑暗的地下暗室裏面，對於一切的外在光明，僅能投射出一些陰影而已。因此當柏拉圖在描繪那些生活在陰影地洞裏面的情況時，就彷彿他自己是處在那一種境界中一樣，他所描繪的那個陰影非常透澈，因此反而使人有一種眞確的感受，因爲這必須是他自己已經先有眞確的感受，然後他祇不過把這種眞確的感受自然的流露而已，也就是一步一步的，把人從地洞裏面領上來，使他們到達光明的世界裏面，讓人們不會因爲太陽光的太刺眼，而不肯馬上脫離那個陰影的世界。所以有人說：柏拉圖的哲學著作，就是一部大學教育的教科書，他是從不同的環境裏面，烘托出兩種路線出來；一個是現實世界；另外一個就是將現實界先給予理想化，使它提昇到眞實的理想境界，這裏面總是應該有一個program of elevation（超昇計畫綱領）。然後他再根據他一生的眞確體驗，作爲一種現身的說法。

——《華嚴宗哲學》（下册）頁八五—八六

【亞里士多德哲學】

希臘民族創造的思想集大成於亞里士多德。前有物格化的宇宙觀，後有目的的唯神論，兩者相摩相蕩，積不相能，勢成水火。亞氏融會而貫通之，構成一種調和的系統。他的貢獻在把當時各種科學研究的結果會歸於玄想的中心，使物質世界的形象與精神世界的價值溶成一體。

柏拉圖解剖宇宙，分爲兩橛，視物質與精神爲截然不同的兩事，亞里士多德則網羅萬象，統於一宗，以明其原委。物質宇宙只是有限的體系，其所由構成之質料，要不外乎地水氣火之四根，及「以太」之精氣。杳冥萬象乃是它們的分合流變。宇宙本身彷彿是由幾層圈套積疊成的。地球位在中央，水氣火等三界順序環繞其外。就天象言，行星居內，恆星居外，疊爲五十六層，最外層之外則爲神境。這種說法純是一種物格化的宇宙觀，其思想之精闢處甚且視前人還有遜色。然而亞氏亦有一種新貢獻，爲前人所不曾道及者。前人推論宇宙，只把它當作物質的機械的系統，除此而外，再不重視甚麼性質的區分，價值的差別，亞氏秉承師說，漫把宇宙全體繪作一種高下懸殊的價格表。地面上及其鄰近的物類，生滅成毀，茫然無主，僅乃代表低微的價格，更上數層，因爲物質的成分漸由濁重者變爲清輕者，其價格率亦且等而上之，至於名貴不可言喻之神，遂有無上的價值。上天下地既已表露不同的價格，則宇宙中之流變當然不僅是機械的現象了。前人所謂流變，只有一義，這便是物質在空間裏面所起的機械動作，其演化之跡只是數量的差別相，而亞氏則提出四義，以詮釋宇宙之流變；一、形體之成毀，二、性質之遞嬗，三、量積之損益，四、空間之更迭。此四種變化，就其根本義言之，都是些表明價值高下的情態。宇宙全體之流變適成一種向上的發展。在低微的極限裏，只有渾淪的體質，未具明顯的法象，在地面之左右，質漸成象，構成個體，等而上之，各種個體逐層演變，曳質就象，圓成實性。這些由質變象的趨勢，均以神境爲其最後之目的，所以亞氏常說神靈是宇宙流變的第一因，亦是宇宙發展的究竟果。這種說法顯是把前人物格化的宇宙觀歸結於柏拉圖價値化的惟神論，而得着一種調和的系統。

——《科學哲學與人生》頁一〇七—一〇八

【近代西洋人的宇宙觀】

古代希臘宇宙爲有限之形體，而近代西洋宇宙，則爲無窮之境界。吾人試將此兩種宇宙合而觀之，自覺異趣橫生。前者之成分：質亦一有限，空亦一有限，時亦一有限，數亦一有限。後者之含素：質亦一無窮，空亦一無窮，時亦一無窮，數亦一無窮。近代西洋宇宙觀，應乎無窮者也。上古希臘人，縱目瞰宇宙，自覺「地形連海盡，天影落江虛」，大有「獨坐清天下」之妙趣。近代西洋人豪思寄宇宙，但感「蒼茫雲海間，長風幾萬里」，轉生「惆悵意無窮」之遠興。

——《生生之德》頁一二二

【近代西洋人的空間觀念】

近代思想家自布魯諾（Bruno）以來迄於斯賓諾薩，其言宇宙也，輒指目之曰無窮系統，蓋極狀其範圍之廣，內蘊之富也。晚近天文物理復秉此意向，援用數學名理剖析空間，於是其小無內，其大無垠之境況漸成科學上不可否認之事實。希臘人仰觀天象，極目所見者，至多不過五六種行星及五十六層恆星境界耳，其外直如無物矣。返觀近代，天文家高踞觀象臺，揮大鏡遠矚長空，即可得千兆之繁星，設將鏡之光度加强，其所可測者，尚猶依次遞增。據近傾之推算，恆星可測之全數多且三萬兆，少亦三千兆，然此僅就星海近處言之耳，若銀漢全境列星之數，則又不止此矣。吾人測度無涯之霄漢，絕難準之以尺丈里，無已，則惟有擬之以光度年（Light-year）耳。光之傳速一秒鐘約計十八萬六千哩，霄漢之全境如測之以光速，當歷十萬年，而始極其廣。是霄漢者廣矣大矣，舉以擬諸其他星雲宇宙猶僅及其百萬分之一，（最近之星雲，距地約有八十五萬光度年，）近傾天文家哈伯爾（Hubble）推測宇宙空間之半徑已達一萬萬萬光度年，是項臆測精確之程度，雖尚不可知，然宇宙之蒼茫無涯，準此可想見也。

——《生生之德》頁一二三—一二四

【近代西洋人的時間觀念】

羅素嘗有言曰：「時間之眞實或無疑義，若有人焉，衡之以情，度之以理，恍然證知其不重要者，當可直入智慧之門。」斯言也，舉以奉之希臘人，實爲不刊之至理，然就西洋人觀之，誣矣。近代科學自十七世紀以來，時間早已成爲極重要之概念，吾人縱謂時間爲智慧宮門之管鑰，亦非過言也。伽利略之論物體運動也，已視時間爲等速加速之權衡，箇此以言運動，都無的解；牛頓更推而廣之，據以說明物質宇宙之全體動相。自是以後，其意義益增重大，科學家類能言之，玆姑不贅。時間究有何義？執藏萬物之玄體耶？貫串事變之綴系耶？抑權衡大化之智符耶？此等純理問題，難以玄斠，吾今所欲言者，僅其無窮期耳。希臘人昧於時間之重要，故常無尊史之心，紀元前八世紀其先民禍福成敗故事之可歌可泣者，往往託之於神話，雜眞僞以求之，其綱紀原委至難言也。洎乎近代，西洋人挾其悠遠之時間意識，以追思前古，覺愛琴海沿岸雖在紀元前二千五百年已有燦爛之文化，稽之十九世紀末年德人西立曼（H. Schliemann）及英人愛文思（A. Evans）相繼發掘之城垣及宮殿遺跡，蓋已信而有徵。再就埃及而言，則尼羅河灘上所掘得之陶器，考其年代，竟可追溯至紀元前一萬五千載以前。若依考古學之證據推之，人類寄跡大地，當已有二十五萬歲之歷史，此等事實，苟非西洋人其孰措意耶？然此區區者猶未能盡西洋人之時間意識也，試以地球爲例，自有生物以來，已歷三百餘兆年，其自身之歲數當更不下一千二百兆矣。揆之太陽，前乎此者，業已綿延五千兆年，今而後歷數至於「末日」，或尚不難展至五千萬萬年矣。夫以渺小之太陽，（對繁星及星雲而言，太陽僅是滄海之一粟，愛汀桐A. S. Eddington揣度宇宙之全部體積超過太陽之體積至10^{22}倍以上，）猶能歷久而至於如此，其他無量數恆星及星雲演化所經之時序更巧歷不能盡其數矣。

——《生生之德》頁一二四—一二五

【近代歐洲哲學的弱點】

歐洲哲學智慧之弱點有可得而言者三端：

(1)一切思想問題之探討，義取二元或多端樹敵，如複音對譜，紛披雜陳，不尙協和。舉一內心而有外物與之交迕，立一自我而有他人與之互爭，設一假定而有異論與之牴觸，建一方法而有隱義與之乖違。內在矛盾不圖根本消除，凡所籌度，終難歸依眞理。

(2)哲學智慧原本心性，必心性篤實，方能思慮入神，論辨造妙。歐洲人深中理智瘋狂，劈積細微，每於眞實事類掩顯標幽，毀壞智相，滋生妄想。覩於心性之分析，感覺現量本可趨眞，而謂攝幻；理性比量原能證實，而謂起疑。幻想似量究屬權宜，而謂妙用。其甚也，人格之統一，後先相承而謂斷滅，身心之連誼，彼此互紐而謂離異。內外之界繫，爾我交喻而謂懸絕。

(3)遐想境界，透入非非，固是心靈極詣，但情有至眞而不可忽玩，理有極碻而不能破除。歐洲人以浮士德之靈明，往往聽受魔鬼巧詐之誘惑，弄假作眞，轉眞成假，似如曹雪芹所謂「假作眞時眞亦假，無爲有處有還無」也。吾於他文分析歐洲學術文化之轉變，究將趨於虛無主義之幻滅，非故好爲怪論，蓋深有所感慨，遂不覺其言之直截耳。

——《生生之德》頁一五一—一五二

【近代歐洲哲學的特徵】

歐洲人之崇權尚能，熏生業力，唯有精純智慧，究屬方便善巧，其哲學之根基符合下列條件：

⑴宇宙之客體，社會之形式，人性之構造，原極渺渺茫茫，不能遽定爲實有，一切存在純是某種疑似境界。近代歐洲人誠心嚮往物質大宇宙，而中古傳統之態度則指此爲莽原。近代歐洲人創建自由新國家，而中古遺留之宗教則召之返天國。近代歐洲人熱情啓發淳樸天性，而中古沿襲之學說則目之爲宿孽。

⑵宇宙恍如夢境，生命幻若俳優，莎士比亞，言之詳矣。當近代之初期，歐洲人寄迹人間世，形同孤兒誕生，一無憑依，倍覺落寞凄涼，怨憤慘怛。浮士德實爲標準歐洲人，目擊宇宙之空幻，知識之渺茫，不禁狂吼怒號，感嘆身世。「哲學法律余所專精兮，兼醫方神理之辨覈。竭智盡能昕夕以探其奧兮，悵闇昧之紛陳猶如疇昔。宇宙空幻微茫，疑莫能明兮，揆余中情，恨知識之刺骨」。（Faust V. 355-365）

⑶希臘人生性酷愛眞理，自能欣然引發智慧，照燭世相，如實了解。歐洲人遊心夢境，恨知識之無徵，於是馳情入幻，一往不復，將幻生幻，玩弄知識。此層又爲浮士德一語道破：「心所不能知，利用最饒益，心所已知者，棄置無足惜。」（Faust V. 1066-7）

⑷歐洲人最初不能把握世界，穩定腳跟，表面上似無創建偉大知識系統之可能，詎知其實又大謬不然也。正緣世界無定相，知識無法儀，歐洲人乃幻化莫測，毫無拘束，運飄忽之

智力，建神變之臆說，玄之又玄，想入非非，造作種種虛立假有之意境，以爲哲學證理科學推論之對相。歐洲人之於宇宙，如中狂魔，格物致知，探索奧密，一境深似一境，一相精似一相，窮極根柢，猶不止息，「知其不可爲而爲之，知其不可得而求之」曼陀（Mephistopheles）如此贊美浮士德，我亦如此贊美歐洲人。

(5)一種智境如有實理可照，一種慧境如有眞情可取，不妨逕據慧眼直觀，窮其要眇，無庸預設方法定理，援之求眞。但在歐洲，宇宙內容虛妄假合，必依方法始能推證，幻與不幻，等是假設，所不幻者，惟有邏輯。職是之故，歐洲人每一思想體系之成立，邏輯原則乃其先決條件。吾人窺測歐洲智慧，如不學得一套邏輯善巧方便，便於科學哲學格格不入。

(6)培根建議科學大改革，其目的端在理性之完備運用，以拓展心智之權力。揆其用意，蓋指邏輯方法確立之後，自然外界始能獲得的解。新邏輯之目標，不在樹立論證，而在確定方術，不在敷陳疑似理由，而在籌度工作計畫。科學即是邏輯，知識厥爲權力。知識欲之表現，不外權力欲之發洩。歐洲人戡天役物之精神實寄於此處。（Bacon: The Advancement of Learning）

(7)權能爲裏，業力爲表。歐洲人既已崇權尙能，自然觸發慧心，作業用力，啓迪廣汎文化現象。菲希特（Fichte）所倡言之「業力」（Thathandlung）一詞，實是歐洲哲學智慧之中心觀念。歌德於此言之，尤詳且確：「思想之線索已斷，知識之嫌疑未決，且臨情欲深淵，優遊饜飫怡悅，任萬象逞奇，我觀摩自得，時間奔騰踴躍於目前，余心之甘苦憂勞成敗，川流而不竭，原夫人之所以爲人，活動賡續完成其大節。」（Faust V.1748-1759）

(8)吾人曠觀歐洲人之崇尚權能，靈變生奇，啓迪智慧，誠應傾倒。但一窮究竟，覺其哲學核心亦非毫無缺陷者。歐洲共命慧之策動，初以文藝復興時期藝術熱情爲發端，揮運靈奇深心感召宇宙幻美。但因心弦脆弱，不能忍受萬象之震撼撥刺，終久流爲藝術之誕妄，於是展轉推移，折入巴鏤刻時代之科學理智，而此種理智又因馳騁空冥，援無證有，百折入迷，自毀其方法標準，畢竟末由契合宇宙之眞情實理。自是以後，不得不趨於羅考課時期之幻滅悲劇矣。

——《生生之德》頁一四九—一五一

【西洋哲學可分三派】

從大體上着想，西洋哲學的發展可分作三派：

㈠玄想的哲學（speculative philosophy），根據獨斷的態度，把詩藝、道德、政治、文化、宗教和哲學融貫在一起，馳情遐思，宅心冥想，著意要樹立一種廣大的形上學系統，以求精神願望之高度滿足。㈡批評的哲學（critical philosophy），常依據科學理論的成就，發掘其根本問題，將它們納入謹嚴的邏輯系統，然後製訂普遍概念與原理，以決定人類知識的性質、作用與效力的範圍。依照這種辦法，哲學仍可建立廣大的系統，但應有適可的分寸，一切問題之探討，不論是屬於科學、道德、藝術或宗教，均須遵循謹嚴的邏輯原理，和眞確的知識程序，方能獲得穩妥的結果。除此之外，其他種種只是順應人類自然才情或本能願望所作的幻想，經不起理性的衡量。㈢懷疑論及實徵論（scepticism and positivism），（這兩個學派本來不能相提並論，此處爲行文方便起見，把它們暫時鈎連在一起，因爲它們同是反對形上學的），依傍邏輯上眞確可靠的義例，或經驗科學內豐富充足的事實基礎，以決定人類知識之價值。這派哲學其實是科學理論的化身，不但對玄想的哲學常作全盤的否定，就是對於批評的哲學也要根據更偏狹，但又可說是更精密的邏輯技巧以摧毀溢出邏輯基礎或事實證據所允許的範圍之外的其他一切理論企圖。

——《生生之德》頁一六一—一六二

【康德哲學要義】

約而言之，康德哲學，要義有四。一、物如實性，未由窮知，所可知者，惟有現象，蓋因一切事物，甫入知境，即受心識條件之支配，斷無超然獨立之客觀性。人類知識，依質起相，相狀既見，融成心境，絕非物質，離心長存。二、知識根基，築於心性，心性運行，啓發範疇，攝取外物，陶鑄成象。人類理解，猶如羅網，攬取擒掇，萬象俱應，人類智慧，乃若眾燈，交光映照，萬法齊明。三、空時格式，理解範疇，與心俱來，先天起用，當其奏用，必有經驗，供奉內容，始免蹈空。四、一切經驗，駢陳輻輳，各有序列，不得錯亂，譬如網罟，節目雖繁，綱條不紊，遍自然界，均是理網，爬梳聚斂，會歸一宗。這種唯心哲學，雖不絕對否認物質，違反科學，然自其動機言之，實欲糾正科學重視物質，歧視人性之大錯。客觀世界，條理井然，各種現象都謹守效力普及的定律，就此點言，康德哲學實與近代科學上的齊物論旨若合符節，但是科學上齊物的主力是物質本身所啓示的因果律與自然律，康德哲學裏齊物的主力則爲心識內部至尊的律令。「理解發號施令，導誘自然，並非屈服於自然，順受其律法。」—（康德語）在科學的理論裏，人類尊嚴喪失殆盡，在康德哲學裏，人類地位，崇高無比。這是近代哲學反抗近代科學一種絕大的勝利。

——《科學哲學與人生》頁一八六—一八七

【黑格爾哲學要義】

黑格爾的全部系統，打個比方來說，酷似一個大圓周，其中有三個繡毬迴互滾動而閃爍異樣的光彩。我們觀賞這個繡毬滾動圖，又可假借佛家華嚴宗「六相」的理趣以喻其妙。宇宙本體統攝一切事物，融貫一切理路而吐露「總相」。本體是一，但因大力流注，展轉化遷，滋生種種異境而顯現「別相」。境界縱有種種差別，然而各項事理都落在全體系統之中，憑藉一定法則，遵循公有途徑而演進，善巧遞變，不離其宗，這又是「同相」。理體雖同，理貫雖一，但種種現象分別住境，各適其宜，不稍混濫，是謂「異相」。宇宙本體，周遍發展，其中潛在可能，一貫相禪，次第增進，表現個性，成就現實，是謂「成相」。各種現象成就之後，如仍滯留差別境界，睽違阻隔，不相融通，便是「壞相」。

再用黑格爾的術語來說，整個的繡毬滾動圖就是指着「絕對」（Das Absolute），總相是它的「全體」（Totalitat），別相是它的「差異」（Unterschied），同相是它的「統一」（Einheit），就概念的系統而言，黑格爾又稱這絕對爲理念（die Idee），其分殊對象一爲理性（die Verrunit），二爲自然（die Natur），三爲精神（der Geist）。換句話說，黑格爾哲學是一種廣汎的形上學系統，其中包括一套邏輯科學，一套自然哲學，和一套精神哲學。三者融貫在一起，構成理性，自然，和精神的完整連環套。這是黑格爾在哲學叢編（Encyclopadie der philosophischen Wissenschaften im Grundrisse）（此書有1817, 1827, 1830三種版本）裏所昭示的要義。

——《生生之德》頁一七七—一七八

【黑格爾辯證法的誤用】

黑格爾在哲學叢編第十一，四十八，八十一，一百十九，二百十四節裏，反覆透視精神內在生命的發展過程，無一時不陷入矛盾，無一處不遭遇困惑，不斷地否定其已有的成就以求超昇，因之認定思想之實質爲辯證的否定程序，萬有之內性爲遷化的衝突現象。我們回顧他在精神現象學一書中漫把自然物象，意識形態，知識種類，社會制度，道德生活，文化類型都藉矛盾邏輯的利器予以尸解，使之觝觸、衝突、腐蝕、消失、而成爲各式各樣的大破亂狀態，彷彿宇宙間流行着一股廣汎的毀滅性魔力，正「磨刀霍霍向豬羊」一般，等到最後出現了一種高超的哲學智慧，徹視這些狂妄的幻景，直斥之爲虛幻，才引起絕對精神之憐憫，方始大發慈悲，將這些穢跡都焚化了，然後收拾那殘存的灰燼，移至聖潔神殿中供奉着，冀以流傳萬古。近百年來，這毀滅性魔力眞個來到人間，變形而成馬克斯和他所糾合的共產黨暴徒，一籠蜂似地擁入這座神殿，猛將那祭司——黑格爾——一腳踢到空中，使之落魄着地，倒栽跟頭，隨即拾取他那邏輯利器，來摧毀與他們敵對的政權、國家、民族、人性、組織、制度、道德、藝術、宗教和一切高尙的精神價值，造成現在世界上前所未有的大破亂狀態。語云：「我雖不殺伯仁，伯仁由我而死。」我們不知道黑格爾的幽靈又對此種慘象作何感想？辯證法具有極大的危險性，用之不愼與用之不當，其結果將造成人類的災難。

——《生生之德》頁二四八——二四九

【黑格爾系統哲學的特點】

我們對於黑格爾的系統哲學，在未扼要分析一些重要問題之前，不妨武斷地指出幾個特點：

㈠宇宙的結構是交融互攝，不可分割的整體。

㈡宇宙中最高的眞相與知識上究竟的眞理「孚尹旁達」，互相契合，形成一個廣大悉備的系統。

㈢這個含眩一切的系統，由一股內在的精神力量激揚着，流衍發舒，次第增進，最後乃能臻於純眞，完善與美妙。

㈣在轉變遷化的發展過程中，一切事物都受條件的支配，拘牽束縛，而未得享有絕對的自由，因此時時墮入缺陷，亦即處處尋求超昇，其步驟爲一貫的矛盾和矛盾的不斷銷除。

㈤人類獨察內心，曠照宇宙，須把握理性的契機，地地升進以求徹悟此中的秘奧，境界未臻於神明，知識未達乎究竟，一切事理都瀕臨仄境，而難免違戾刺謬。

㈥哲學家透過徹底的理性作用，藉着飛翔的幻想自由，其精神的極詣終乃凝成焰慧，照了宇宙全盤眞相而成就絕對眞理。在未獲得最後成就之前，矛盾性原理是要一貫地遵循和不斷地運用。

——《生生之德》頁一六〇——一六一

【對黑格爾哲學的誤解】

本文寫作的動機並非有系統地介紹黑格爾哲學各部門的內容，乃是要排除兩種流行的誤解。第一、有些人直把黑格爾辯證法當作萬應靈丹，囫圇吞了下去，便自以為可以代替近代科學與邏輯的精確推理方法。這是迷信。黑格爾哲學殊不能生起如此巧妙的作用。第二，另有一批人假借科學與邏輯的幌子，乃竟採取一套更壞的哲學來否定形上學的可能，因以根本反對黑格爾哲學。這是狂妄。科學與邏輯各自有決定的領域，但不能逾越範圍，侵呑哲學的領域。這雙重錮蔽解除之後，我們方能開始考慮黑格爾哲學的問題而不致墮入迷信與狂妄。

——《生生之德》頁一五九

【對黑格爾哲學的附會】

因為黑格爾是一套成功的哲學，先後竟引起了馬克斯主義者及德國國社黨人之追攀附會而使黑格爾的哲學完全走樣，黑格爾的精神根本喪失，更是哲學史上一種令人咋舌驚奇和聳額嘆息的活悲劇。

——《生生之德》頁一六三

【尼采哲學】

尼采的哲學簡直是生命的讚美歌。美妙的生命，神聖的生命自有高出一切的價值，映射無限的權力，無窮的希望。我們託足人間世，應盡量發洩生命欲以表顯自由創造的好身手。尼采酷愛近代音樂，因為宏壯的聲調適足表揚震跳的心情，活躍的節概。他重視希臘悲劇，因為雄奇的文字適足寫象生命的高致。他崇拜希臘彫刻，因為造形藝術妙能描摹純美的氣象。盎然充實的生命就是力的擴張，美的表示。一切藝術創作均使我們達所欲生，暢所欲為，以實現無窮的可能。生命正是藝術，藝術富有生命。美的創造為人生根本意義之所在，離卻藝術，人生即無以耀露它的自由。美感是生命的節奏，詩人是生命的明燈，藝術有起死回生之偉力。

——《科學哲學與人生》頁二三五

【尼采論哲學家的任務】

「哲學時常要創建世界，使之酷似自己，這是莫可如何之事，哲學簡直是『這種霸道的衝動』」（dieser tyranische Trieb selbst）。它是最富有精神意味的權力欲，這種權力欲之發洩就是一意要創造世界，自作主宰。」「我堅持着人們最後莫把哲學工作者甚至一般研究科學的人和哲學家混爲一談，在這裏我們應要認清他們各有不同的特質，莫再過分重視那些人而藐視了哲學家。就充分的修養而言，眞正哲學家自身一度也許應採取一般哲學之科學的工作者所要採取的同樣步驟，沈潛濡染於謹小愼微工夫之中：他自身也許應該具備了批評家、獨斷者、歷史家、詩人、收藏家、遠遊人、猜謎者，以及其他有妙悟卓見和自由精神的一切閱歷，以便普遍體認人類的全盤價值和價值情趣，必如是才能曠照密察，致廣大而盡精微，從高處搜奇，從深處造妙，從僻處創新。然而這一切只是哲學家完成任務的預備條件，除此之外，眞正哲學家的大業還須創造價值。哲學工作者取法乎康德和黑格爾的好榜樣，自應對於時下流行的若干偉大評價作用，那便是說，對於深入人心，一時且被視作眞理的那些價值決定，價值創造—不論它們是屬於邏輯、政治、道德、抑是藝術的領域，—

—予以整齊排比，使之納入規模矩範之中。一般研究者蓄意要使歷史文化價值的陳迹變作意義顯豁，趣味清新，理路彰明，效用妥貼；他們的工作在駕馭全部過去的事物，使其綱紀統理，繁而不亂，久而彌新，一一都在掌握之中。這是一種艱巨神奇的工作，一旦完成，自然值得驕傲和矜持。然而眞正哲學家對於此種工作並不豔羨，他們要發縱指示，製作律法。他們說：勢有必然，理應如是！他們始而決定人類的前途，並指陳其究竟理由，繼乃排除一切哲學工作者已有的工作，對於一切過去事物的宰制者一律等閒視之，——他們意在運用創造的手腕以掌握將來，至於現在和過去的一切只合變作由他們利用的手段、工具，和鎚鍊一切的利器。他們的知解就是創造，他們的創造就是製訂律令，他們的眞理欲也就是權力欲，——現在眞有這樣的哲學家嗎？世上已有這樣的哲學家嗎？將來竟不應該出現這樣的哲學家嗎？」

——《生生之德》頁一六四——一六五

【尼采的超人哲學】

尼采哲學是一種未來主義，超人主義。猛力向前活着！不要讓過去的重力壓倒你！盡量表現你的本能，發展你的人格，創造你的藝術，推廣你的思想！否則身歸黃壤，渺無建樹，未免可惜！歷史的意義，非流俗庶民所能表露於萬一。世間只有偉大的個人，特出的超人纔能頂天立地，奮勉努力，完成歷史的意義。向前的生命，上進的生命是超人的業力。一般庶民，識量狹小，能力薄弱，營營終日，生與死俱。超人壁立萬仞孤高自許，俯臨流俗，傑特獨行，遠邁禽獸，物莫與攖，夫惟如是，乃能爲雄奇偉大的生命，爭得一線曙光。『聽者！我教你做個超人！超人是人間世的意義。任你的意志狂嘯着：超人終是人間世的意義。』『聽者！我教你做個超人！超人宛似闊海，掀起猛浪，吞沒一切濁世污行。』『聽者！我教你做個超人！他是狂風，他是暴雨，震懾一切！』『現實人類，卑微偏曲，吝鄙懦弱。我教你做個超人，你已深下功夫，顚倒他，踰越他，努力做個超人麼？』『同胞，快把你們的精神，你們的德業貫注於人間世！用你們的威權，重新估定一切價值！努力做個健者！努力做個創造者！』尼采一方面崇信超人，歌頌他的盛德，一方面痛恨近代，斥爲污世。近代國家是弱者的組合，民治主義是弱者的呼聲。耶穌教義是病人的迷信，平等道德是弱者的護符。甚而至於科學亦僅是平等化，庶民化的墮落事業。超人的希望遠在前面，何不奮勉努力，盡除流俗污世的穢氣？向上的人類！趕快振作起來，重新估定一切價值，以表顯你們的偉大。

——《科學哲學與人生》頁二三五—二三八

【歌德的哲學成就】

等到歌德崛起，拋棄機械方法，體驗生命深度，施展幻想自由，又完成了德國精神傳統的新使命。通常只把歌德當作詩人看待，實則他在哲學上的成就是驚人的偉大。由於歌德的成就，我們又可把科學、哲學、宗教、藝術合冶於一爐，使歐洲精神文化獲得更高的統一。

就這一層而言，歌德的思想方式，一方面可對治歐洲人靈魂分裂（Schism of the soul）的不治之症，另一方面又可契合東方人梵我一如或天人無間的微言大義，實在值得我們欣賞贊嘆。從歌德的立場看來，宇宙全體為一廣大無窮的生命系統，其中一切現象，毫無自然與超自然之隔閡，各自依前浪逐後浪之歷程，發展擴充，次第完成，以造就宇宙全體和諧無間的統一。「人在宇宙內實居於中間的地位，其氣魄可籠罩全部創造的歷程，物質依之形成，生命據以出現，心識賴之發展，而且最高精神與智慧之妙悟一旦成就了，直可上達於眞宰而與之浹而俱化。人之造詣甚且超過了天使：他是造物者唯一的寵兒，只有他才能參天地而贊化育以悟其神妙。」歌德的狂想如此美妙，所以他在羅馬遊歷時竟憑高遠嘯：

崇高的精神喲！您已賜予我，賜予我一切，

因爲我曾如是嶄求着。

——《生生之德》頁一七四—一七五

【形上學的特點】

哲學並不反對科學，它透過科學的客觀知識系統而奠定其理論的基礎。因此我們可以說，形上學實具備下列幾個特點：(1)針對科學已有成就，更深一層予以窮根究柢之探討，故是批評的知識。(2)接受科學客觀知識，而又回轉頭來，在人類心性上追求科學所由產生之理性作用的根源，故是反省的自覺的知識。(3)觀照科學知識所由成立之現實條件，再集中心智爲之確立間架，俾在結構原理上能融會貫通，成爲統一的「建築學系統」（這一層在近代康德的哲學中尤爲重要）。(4)科學恪遵知識範圍，往往定住一境而不敢逾越，所以它的知識是局部的；哲學玄覽宇宙的大全，須經歷各個分殊的境界而後綜攬適合於各個境界的局部知識以求其會通，所以是全體的知識。(5)科學企圖將宇宙各境的秘密一齊展佈在邏輯的平面上，一有百有，此存彼存，所以採取中立態度而抹煞價值的區別，這在近代叫做倫理學的中立（ethical neutrality），引而申之，又成價值學的中立（axiological neutrality

）；哲學之在西方，自希臘以來，直到近代，則認宇宙為層疊的構造，所以劃分境界之後，即須鑒別各層價值，以求上達至於最高的價值理想。因此西方形上學的發展，最後總是與藝術和宗教聯成一系，以窺測純眞性，完美性，與宇宙之神聖性。形上學第一原理之安立，實是柏拉圖所謂一切知識系統蓋頂的工作。

——《生生之德》頁二一八—二一九

【形上學的奧義】

哲學家的慧心兀自與科學家的理解有別，後者可以定住一境，往往撇開眞源以尋思，捨第一義而造論，前者必須玄覽曠照，探索宇宙之大全，然後提神上躋於價值之極峰，於以體會眞相，證悟眞理，故能從源溯流，窮根究柢，創獲上下融貫縱橫旁通之思想系統。惟有在這樣的思想體系中，我們才能援引第一義諦懸為眞理標準，以徵驗其他一切後得知識之眞理價值。這是形上學的根本義。在西方上古，巴門里底斯、蘇格拉底開其端，柏拉圖總其成，亞里士多德踵事增華，發揚光大，從此以後，遂成西洋哲學之優美的傳統。亞氏名言：「第一原理和第一原因信是眞知，因為憑藉這些，依據這些，一切別的事物方能知曉，但是它們本身不能藉次於它們的事物予以體認。」可謂道盡一切形上學的奧義。

——《生生之德》頁二一七

【西方分離型的思想】

這種分離型的思想遍佈在西方近代的科學、哲學、宗教、文藝、及日常生活上。如笛卡爾的二元論、古典科學上二分法的運用所形成物質的初性和次性之分別的學說。康德在現象和本體之間徹底運用理性方法而產生的矛盾割裂，導引出黑格爾那種貫穿一切的辯證邏輯和本體論。在實際生活上，也有很多例子，如許多不只是限於心理變態的人格分裂，家不齊所造成的許多家庭破裂，代溝問題、政爭厭惡、階級仇恨、種族歧視，以及國家間的鐵幕緊鎖，宗教團體的對諍等等不勝枚舉。

我以爲西方思想是充滿了這種分歧性，使得所有的事物含有敵意。宇宙好像是戰場，在這個大戰場中，實體和現象怒目相視。由於魔鬼和上帝對立，因此就一個人來說，醜惡的一面往往破壞了善良的一面。由於自然和超自然的對立，因此就自然來說，表相和實相不能一致。由於人和自然的對立，因此就個人自己來說，受拘的自我無法和超越的眞我合一。這種相反對立的例子，眞是不勝枚舉。推求其原因，主要是因爲西方人不是忽視，便是誤解了這種理性的和諧。雖然，很難得的，像大詩人莎士比亞、華滋華士、歌德、和雪萊等人，才智的奔放，已臻於美妙的和諧之境，但這種和諧之境，多存於詩般的夢幻中，與現實的世界正好相反。

——《生生之德》頁二六一—二六二

【三種心理學】

我把心理經驗的心理學分爲三類：

⑴深度的心理學（depth-psychology）。

⑵平面的心理學（surface psychology）。

⑶高度的心理學（height-psychology）。

在 depth-psychology 這一方面看起來，就是近代 psychiatry 及 psycho-analysis所代表的，把人類意識的生活向下面追求牠的深度，把人類的各種知能才性化成衝動和本能，在理性與意識之下層，向最後的根源探索。假使要向這一方面探索，這在近代的psychiatry同psychoanalysis上面當然有很重要的學術發現，這是不能夠否認的！譬如像Freud, Jung,這一類的人，同近代的Fromm, 所表現的。但是，從Freud看起來，他就明明說，從這一套心理學來看人，人不是像中世紀在宗教上面所講的人是" lord of the universe"，也不像儒家所說的「人爲萬物之靈」。因此，人受了三種打擊：

(1)Darwinian Biology出來，講Descent of man怎麼講法？把人化成其他的動物——其他的脊椎動物，找到人猿是人類的祖先。假使如此，人類要祭祖的話，應當把猴子抬出來。第一次生物學上對於人類的打擊——人類的祖先是畜生，不是萬物的靈長！這是「生物學上面的打擊」(Biological Blow!)。

(2)在中世紀以前Ptolemaic astronomy，地球是宇宙的中心，人又是地球中心上面最高的一種精神存在。但是從近代的Kepler, Copernicus一出來之後，地球在Sidereal universe裏面，不過是太陽系中的一個小行星，而太陽在星雲世界裏面，恒河系統裏面又是一個「宇宙微塵」(Cosmic Dust)。照這樣子看起來，人類住在無量數的Cosmic dust中一個渺小的地球上，一個渺小的生物，於是人類自己用放大鏡把他放大了，說他在宇宙是宇宙的靈長，一切生命的靈長，一切存在的尖端，從天文學上面看起來，這是狂妄。這叫做Cosmological blow，天文學上面所給予人的打擊！

(3)在心理學上面，平面心理學（Surface Psychology）把人類的「黑暗層面」（dark side）丟掉牠，都從意識的表面觀察人類的知能才性。在這種情形之下，人類的生活受清晰明瞭的理性支配，一切知識、情緒、意志、願望都是「在清晰明瞭的理性左右之下」（under the sway of clear and distinct reason），如此從surface psychology上面看起來，人好像是「理性人」（Rational animal），驕傲得不得了！但是從近代Psycho-analysis同Psychiatry」出來之後，因爲人類在意識生活裏面，有變態！表現「變態心理學」（abnormal psychology）。牠是理性出了毛病，失掉駕馭，然後人類的願望、意志、情緒都走到非理性的那一條路。這非理性的生活，顯然不是在「清晰意識的世界」（world of clear consciousness）中的生活，而是要把牠拉下去，拉到最深度的本能、欲望、衝動那一方面。而在那一個地方，沒有「卓越的理性」（predominant reason），人類的生活是「非理性的」（irrational）。在那個裏面只看見人性失去理性的駕馭，而陷入非理性。這個便是depth-psychology。如果眞是這樣，我們把人類舉以與其他禽獸相較，那人便也不能不自慚形穢了。這是一種Psychological blow。

自從生物學上出現了「達爾文的世系概念」(Darwian Conception of the descent of man),宇宙論上有了哥白尼(Copernicus)的天文學的革命以後,人在宇宙的地位乃逐漸沉淪了。近代的depth-psychology,更把人從理性的清明境界逼迫下降,終乃陷入全然非理性的魔境。經過如此三層打擊以後,人在一切生存的裏面,變成問號最多的一種生命。因此,人類受了種種的Demand for rational insight。rational light變成一句空話,而把人類都打到Dark side of life這一方面去了!然後人類的存在——只是「在潛意識的黑暗世界裡生活,走動,和保有他們的存在」(live, move and have their being in the dark world of subconsciousness.)。所以,「宗教死亡,哲學死亡」(Religion is dead, philosophy is dead)。再等些時候,假使人類不毀滅的話,那麼人類的「科學的知識」(Scientific knowledge)也變成毀滅性的,然後是「科學死亡」(Science is dead)。因此,我特別提出來——根據希臘的哲學、中世紀的宗教哲學、東方印度的婆羅門宗教、佛教的宗教,中國儒家、道家、新儒家許多的哲學智慧,再看出來Ideal side of life which will take man in ideal regard,不是in natural regard。這才是從人類高尙的才能來看人類的心理學,因爲牠不走平面和向下追求深度的這方面,而是向上追求人類的意義與價值的高度方面，這種心理學，我叫做「高度心理學」（height psychology）。

——《方東美先生演講集》頁六一——六四

【哲學人性論與三種心理學】

哲學人性論沿承心理學的軌迹，我們可以將它約爲三種不同形式。一般而言，心理學與科學密切相聯，總是傾向以清明的意識去理解人的心靈。於是人的心靈被澈底分析先是成爲理性、情感、意志等功能，然後成爲感覺、知覺、思想等因素，這些因素每一樣都可能再被還原爲自然理性層面上的心靈原子。一切精神事象皆被一覽無遺而毫無神秘可言。這是理性型的「平面心理學」。但是人畢竟像孩童一樣，總是喜愛神秘的，他可以從人生萬花筒的小孔中窺探那些神秘而樂此不疲。目前，訴諸「深度心理學」以求系統化瞭解精神失常現象，已蔚爲時髦風尙。

身爲哲學家，我們擁有思辨理性，自不能無視於宗教、哲學、與某些科學思潮所透露的「玄之又玄的奧秘」。因此我們願意訴諸一種不同的心理學，我稱之爲「高度心理學」。這種心理學既不是把人的靜態本性陳列在理智的平面上，也不是單從精神失常的可憐怪相去理解人性，而是根據思辨理性的觀照，去領會眞實人性、了解創造的生命動力、以及透視文化層次的昇進。

——《生生之德》頁三四九—三五〇

【笛卡兒的科學主義】

我們在近代談科學，大半着重點擺在西洋的科學上面，但是西洋科學文化的成就，它有許許多多的歷史條件，也有許許多多開時代的大思想家，就像法國雙重身份的笛卡兒（R. Descartcs），一方面他的解析幾何、坐標幾何發現了之後，他就可以把世界的一切內容展開來在幾何的結構上面表現嚴格的秩序，從這坐標幾何一貫注到整個物質科學各方面之後，在科學上面產生一種思想的機械化，同時根據那一個機械化的數學，使整個的世界、各種現象也是機械化，在那裏面，人類的生命也隨着機械化，這樣子一來，儘管導引出來近代以數學爲基礎建立各方面物質科學長足的進步，引起廿世紀的人站在科學面前就完全被它迷惑了，好像整個人類的文化，唯一決定的因素就是科學。這個在科學家固然可以說，但是有許多不是科學家也被這個科學的威權震懾了來談科學主義。「科學」是寶貴的，但是「科學主義」是個錯誤的思想！所以儘管笛卡兒在歐洲的科學上面是了不起的主腦人物，但是像現在法國哲學家馬利旦（J. Maritan），他就說自從一六一九年十一月十日那一天，那時笛卡兒正是青年時代，在德國戰場上打仗，做一個夢，夢見一個怪物把他導引到一座教堂的前面去，拋一個大西瓜給他，他把這個西瓜一捧了之後，馬上又做了第二個夢，夢在桌子面前擺了一本書，這本書的名字就叫做「Yes and No」（是與否，Yes代表眞理，No代表錯誤），從這麼一個夢裏，笛卡兒就決定他以後一生的精神、學術生活的命運。於是他就開始在方法學上革命，認爲對於整個的自然界好像可以形成最簡單、最清晰明瞭的觀念，從這個地方出發，以方法學的步驟一層一層就把人類的思想從簡單引到中層的複雜，到達最高層的複雜程度。他把方法學的原則都把握了之後，宇宙的秘密對於他就是在自然的理性之光－－科學理性之光的照耀之下，一切秘密顯現出來。因此，他個人雖有深厚的宗教背景，但是他這一種機械化的科學思想體系一成立之後，他就開始等於把上帝鎖在保險箱，以後用這解釋這個世界，就是宗教精神開始滅亡，然後他把哲學在概念上面化做一個單純的概念系統，就認爲那一種東西是唯一的眞理。而那一個唯一的眞理不是價值本身，也不是性質本身，而是把一切價値、性質點化了成爲數量。如此，他雖然在科學、數學上面發展到很高，很抽象的程度，但是他那個很高很抽象的程度，等於還是停留在原來的平面上面，他的宇宙裏面沒有立體感，他的生命裏面也沒有立體的精神差別。從這個開始，近代的科學家就開始對於道德價值守中立；對於藝術價值守中立，連帶對於宗教價值也守中立了，這樣一切的價值差別都被他摧毀掉了。因此，像馬利旦在「笛卡兒夢想」這一部書裏，他說笛卡兒是近代推翻哲學智慧，摧毀哲學智慧的第一個人。

——《方東美先生演講集》頁一七一—一九

【西洋哲學中的「二分法」】

從希臘的哲學傳統一直到近代歐洲的哲學傳統上面，有一個基本問題。這個基本問題顯然是柏拉圖（Plato）所用的一個字——"Chorismos"這就是邏輯上的一種「二分法」。

這種「二分法」，在精神生命、學術生命這一方面，形成了一個"Great Divide"（大分大限）。從而產生了一種"Concept of Ideality"，由之而支配着人的生命精神乃至文物典章制度。然而柏拉圖並不能調和在他以前的兩種重要的思想傳統——即

Heraclitus和Parminides的”Philosophy of temporility”和Philosophy of eternity（無常生滅的哲學與永劫不變的哲學）。他未能把這兩種不同的思想傳統在理論上溝通起來。因而，「無常生滅的變化」與「萬劫不變的永恒」在希臘哲學上面，始終是二元對立無從解決。以之來說明宇宙，宇宙分裂爲恒常不變的形而上界與生滅變化的形而下界。在下界者精神無從上達，在上界者則始終蔑視下界雅不願俯順俗情，如此而形成一個時間的變化與永恒之間的Great Divide（大分大限）。始終不能在理論上協和統一，我們可以看到，在希臘哲學從蘇格拉底起，在表面上他雖提出整個宇宙應當是一個Cosmos（天秩有序）——是從本體到現象相應一致的和諧境，人投身到這個宇宙中形成生命的活動，也應當是和諧的。但是你把柏拉圖所寫的”Gorgias”中所描寫的蘇格拉底看一下；他一方面自負是學術的權威，同時也自稱是希臘唯一的大政治家；然而在思想上所用的方法卻是邏輯上的二分法——舉凡宇宙的一切現象，人類的一切生命活動，他都透過二分法的邏輯一剖爲二：生動活潑的現象與生命是屬於流變的世界，絲毫沒有永恒的意義和價值；人類生活的型式（Pattern of life）就其精神意義看起來，是「死」而非「生」！而眞正的生命意義，應當是把它轉移到眞善美的永恒價值世界中，才能夠加以肯定。於是，蘇格拉底的這種思想，可說是「上不在天，下不在田。」是虛懸在無涯蒼茫中。藉用蘇格拉底自己的話說：一切生命都是”Practicc of Dying“（習於瀕死）是「以死爲生」，而同時在價值上面看來又是「以生爲死」。

所以，希臘哲學，以柏拉圖的理論爲基點，一直到亞里士多德，也未能爲這個宇宙中流變與永恒的不同世界觀取得聯繫，用以彌縫裂隙，使眞正的精神生命境界和現實人生的生活協和不二。換句話說，這個柏拉圖所提出的”Chorismos“的問題，始終沒有解決。至於希臘末紀，學術衰敗，加以社會國家陷入混亂，此「二分法」陷溺尤深，積重難返了。然後希伯來的宗教興起，依然執着這個”Problem of Chorismos“，使永恒價值、永恒生命與人類現實世界的流變的生活，形成一個鮮明的對比——天國和人間的對比！與希臘哲學持一致的觀點，把宇宙截然劃分爲”Nature“（自然）與”Super-Nature“（超自然）。同時以俗世的智慧對上帝而言是愚昧的。因此，假如要使天國的理想在人間實現，成爲所謂”Heaven on Earth“，正如基督教啓示錄（Book of Revelation）所形容，是經過連番浩劫至少毀滅三分之二的自然界，而後天國方且倖臨人間。

由此以觀希伯來宗教思想，在二元對立性方面，是同希臘哲學如出一轍的。迄至近代歐洲，從文藝復興時代起，由於近代歐洲人對自然界的好奇心（Natural curiosity），要把超自然界逼下自然界，來作一番分析研究。因爲此時的歐洲人已降凡而成爲「自然人」

。如果一個「自然人」在自然界中尋求不到一處安身立命之所，則其窅然無依，失其本眞，根本沒有寄託生活的園地；因此近代的歐洲人，必須要設法從孤懸的崇高的境界，回到現實的人間——所謂自然界，同時要透過理性的瞭解與技術的運用，去發掘自然的眞相，以便作爲託命之所。

——《新儒家哲學十八講》頁三六一—三九

【近代科學思想之破綻】

初性次性分別說乃是近代科學思想之破綻。這種破綻懷德海教授喚做「自然界之兩橛觀」（the bifurcation of Nature）。近代科學家因爲要實現簡約的數學理想，遂把全整的宇宙劈成兩橛，這方面是物質及其基性，那方面是心靈及其次性。近代科學家如凱卜洛，加利略，牛頓等，堅持這種謬見固不消說，哲學家如笛卡兒，洛克（J. Locke）等因爲受了科學思想的薰染，亦不能跳出這個圈套。此種學說在近代產生之影響甚多，約而言之，計有三種：一、降低人類在宇宙中之地位，二、搖動科學方法的基礎，三、引起哲學上許多糾紛的問題。

【近代科學重視自然，藐視人性的尊嚴】

——《科學哲學與人生》頁一七七—一七八

科學本身的成就雖極偉大，令人震驚，然自另一方面看來，這種成就又是近代西洋民族的不幸。我們在第一章之末，已假定宇宙與人生合成一種情理的連續體。一切學術思想不但要合「理」，還要近「情」，始覺美滿。四百年來，歐西科學思想，以抽象的數理爲方法，以渾淪的物質爲對象，其研究之結果僅能說明客觀世界理境的系統，至於人生在宇宙中之地位反因科學精進而降低了。

近代物質科學之後，暗藏一種潛伏的假設，斷定人與自然，質相殊異，絕不能有同等的尊嚴。這種假設之用意，最初只求方法的簡約，研究的便利，等到它在科學上的威權擴張了，乃遂忘其所以，傲岸凌人了。我所指之假設即是初性次性分別說。遠在希臘，德謨克里塔斯早已提出這種見解，但是他的思想在人類生活上不曾發生重大的效果。一入近代，便不同了。凱卜洛說，眞實的世界只容有量積的大小，數理的和諧。『至於常變的，外表的性質，根本不能契合數理的和諧，只是低級的眞際，甚且等於子虛烏有，絕不存在。』（E. A.

Burtt語）加利略更把物質的基性與心理的次性分得格外清楚。前者如數量，形體，方位，時分，運動等，是絕對的，客觀的，不變的，數理的實性。後者如色，聲，香，味，觸，是相對的，主觀的，幻變無常的，感覺親緣的假相。科學研究自然物象，摭取基性，遺棄次性，誠覺直截了當，只可惜它已忍把嬌憨的人生拋棄了！『遠古，中古的思想家都道：人生乃是小天地，大宇長宙中之初次兩性都在眞實的人生裏，和合集聚，融成一體，絕無差異。降及近代，科學名家，應用數理，詮釋物象，初性次性，妄加區別，這顯是眷戀自然，遺棄人類之先聲了。人類確非數學研究之對象，他的行爲萬難受數量方法之支配。他的生活要素乃是聲色，苦樂，情愛，願望，努力，奮鬭的集團，不僅是自然物象的動靜。眞實的世界離人獨立，巍然長存。人類對於眞實世界，雖有妙悟冥解，然獨賴有此，無足重輕，殊不足以提高他的聲價。世界是眞實的，基本的存在，當然有較大的價値，較高的尊嚴。』『人類只是一團次性。』『數理系統，物質世界，雄奇偉大，迴顧人類，識性薄弱，渺乎小焉，自茲以後，不得不忍受屈辱了。』（同上）這種重視自然，藐視人性的態度在近代物質科學上最爲普遍。笛卡兒與牛頓等一方面歧視物質與人性，他方面更把人類豐富的識性幽囚於渺小的物質腦殼裏，使與大自然界絕緣，不能再有絲蘿之附，這是何等的不幸！近代科學原欲解放人類的活動，發舒人類的識力。揆其結果，反乃束縛人類，幽禁心性，於此可見思想革命之不易徹底啊。近代人啊！你受了科學家之誘惑，無端變作籠中鳥了！

——《科學哲學與人生》頁一七四—一七六

【近代科學與哲學的關係】

『我們一旦轉入近代，超脫這些思想結構與人生態度，頓覺人心向背之趨勢煥然一新。我們游心世界，超逸灑脫，不復拘牽局限於接受，保守，與崇拜的態度了。世界是我們的，故不能不由我們創建，任我們改造，受我們控制，聽我們征服，供我們利用，必如是，活躍的興趣乃能發揚；强烈的衝動乃能滿足。今古異勢，此其特徵。封建制度之消滅，民族主義之產生，小手工業之廢棄，資本主義之發展，宗教精神之更迭，都是新舊時代交替中所表顯的現象。舊的時代精神是故步自封，守成不變；新的時代精神是發揚蹈厲，振奮有為。勤敏動作，創造進化，征服天行，觸發經驗的哲學，改進主義，入世主義的哲學都是我們的呼聲，近代的特色。』（G. P. Adams語）

我們依據上述的態度，論斷近代科學與哲學，便知人類思想系統與生活精神，無論在任何時代，都有一種密切的連絡。人類思想富有目的，人類生命饒有意義。我們必須把思想與生命撮合起來，養成一種花密香稠的空氣，纔能了解一個時代，欣賞一個文化。哲學家應有這種博大精深的妙悟，他的思想纔算有了高超的造境，否則他所闡發的主義僅是「哲學教授太師椅上的哲學」，不免暗遭叔本華（A. Schopenhauer）之訕笑了。

——《科學哲學與人生》頁一五三—一五四

【近代歐洲虛無主義的意義】

我們現在所欲論列者不是歐洲悲劇之具體的情節，而是它那一線孤懸的精神——虛無主義的趨勢。虛無主義這個名詞統攝好幾層深淺不同的意義。爲免除誤解起見，我們可以把它劃作下列幾種。一、整個的世界是空虛的場合，全體的人生是誕妄的勾當，一切意義與價值，在所謂世界與人生裏面，絲毫不能實現。這是完全的虛無主義。二、世界之究竟也許有悠遠的希望，人生之終極也許有渺茫的理想，但這些希望與理想，將現忽隱，似有而無，令人對之惶惑眩亂，如追逋亡，把捉不住。坐是之故，人類積極的生活欲念頽然就廢，漸至枯窘，底於危亡。這是局部的虛無主義。三、宇宙人生本來並非不眞實，無意義，但是因爲人類無端掀起大惑昏念，猖狂妄行，處心積慮要鼓舞魔刀來破壞宇宙，摧毀生命，結果宇宙眞個傾覆幻滅，趨於虛誕，人生眞個沈淪陷溺，廓落無容。這正是進取的虛無主義。四、有一種人對悠悠萬古，茫茫天宇，自「笑平生活計，渺浮海一虛舟」，便立向頹波，夢覺邯鄲。高吟梁父。這個態度可叫做蕭閑的虛無主義。

上述四種虛無主義，要以第三種最能符合近代歐洲的精神。……這種進取的虛無主義，正是浮士德的悲劇。

——《科學哲學與人生》頁三一九—三二一

【近代歐洲虛無主義的悲劇】

現在所欲總括者，約有下列數事。一、文藝復興時期之藝術形象，其妍妙之風趣雖可上接希臘，與之媲美，但希臘人之情蘊，沈雄壯闊，可以包舉宇宙而產生偉大的和諧，其生命精神之播遷，縱演成悲劇而不淪於枯寂之境。近代歐洲人則心神脆弱，天賦才華吐洩出來，只能在空虛的宇宙裏面引起軒然大波，彷彿有無窮的幽恨，不得滿足，其意態是戲劇的幻象，其心情是戲劇的哀怨。二、巴鏤刻之偉大的理智，力勢磅礡，氣象萬千，其精神遠注，賸理入微之處，誠非希臘人所可企及，然而希臘人風骨厚重，神思飽滿，遊心自然，浹而俱化，絕無鑿空蹈虛之弊。近代歐洲人挾其放逸狂才，誕妄巧智，雖呼吸決機可以取象宇宙之無窮，踊躍營度可以窺測人生之要眇，夷考其實，此種理智亦如魔鬼誘惑，幻師逞技，懸空激宕，憑虛馳騁，終不免陷於昏念妄動，自趨斷滅。三、希臘人觀感宇宙，體察人生，情之所鍾，理必應之，理之所注，情必隨之，情理圓融，物我無間，所以他們的思想風俗恰可體合生命徑向，毫無溢妄。近代歐洲人雄踞一已生命之危樓，虎視宇宙之遠景，情則激越，理轉退斂，理或遠注，情又內虧，實情與眞理兩相刺謬，宇宙與生命彼此乖違，揭生命之情不足以攝宇宙之理，舉宇宙之理不足以盡生命之情，情理異趣，物我參差，結果遂不免兩相矛盾，銷磨觝觸，趨於空無，入於幻滅。這就是歐洲人在生命過程中所演的悲劇。德人赫伯爾（Frederich Hebbel）嘗說，近代戲劇不僅僅在戲劇理境中表顯人物的衝突，而在戲劇本身上即陷入觀念的矛盾。近代歐洲人虛無主義的悲劇，自作而自受之，謂予不信，請聽魔鬼與浮士德之唱和。

——《科學哲學與人生》頁三六五—三六六

【西洋哲學的危機】

現在有許多研究當代西洋哲學的人，不能夠活潑地將西洋哲學從希臘源頭，再從宗教方面之希伯來的源頭，一直貫穿過中世紀，到近代第一流的思想家；他們不知道這些背景，而只知道近代變成了邏輯實證論或語言分析學，除此之外一概不知。如此，事實上他面臨了哲學的死亡，再去研究哲學，自然是極大的危機。在這一點上，如果透過中國哲學，就不會盲目接受現代西洋哲學上的許多危機，因爲哲學中有許多極其重要的問題，在研究時不能用單純的抽象法、孤立系統，或在價值中立的前提下去面臨這些重要的哲學問題。由此看來，青年一代透過西洋哲學的方法研究哲學，並無錯誤，但是錯誤在於不能對西方思想的源流從流溯源、從源溯流，系統地徹底了解，而只知道取它的時髦主義，像邏輯實證論或符號邏輯，或只是透過「日常語言分析」的手法，這些都是近代西方思想發展到了末流所產生的種種危機；如果不知道這些危機，對西方哲學也就一定產生誤解，更無法再回頭拿中國人的心靈去體會中國人在哲學上所建立的哲學思想體系，所表達的高度的人生智慧，這是很大的教訓。如果想要不陷入這種困難，就必須回頭了解中國各大派哲學思想體系中的幾個要點。

——《原始儒家道家哲學》頁二五—二六

【近代科學思想之特色】

近代科學鮮明的色彩，我們可以分作兩方面看。愛日含山，榮光四照，彌天都是嬌豔的晚霞。這正是科學本身所流照的色澤。佳人臨水悄立，如火的江花暗把他那清韻的臉霞都燒破了。這是科學在曼妙的人生裏所映射的迴光。

近代科學之發展顯示三種特點。(1)科學家信守自然界的秩序，從繽紛的物變，繁賾的事實裏抽出幾種簡約的原則，以說明其系統的關係。宇宙萬象，紛亂如麻，大如日星之迴旋，小如電子之震動，錯綜複雜，驟視之，幾有不可理解之繁，然而萬物芸芸，各有其理，「統之有宗，會之有元，故繁而不亂，眾而不惑。」科學家『雜物撰德，辯是與非……自統而觀之，物雖眾，則知可以執一御也，由本以觀之，義雖博，則知可以一名舉也。』這種驚人的綜合能力不是近代科學特有的成就麼？天體之運行，自圖羅墨看來，各循其私有的環動，不相統攝，降及近代，凱卜洛只用三種簡律解釋天運，遂覺百般詳盡，了無餘蘊。物體之移動，自亞里士多德看來，輕重懸殊，速度參差，而加利略則據畢薩（Pisa）高塔抛物實驗，遂發展定律，論斷一切物體下墜之等速度。（簡加速度而言）。牛頓更進一步，釐定萬有攝力，隱括各種物體之運動，使統於一宗。生物之蛻化，自恩拍多克里斯看來，必先肢節具備，然後逐漸湊合，乃得形成一物，而達爾文則本演化通例，說明生物整個的滋長。凡此所言，都是近代科學上執一御萬，即繁求簡的特徵。

⑵近代科學家雖好爲隱括之論，但絕無拘虛蹈空之弊。他們證驗自然，鉅細畢究，本末兼察，務窮其原，必竟其委；他們綜覈物德，巧運靈思，周洽萬類，纖微無憾，精當稱理。希臘哲人私智穿鑿，常於具體現象之外，妄作不經之言，強斷事理，積非成是，流毒無窮。近代科學大家如加利略，牛頓等縱有普遍原則之發明，亦必印證事實，慎加決擇，然後信以爲眞。總之，我們論究感相世界，須是即物窮理，撫事求眞，不應妄作紙上空談，依於無據；我們綜覈自然物象，施行觀察，憑藉證驗。不應鑿空臆斷，妄加可否，惑亂理境。

⑶科學之精蘊不在其結果而在其方法。有了嚴密的方法，那些新穎的結果自然會產生出來。赫胥黎（T. Huxley）說得好：『科學一旦拘守成見，便是自殺了。』近代科學常是批評的發見，一方面注重詳密的歸納，他方面又趨重審愼的演繹。前者是培根（F. Bacon）的理想。他說我們如欲駕馭自然，應先順從自然。科學律只是些敍述的方式。不是解釋的玄想。我們引用歸納方法，要在羅列事實，察其函德，明其關係。科學據目前之已驗，推將來之未知，莊子所謂『以其知之所知，以養其知之所不知。』正是此義。培根雖極反對中古空疏的唯理主義，但他並不忽視概括之重要。自他看來，我們廣搜博採，事跡既富，其義例當然亦易明瞭了。培根歸納法的理想實與加利略，牛頓的實證主義，經驗態度妙相脗合。牛頓對於空疏的假設痛加針砭，正是要完滿歸納法的理想。

——《科學哲學與人生》頁一四四—一四七

【現代的生命哲學】

括而言之，近代歐洲思想前有科學的唯物論，後有哲學的唯神論。兩派思想都是要運用理智，建設兩種不同的宇宙觀以爲人生意義之張本。然而兩派思想均產生不如意的結果，這一層深使現代哲學家感受理智主義之缺點，翻然改悟前非，群趨於一種反理智主義。『理智只是一種粗淺的現象，生命勇往直前，欲藉理智以求達到它那熱誠的願望，殊不知空疏膚淺的理智，根本不能解悟人生的眞諦。』(A. K. Rogers語)生命是一種狂熱的意志，突伸的權力。人生要義不在think hcw to live乃在live and let live由是而言，叔本華，尼采，柏格森等實是現代最有力的生命哲學。十九世紀主要哲學之精蘊，全在發舒生命欲與生命力。一切文化，學術，倫理，以及社會制度的思潮都集中於此。這種態度的變遷約有兩種解釋：一、近代自文藝復興以來，歐洲學術史所負的使命，到了現代，已次第實現。(滿意與否係另一問題)新宇宙的無窮性，平等相已被物質科學發見了。新人生的活動力與深意味已被實用科學及唯神哲學證明了。生命是突飛猛晉的歷程，生命前進一步，學術思想亦追上一步，決不落後，生命是思想的根身，思想是生命的符號。在人類歷史上，生命與思想常相眷戀，須臾不離。近代西洋生活的各方面漸起革新的現象，故學術思想亦不得不緣之而變。二、近代宇宙與人生問題滋多，其解決方案雖或微有不當，但絕不能遮斷人生與思想之共變。『人生問題不盡能解決，有時不解決而自解決。惟一妥善的解決法即在喚起新穎積極的情況，使那些舊問題，暗地裏只在後臺敲鑼鼓，湊熱鬧，不令其直接現身於生命的新舞臺。』（H. Kegserling語）

——《科學哲學與人生》頁一九五—一九七

【對「存在主義」的評價】

所謂存在主義從邏輯上看起來是一個廣泛的名稱，而在廣泛的名稱中籠罩着有宗教的存在主義、哲學的存在主義、文學的存在主義，甚至還有藝術的存在主義；假如存在主義是這樣的複雜，我們不僅僅說是存在主義到了美洲、亞洲以後才看到它的缺陷、弱點，就是在歐洲就有了。

平常我們接觸到的所謂文學的存在主義，像卡繆，他把世界的一切當做空虛、當做無意義，然後要在空虛、無意義的世界與人類中肯定一個獨特自我存在的理由；卡繆的思想流行在歐洲。

再提出來一種比較好的存在主義者海德格，他是現象學大師胡塞爾的學生；他從現象學方面轉移，然後形成他的思想，也叫「存在科學」。這個學說一出來後，歐洲人也有捧他的，在美洲也有人捧他。但是與海德格同門的一個人，也就是在美國發行「現象學雜誌」的美國哲學家Farber，他曾經說過一句話：「假使依照我的意思讓我快意的話，我就先把我的同學——海德格宰掉！」他之所以要殺之而後甘之，乃是因為海德格把他老師的現象學完全弄得變質、變壞了，使現象學之眞理蒙不解之冤。所以從這一點看起來，現象學並不是到了美洲才變壞；在歐洲方面，像海德格這樣在哲學上地位很高的人，還是有許多人反對他，說他歪曲了現象學的哲學本義，變成存在哲學後不是這種學問的進步，而是現象學的衰落。

——《方東美先生演講集》頁二七八—二七九

九、印度哲學

【印度哲學發展簡系】

從紀元前十五世紀、十六世紀起，一直到今天二十世紀的三千多年裏面，可以說，在紀元前第六世紀以前，統統是印度婆羅門的宗教、奧義書的哲學。然後在釋迦牟尼的時代，印度思想衰退了，但是它把傳統哲學的思想，藉文學、藉詩歌表達出來了。譬如像「本事詩篇」等於是西方的荷馬史詩；譬如在「薄伽梵歌」這一類文學的作品同宗教的作品，等於是西方耶穌教裏面所謂新約聖經。所以它藉着文學與宗教裏面的詩歌普遍的流傳下來了，也沒有法子把它打倒。況且在哲學上面，釋迦牟尼當時及以後佛學結集的時候，又有兩個大的系統同時流行，所謂耆那教的哲學及數論派的哲學。等到七世紀以後，佛教傳到西域、中國，再傳到北邊的高麗、日本，南邊的越南這些地方以後，它在本土已經衰退了，代之而起的是所謂後期彌曼差學派及六宗哲學。

在這方面我用了一個名辭，叫作「一源、一支、二本、三流、六派」。這是印度的哲學。所謂一源是甚麼呢？就是四吠陀。所謂一支是甚麼呢？就是與佛學同時的耆那教的宗教及哲學，這是一個旁支。然後二本是甚麼呢？就是從一源裏面產生出來的，一方面叫作梵書，第二方面是奧義書。奧義書有一百多種之多，這都是印度正統的思想。然後再有三流，就是印度正統派的宗教同哲學經過高度的發展之後，漸漸衰退了，繼起的是佛學的反應，所謂紀元以前的佛學與紀元以後的佛學；換句話說，這段時間是九百多年將近一千年，就是從紀元前三世紀，到紀元後七世紀，這是前後期的佛學。與前後期的佛學同時，傳統的思想本身雖然衰退了，但是它的思想滲透到文學裏面去了，滲透到同時的經典裏面去了。所謂三流的另外兩派，就是本事詩篇以及薄伽梵歌這兩種。所謂本事詩篇，仍舊保留了傳統的思想，等到佛學的高峰一過之後，它那裏面印度本位的宗教與哲學的暗流馬上又起來了。這起來的不是原先的吠陀，而是後期的吠陀，所謂吠檀多。這是婆羅門的哲學又藉宗教起來了，恢復它哲學上面主要的地位。這樣一來，再產生印度六派的哲學，所謂數論派、瑜伽派、勝論派、正理派、前彌曼差、後彌曼差。這六派哲學起來了，把佛學又打倒了。

——「中國大乘佛學」頁一九二—一九三

【印度哲學前期之發展】

未談判教本題之前，須略言哲學思想在印度之前期發展情形。爲簡約計，余請訴諸彌勒與無著，藉得可靠訊息。二者皆將流行於印度哲學中之九十六派異宗判屬十六論：

㈠眞際實有，緣生決定論。
㈡本體顯現，緣會和合論。
㈢過未皆眞，現今非虛論。
㈣實我非虛，心靈經驗原委一貫論。
㈤心物極微莫破，永恆而觀，法我皆常論。
㈥人生苦樂，業由前定論。
㈦人類命運操諸大自在或大自在天論。
㈧作惡多端，行陀羅尼或法術，不礙畢竟得救論。
㈨宇宙有限無窮玄想論。
㈩祈靈不朽一神，可保辯才無礙妙造精微論。

(十一)緣生、非緣生雙非論。
(十二)否定不朽，訴諸畢竟虛無論。
(十三)妄誕懷疑主義及不可知論。
(十四)貢高自我及種姓，虛妄驕慢論。
(十五)表面清教徒主義，假冒僞善論。
(十六)沉溺官能快樂，追逐世俗享受，迷信星象命定論。

——「中國哲學之精神及其發展」頁二五〇—二五一

【印度人的宗教哲學】

在這種「梵我一如」的宗教哲學中，任何眞實存在的自我皆無法與其他事物疏隔。梵的不朽精神寓居在一切人的心中，使每一個人皆得與福善的精神合而爲一，然後再發揮靈活的思想、廣博的同情、與凝鍊的愛力去深透衆生的存在，再消融於全體萬物的「存有」中。泰戈爾（Tagore）說的好：「人在孤獨時迷失他自己；在溥博的人世關係中尋獲偉大的眞正自我。在這種理想的與衆合一之中使他體認到生命的永恆，使他體認到仁愛的無限……這種與衆合一的意識是精神的，我們爲忠於這種與衆合一的意識所作的一切努力，便是我們的宗教。」

——《生生之德》頁三二七

【印度在追求超昇的梵我一如論】

從這一個着眼點上看起來，我們便可以看出，西方的哲學，始終是從亞里斯多德回到柏拉圖，再回到蘇格拉底的這一條道路上，都是向上面去求精神的發展，然後在那個地方探索宇宙的秘密，取得高度的哲學智慧，取得高度的宗教靈感。其實這在東方的印度，亦復如此。在印度，小乘佛學一定要發展而成爲大乘佛學；大乘佛學一定要透過三乘的洗鍊，即所謂二乘、大乘，然後再提昇爲一佛乘，使人人都變成爲「佛」，這也是大乘佛教的最後歸宿，也就是憑藉着所謂 supremacy of mind （心靈的無上優越性）而展開爲哲學智慧的領域。在哲學的智慧領域裏面，再要深透到宇宙與精神的秘密，即所謂最高尙的宗教經驗裏面去。同時不僅僅佛教是如此，印度對於原始的婆羅門文化，也是從現實世界裏面，向上去追求精神的超昇，最後還要把人的一切生命，同宇宙裏面最高的精神主宰，所謂「大梵天」合而爲一，產生了所謂Bramattama etia（梵我一如論），這是精神向上面發展超昇的結果。

——《華嚴宗哲學》（上冊）頁一五七

【印度文化的基本概念——梵我一如論】

但是這在東方，情形就稍有不同。雖然印度的文化亡了許多次，但是現在還一再要求復興。因爲在印度的婆羅門文化裏面，有一個基本概念，叫做Brahma Atman Atia（梵我一如）。也就是說，代表宇宙精神的主宰，所謂「大梵天」，同人類的精神人格，所謂「大梵我」，可以結合起來，成爲Atia（一如），這叫做「梵我一如論」。所以在印度社會裏面的limitation of human potency（人類權力的有限性），可以拿unlimitness of Brohma（大梵天的無限性）把它結合起來。這樣一來，人的有限權力，就化成「大梵我」裏面的無限精神權力。從這一個觀點上看來，在印度的宗教史上，人的失敗也僅只是人的精神轉變上的失敗，他最後仍可以同整個的「大梵天」合而爲一，他可以把有限化爲無窮。不過我們也可以從這一點上看出，在印度人的精神轉變的最後，還受了一種限制，因爲他這個大梵天的精神，對整個的現實世界、整個物質世界上面各種形態的轉變，他可以不耐煩。而且假使他眞正感到不耐煩之後，他可以變做數論派裏面的思想，而逃到太空裏面去，坐在一個境界裏面寂然不動，然後說我是不壞不朽的精神，你們的世界都要變要壞，那是你們的事情，我就在這裏看看你們怎麼變，變好也不關我的事，變壞也不關我的事。假使在這麼一個情形下來看，印度便可以亡，他的人本主義可以失敗。所以這樣子一來才引起佛教的革命。

——《華嚴宗哲學》頁九四—九五

【印度哲學中的「原罪」】

此外，在印度哲學中，我們也同樣可以看到「原罪」這難題，特別是小乘佛學，在楞伽經（Lankavatara-Sutra）中便曾提到，阿那耶識既純潔又雜染，同爲善惡之源，此中原因本文難以詳論，我只想引述「無上本續」（the Uttaratantra）的一段話，來說明這個難題：

「絕對之源（阿那耶識）爲純淨，但却與雜染的藏識接觸，另一方面，宇宙本體（如來藏）則是淨識，毫無雜染。」

這是從本體論中來說明善惡同源，猶如包雅可(Jacob Boehme)所講的「神魔同在」(God-Lucifer)，當其本體論落實在一切萬有，就形成了下列複雜情形：「絕對之源」全然不純，因受世俗雜染，而有虛僞習氣。而如來藏雖爲清識之源，却無法洗淨此等雜染，因此它便成爲清濁同存，既有淨識又有染識。

——《中國人的人生觀》頁五九

【印度哲學中所存在的二元對立性問題】

⑴早期四吠陀奧義書中以大梵天籠罩宇宙整體

至於在印度，事實上我們可以說，印度人本身是屬於Indo-Aryans（雅利安）人。雅利安人與希臘人，及近代歐洲人是同一個種族的體系，因此希臘人所犯的「心靈分裂症」及近代人所犯的心靈分裂症，在印度的雅利安人也是不能免的。不過雅利安人的這個種族，到了印度之後，便同印度的一個土著Dravidians（荼盧毘第族）結合起來。這個Dravidians（荼盧毘第族）可說是眞正的東方人，所以在他們的心中並沒有那種心靈分裂症。所以雅利安人到了印度同Dravidians（荼盧毘第族）人一結合之後，就產生了一個新興的種族。在最初的思想裏面，譬如像在四吠陀裏面、在奧義書裏面，所表現的都很少有心靈分裂症，講宇宙時便有所謂地、空、天三界，而不是兩界。但是這個三界，如果照Ramayana（羅摩衍那）所載，都是統攝在統一的精神權力——即所謂Mahabrahma-loka（大梵天）——之下。然後在這個大梵天的精神力量所籠罩的宇宙整體裏面，才從事人類的生活，進而每一個人形成他的人格，而這個人格是一個統一的精神人格（梵我）。最後這個統一的精神人格Brahman-Atman，同統一的宇宙主宰——大梵天——結合起來，變成爲Prajapati（生生），或者Brahman-Atman Atali（梵我一如）。照這樣看起來，在印度原始的宗教或原始奧義書的哲學裏面，並沒有犯下像希臘哲學以來的那種二元對立性，或者像近代歐洲的二元對立性，在他所形容的宇宙是一個整體。

(2)部派佛學與小乘佛學夾雜雅利安民族二元對立性

但是印度的這種思想，一發展到後期的Aryan Culture（雅利安人的文化），就慢慢演變成婆羅門的宗教同哲學，然後再等到婆羅門的宗教同哲學衰退後，佛教才獲得了啓蒙而興起。當然佛教在印度初期的部派佛教中，確實具有許多宗教派時，這時的雅利安人的民族性又漸漸顯露起來，他們爲了適應當時佛教革新派的潮流，反抗傳統的婆羅門主義，創立新說及新知見，與佛陀的立場沒有兩樣，歷史上稱學派勃興，百家爭鳴的學派時代。其中以數論派與佛教的關聯最深。數論派的思想，諸如否定神權、厭世、不殺生、物質自性不滅、輪廻觀、解脫論，多被佛教所採用。譬如小乘佛學根據輪廻觀與解脫論的立場，而提出小乘緣起論的說法，認爲宇宙一個是現實，一個是理想狀態。然在現實的宇宙同現實的人生裏面，都是根據因緣的條件所產生的一套對人類大束縛的因素，這就是我們上學期所提到的十二支因緣。從情感的困惑及知識的無知、無明爲起點，然後產生一切行動。可是在這些行動的過程中，是從現在到他生他世，就在那個地方，形成一大套的輪廻。因此這樣一來，談到宇宙的現實，根本就是一大套束縛因素，針對這一套束縛因素，才產生一種追求宗教的實踐，要求超脫解放。所以從緣起論上講起時，自然要產生四聖諦苦、集、滅、道中滅道二諦的解脫方向。

所以在小乘佛學裏面，要先瞭解束縛因素的構成，是由時間的因緣條件所和合而成的生滅變化；倘若要想超脫解放的話，首先就要先打破這一種時間上面的生滅變化的歷程，以尋求一個永恆超越的解放境界。由此我們才可以說根據小乘佛學爲基礎，才能產生出大乘佛學。這個大乘佛學，首先就是不能執着眼前的現實世界，而是要針對著這個現實世界再要求一個總體性的超脫解放，並不祇是爲自己的超脫解放就算了事，還要使一切的有情衆生都能跟他一樣，蒙受同樣的福慧。這樣子一來，在小乘佛學發展路途上看來，顯然Aryan race（雅利安民族）的那一種心靈分裂症，已經在這裏表現出來了。因爲小乘佛學認爲現實世界充滿了煩惱、痛苦是要不得的，它是束縛人類的根源，要想辦法來破除，才能獲得超脫解放。而且唯有從小乘佛學的超脫解放的要求裏，才能導引出大乘佛學的思想理路。對於這一點我在六十四年講大乘佛學時，談到三論宗的部分，就曾經發現吉藏大師用了「二諦」一詞。所謂「二諦」乃指解釋現實世界的一切學說者稱爲「俗諦」；另一個是因不滿意這個現實世界的生滅無常，苦痛束縛，所以要把它消滅掉時，必須要求超脫解放的學說，稱爲「眞諦」，或「勝義諦」。「勝義諦」是一個哲學的超越範疇，解釋超越世界的構造。假使照這樣子看起來，那麼大乘佛學的成立，就必須加深小乘佛學的那個現實與理想的二元對立性，才可以澈底去鄙視現實世界，然後在精神領域上才可以轉移到超越世界上面去。

——《華嚴宗哲學》（下冊）頁一一二—一一四

一〇、藝術哲學與美學

【中國文化中之藝術精神】

西洋的哲學方法，重思辨、重分析。中國的哲學方法，重體驗、重妙悟；藝術的胸襟是移情於對象，與之冥合無間，忘我於物，即物即我的胸襟；藝術的意境之構成恆在一瞬，美感之來稍縱即逝，文章天成，妙手偶得。中國哲學方法上之體驗，在對宇宙人生靜觀默識，意念與大化同流；於山峙川流鳥啼花笑中，見宇宙生生不已之機，見我心與天地精神之往來，這正是藝術胸襟之極致。中國哲人之妙悟哲學上至高之原理，常由涵養功深，眞積力久，而一旦豁然貫通，不待推證，不容分析，當下即是，轉念即非；這正如藝術意境之構成，靈感之下臨於一瞬。

藝術是以物質界的形色聲音象徵吾人內心之精神境界，藝術作品也就是吾人內心精神境界之客觀化——吾人內心精神境界在物質投下之影子。所以藝術創作即是溝通內心與外界，精神與物質，超形界與形界之媒合，藝術精神融攝內心與外界，精神與物質，超形界與形界之對待，而使人於外界中看見自己之內心，於物質中透視精神，於形而下中啓露形而上。而中國主要哲學儒家哲學之內容，正在合內外之道，和融精神物質之差別相，於形色中見性天，即形下之器以明形上之道。中國的道家哲學亦以道爲無所不在，而不以之爲超絕，要人於螻蟻稊稗中見出天地之原理。儒道二家同是最含藝術性的哲學學說。

——《中國文化中之藝術精神》（民國三十三年二月一日重慶文史雜誌第三卷。三、四期合刊，美術專號，社論）

【中國哲學精神與藝術創作】

這種思想不僅表現在儒家當中。這種精神形成之後，在中國文學上成了中國文藝精神的靈魂，不瞭解這種精神的話，就不能瞭解其辭，如離騷、天問、甚至於唐代的李太白。李白在思想上接近道家、莊子一派，而他同時也受儒家的影響，因此談到他藝術的創作時，有一句話，「攬彼造化力，持爲我神通」。大藝術家之所以能創造，其創造力取之於天，取之於地，取之於宇宙本體，將宇宙本體一切創造力把握住，拉到自己的人格中來運用，如此一來，人的創造直可與天地之創造比美。不瞭解這種大化冥合的意境，就無法把握整個的中國哲學精神。

——《原始儒家道家哲學》頁一六〇

【中國哲學的高度發展總是與藝術的高度精神配合】

在中國思想上這不是忽高忽低的魔術，而是發現中國民族集體智慧的線索。從儒家思想來看，在漢書谷永傳裏有「建大中以承天心」，吾國古代的傳統思想上，總是要發揮中庸或中道的精神。中字代表中國整個的精神。此符號代表整個宇宙全體爲一大圓圈，如果站在某一方面，則成爲偏見，應該貫串起來上下皆通，還須如中，使之平衡。莊子云：「得其環中以應無窮」，就是要了解、把握、體驗宇宙全體，才可以安排吾人的生命於其中，貫穿起宇宙生命全體的力量。可見哲學智慧的形成並非單獨成就的，哲學的高度發展總是與藝術上的高度精神配合，與審美的態度、求眞的態度貫串成爲一體不可分割，將哲學精神處處安排在藝術境界中。所以儒家的主張是「志於道，據於德、依於仁、游於藝。」就是文化總體須有高度的形上學智慧，高度的道德精神之外，還應該有藝術能力貫穿其中，以成就整體文化。莊子也說「聖人者原天地之美而達萬物之理」，中國人總以文學爲媒介來表現哲學，以優美的詩歌或造形藝術或繪畫，把眞理世界用藝術手腕點化，所以思想體系的成立同時又是藝術精神的結晶。

——《原始儒家道家哲學》頁一〇

【中國人之宇宙乃藝術之意境】

希臘人與歐洲人據科學之理趣，以思量宇宙，故其宇宙之構造，常呈形體著明之理路，或定律嚴肅之系統。中國人播藝術之神思以經綸宇宙，故其宇宙之景象頓顯芳菲蓊勃之意境。質言之，希臘人之宇宙，一有限之體質也。近代西洋人之宇宙，一無窮之體統也。中國人之宇宙，一有限之體質而兼無窮之「勢用」也。體質寓於形跡，體統寄於玄象，勢用融於神思。科學立論，造端乎形跡，歸依乎玄象，希臘人與歐洲人之窺探宇宙，蓋準形跡以求其玄象者也，前者創始而後者圓成之，固猶屬於相似之理境。藝術造詣，踐迹乎形象，貫通乎神功，中國人之觀察宇宙，蓋材官萬物，以窮其妙用也。準此以言，希臘人與近代西洋人之宇宙，科學之理境也，中國人之宇宙，藝術之意境也。科學理趣之完成，不必違礙藝術之意境，藝術意趣之具足亦不必損削科學之理境，特各民族心性殊異，故其視科學與藝術有畸重畸輕之別耳。中外宇宙觀之不同，此其大較，至其價值如何論定，則見仁見智，存乎其人可也。

——《生生之德》頁一二六—一二七

【中國人的宇宙和生命的純美】

我們中國人眞是幸運，自古以來，生在這亞洲廣大的疆域裏面，有巍峨奧折，千群萬群的高山，有雄渾奇麗，千里萬里的河流，其間滿佈着青翠沃壤，瀰漫着淋漓元氣，風是那般清幽地吹着天籟，雨是這般滋潤地流着甘露，花是如此幽香，樹是如此勃茂，我們悠游其間，逐水看山，生智成仁，怎能不生機活潑，體天地之美以達萬物之理，像孔子、莊子所說的那樣巧妙呢？諸位！我們中國的宇宙，不只是善的，而且又是十分美的，我們中國人的生命，也不僅僅富有道德價值，而且又含藏藝術純美。這一塊滋生高貴善性和發揚美感的中國領土，我們不但要從軍事上、政治上、經濟上，拿熱血來保衞，就是從藝術的良心，和審美的眞情來說，也得要死生以之，不肯讓人家侵掠一絲一毫！

——《中國人生哲學概要》頁七二—七三

【中國藝術的通性】

綜觀中國藝術，即使在技術「語言」的系統中，不論色彩、線條、輪廓、音質、距離、與氣韻，也都在盡情的表達這種宇宙觀念，「它是對整體性的一種觀點，也是對人類私欲偏見的一種超脫，對精神怡然自得的一種提昇。」（Laurance Bingon語）這是所有中國藝術的通性，不限於繪畫，也不限於某一時期、某一學派。除非人們能夠把握這種玄妙精神，否則，對中國藝術的任何討論與欣賞都將只是外行話，完全不得要領。

——《中國人的人生觀》頁一三三

【中國藝術的特性】

中國藝術的特性有三：

第一、它是玄學性重於科學性，以廣大和諧的原則來玄覺一致性，中國的藝術家擅於馳騁玄思，在創作中宣暢氣韻生動的宇宙機趣，所以他們透過藝術品所要闡述的，正是對宇宙之美的感受，在大化流衍之中，將一切都點化成活潑神妙的生香活意。「它是對整體性的一種觀點，也是對人類私欲偏見的一種超脫，對精神怡然自得的一種提昇。」

第二、從意味來講，中國藝術是象徵性的，很難傳述。在中國藝術的意境中，一方面有哲學性的驚奇，一方面也有詩一般的靈感。中國的藝術精神貴在勾深致遠，氣韻生動，尤貴透過神奇創意，而表現出一個光輝燦爛的雄偉新世界，這個世界絕不是一個乾枯的世界，而是一切萬物含生，浩蕩不竭，全體神光煥發，耀露不已，形成交光相網、流衍互潤的一個「大生機」世界，所以儘可洗滌一切污濁，提昇一切低俗，促使一切個體生命深契大化生命而浩然同流，共體至美。

第三、中國的藝術方法是眞正的表現。中國藝術家貴在表現事物的生香活態。中國藝術家徜徉於自然之間，最能參悟大化生機而渾然合一。所以對事物的表象並不看重，在藝術品中，眞正重要的乃是由事物表象所激發的神思，比如詩詞中餘蘊無窮，即是以美妙的技術來表現生命的動力。所以「表現」乃是活潑潑的勾畫出一切美感對象，它把握了生命的黃金時刻，最擅於捕捉自然天眞的態度與渾然天成的機趣。

第四、中國藝術妙契人文主義的精神，人與自然在精神上是不可分的，因爲兩者同享生命無窮的喜悅與美妙。自然是人類不朽的經典，人類則是自然壯美的文字。兩者的關係既濃郁又親切，所以自然爲人類展示其神奇奧妙，以生生不息的大化元氣貫注人間，而人類則漸漬感應，繼承不絕，報以綿綿不盡的生命勁氣，據以開創雄渾瑰偉的氣象。因此，在中國藝術中，人文主義的精神乃是眞力瀰漫的自然主義結合神采飛揚的理想主義，繼而宣暢雄奇的創造生機、人，作爲創造主體，既是「生命創造的中心，足以臻入壯美意境」，也能綿延奔進，「直指天地之心」。所以從個體來看，藝術家一直在追求壯美，從宇宙來看，則其內心深感與宇宙生命脈動相連，所以合而言之，他才能酣然飽饗生命的喜樂，怡然體悟萬物與我合一，盎然與自然生機同流，進而奮然振作人心，邁向壯美，凡此種種，正是中國藝術綿延不盡之大用！

——《中國人的人生觀》頁一三三—一四五

【「超以象外，得其環中」】

曠觀中國人之宇宙，其底蘊多屬虛象靈境，頗乏實迹繁理，迹之著，理之成，均有賴於數，而其綱紀始顯。故希臘與近代西洋人宇宙之基礎，舍數學觀念，即末由確立。返觀中國人之宇宙，乃大異乎是，其故果安在耶？吾前已推論，中國人之靈性，不寄於科學理趣，而寓諸藝術神思。科學之精義，貴在幾微密察，必有數焉以為之階梯，而後宇宙之奧妙，乃可得而詳說也。藝術之妙機，常託之冥想，冥想行徑，窅然空縱，苟有濃情，頓成深解，「真力彌滿，萬象在旁」，毋勞推步演算以求迹象之極際，而其中蘊蓄之理數，已盎然充滿，所謂「虛佇神素，脫然畦封」，「超以象外，得其環中」是也。中國人領悟宇宙時之心情，司空表聖最能曲予形容，得其妙境。

絕佇靈素，少迴清真；如覓水影，如寫陽春；
風雲變態，花草精神；海之波瀾，山之嶙峋；
俱似大道，妙趣同塵；離形得似，庶幾斯人。

——《生生之德》頁一三五

【一切藝術都是從體貼生命之偉大處得來的】

宇宙之美寄於生命，生命之美形於創造。宇宙假使沒有豐富的生命充塞其間，則宇宙即將斷滅，那還有美之可言？一切藝術都是從體貼生命之偉大處得來的。生命之所以偉大即是因爲它無論如何變化，無論如何進展，總是不至於走到窮途末路。一切美的修養、一切美的成就、一切美的欣賞，都是人類創造的生命欲之表現。

——《中國人生哲學概要》頁六八—七二

【藝術世界中的生命、詩和畫】

然而，在藝術世界中，生命却如同芭蕾，是一場舞蹈，舉手投足都經過美化，把所有情緒按照韻律納入教化，所以終能優雅美妙，氣韻生動，在悠揚高雅的音韻中，促使人類的本能轉化成高尙芳潔的意境。即使是一個暴烈的情緒，血脈俱張，也能藉著抒情歌聲，總持靈性，吐納幽情，進而寄托遙深，提高意境，如此憑藉酣暢的歌舞化運神思，以情絜情，終能放曠心胸，進入高尙的精神境界，那時的言行已不再粗魯鄙俗，而能潔淨提昇，臻於精神創造的燦然天地。

同樣，語言除了是彼此溝通的基本方法，在文學上也含有神妙的點化作用，特別是詩，更有高度人文教化的妙用，不論寫景或抒情，都可以陶冶波瀾雄渾的情蘊，培養氣脈幽深的心性，透過神妙之美而提昇生命精神。在詩中，我們可以馳情入幻，求得心迹雙清之解脫，將人類靈魂帶入高度的精神自由，此時所有的深意玄思、激情狂念、幻夢奇景、悲痛苦難、迷離錯亂、優雅心聲、乃至於奇雄生機都可以淋漓盡緻的宣暢無憾，雖然歷經艱難，終能陶鎔美感，裁成樂趣。如此透過詩心，一切萬象都能充滿生香活意，蔚成綺麗美景！

在繪畫中亦然，這種詩境幻美也可透過輪廓、線條、色彩等巧思獨運而充份表露，特別在中國國畫更可看出氣韻生動，鈎深致遠，這在第七章我將再詳述。

要之，從中國哲學看來，一切藝術文化都是從體貼生命之偉大處得來的，所以在藝術領域之中，人類無需再模仿自然，相反的，他甚至可以挺身而出，超拔其上，因爲他的生命之流已經貫注了更大的創造力，不受任何下界所拘限，故能臻於最高的精神成就，這是我爲什麼肯定「歷史」乃是文化理想的實現歷程，乃至於大化流行的優美文字。

——《中國人的人生觀》頁一八—一九

【藝術、道德、自然哲學的形上學是一貫的】

就知識的作用言，感性可以上達悟性，悟性又可上達理性，互相銜接，始終一貫。更在形上學的體系中，擴大理性的知識作用，一方面與意慾配合，可以創造道德世界，他方面與感情融貫，可以成立藝術世界。如是自然界、藝術界、道德界，分別觀之，雖是高下懸殊的層疊，但由理性的貫串，又形成三界一體的宇宙大全。

——《生生之德》頁二三二

【藝術價值】

上面我談了很多價值問題，特別是道德的價值。至於藝術價值在中國宇宙論中更是普遍，無人能否認。所謂「聖人者，原天地之美而達萬物之理」。當莊子說這話時，可說充分展現了中國人的深邃靈性。中國人在成思想家之前必先是藝術家，我們對事情的觀察，往往是先直透美的本質，這話並非我們自我誇張，一個民族的精神可能長於此而短於彼，我們特殊的天賦就是長於藝術創造，而短於科學興趣，當然這個短處日後必需要加以改善。

——《中國人的人生觀》頁四三

【中國藝術的基本原理】

天地之大美即在普遍生命之流行變化、創造不息。我們若要原天地之美，則直透之道，也就在協和宇宙，參贊化育，深體天人合一之道，相與浹而俱化，以顯露同樣的創造，宣洩同樣的生香活意。換句話說，天地之美寄於生命，在於盎然生意與燦然活力，而生命之美形於造創，在於浩然生氣與酣然創意。這是中國所有藝術形式的基本原理。

——《中國人的人生觀》頁一二六

【藝術創作的過程】

譬之藝術創作，當一詩之未成，一畫之未就，雕塑初著意象，音樂暗惹幽情，一切體裁風格只在想望中縈縵繚繞，匪夷所思，即之無物，藝術家之在此時，躡空追虛，抽緒無端，其胸中之衝突矛盾，感憤愁苦，恐有非言語所能形容者。然而他不辭勞悴，孤寄幻境，窮幽探奇，優游饜飫，如酒仙解衣換酒，如征人馳夢還鄉，縱有無限酸辛，亦只得暫時隱忍，以求功候之深到，及其寢饋既久，鑽研益深，意境成就，妙趣環生，滿心而發，肆志以成，化機在手，擬議神明。當此時也，興會酣暢，即以自家之心身投向自然之懷抱，更將宇宙之奧妙攝入一己之靈臺。向所未見之奇情巧境，均曲折呈露，假託形象，締構純美，藝術家之理想，成了大自然之範形，大自然之條貫，轉變作藝術家之意匠。

——《生生之德》頁五九—六〇

【藝術創造，燦溢美感】

藝術創造宇宙形象之美，乃竟契合天然，宇宙洩露藝術神機之秘，適以完成自我。藝術天才之神工鬼斧，可以設想人類，趣令別出新樣，剔透玲瓏，又能創建世界，使之提昇超拔，脫盡塵凡。要在攄取幻想之理智，妙造意境，孕育才能，於千迴百折中抉擇比合其本身所締構之意念，巧裁形象，燦溢美感。

——《生生之德》頁六〇

【藝術才情與哲學創造】

夫結合藝術才情與哲學創造，渾融一體，以表現形上學之統一者，斯固不獨於中國心靈為然。觀乎古典時期之希臘人，亦復如是，且戛戛深造，成就斐然，考諸尼采(Frederich

Nitzsche)、耶格(Werner Jaeger)二氏之說，尤確切有據，洵可徵也。此外，印度人另據不同之理由，亦恆將充沛之宗教熱忱與奔放之神思玄理打合為一，妙造梵境，正猶之乎近代西方人將浮士德精神（即尚智活動）與嚴格批評之科學理論化活動錯綜交織，冀以構成各種思想之形上格局與系統，誠漪歟盛哉！嘆觀止矣。

——《中國哲學之精神及其發展》頁二七

【宇宙之美寄於生命，生命之美形於創造】

我剛纔引證莊子一段話說：「天地有大美而不言，……聖人者原天地之美而達萬物之理」。究竟甚麼是天地的大美？人類要推原天地之美，應如何同情推敲，纔能體貼它的妙處？關於此層，我們可以說，天地之大美即在普遍生命之流行變化，創造不息。聖人原天地之美，也就在協和宇宙，使人天合一，相與浹而俱化，以顯露同樣的創造。換句話說，宇宙之美寄於生命，生命之美形於創造。老子最見得這個道理，所以他把生畜、長育、亭毒、養覆當作妙道與玄德。妙道之行，周遍天地，玄德之門，通達衆妙。其在天地之間，虛而不屈（竭也），動而愈出，不斷地表現創造性。道德經下篇說：「天得一以淸，地得一以寧，神得一以靈，谷得一以盈，萬物得一以生，侯王得一以爲天下貞，其致之一也。」這裏所謂致一之道，也就是成化之德，合而言之，即爲生命，所以老子接着又說：「天無以淸將恐裂，地無以寧將恐發，神無以靈將恐歇，谷無以盈將恐竭，萬物無以生將恐滅，侯王無以貞而貴高將恐蹶」。準此可知，宇宙假使沒有豐富的生命充塞其間，則宇宙即將斷滅，那裏還有美之可言？生命假使沒有歛則新，生而不有，爲而不恃，長而不宰，功成而不居的玄德，則生命本身即將裂、歇、竭、蹶，那裏還有美之得見？老子徹悟創造的生命，欣賞而贊歎之，所以說「天地相合，以降甘露」，足見生命在宇宙間流衍貫注着，其意味是甜甜蜜蜜的，令人對之，興奮陶醉，如飲甘露。這種美感是如何親切而有味！

——《中國人生哲學概要》頁六八—六九

【中國人生活之理想寄於藝術意境】

中國人之類型，要而言之，可得三種：道家其一也，儒家其二也，雜家其三也。之三者生活之理想，均非遵循科學之一途，執科學之理趣，以衡中國人，其眞實價値，終無由得也。吾人對影自鑑，自覺其懿德不寄於科學理趣，而寓諸藝術意境。中國人之宇宙觀念蓋胎息於宇宙之妙悟，而略露其眹兆者也。莊子曰：「聖人者原於天地之美而達萬物之理。」可謂篤論矣。

——《生生之德》頁一二六

【涵養藝術的才能，實現美的理想】

中國先哲所認識的宇宙是一種價值的境界，其中包藏無限的善性和美景。我們民族生在這完善和純美的宇宙中，處處要啓發道德的人格，努力以求止於至善，同時也要涵養藝術的才能，藉以實現美的理想。

——《中國人生哲學概要》頁六五

【「美即是眞，眞即是美」】

近代宇宙觀之異彩，詩人已窺其徼了，詩人情蘊豐富，好用欣賞的直覺，形容衆妙，以彰其美。科學家之感想亦敏銳異常，他們對於無窮的宇宙，每據數量的符號，寫象物理，以顯其眞。假使我們接受凱慈(Keats)的名言，「美即是眞，眞即是美」，則近代詩人的宇宙觀與科學的宇宙觀——至少關於「無窮」一點——眞是體合無違了。

——《科學哲學與人生》頁一三〇—一三一

【生命之美】

孔子贊易，於宇宙生命之玄秘，更是洞見其幾微。天地之所以廣大，即在其生生不已。天德施生，如雲雨之滋潤，人物各得其養以茂育；地德成化，如牝馬之馳驟，人物遍受其載以攸行。天之時行，剛健而文明，地之順動，柔謙而成化，天地之心，盈虛消息，交泰和會，光輝篤實，其德日新，萬物成材，貞吉通其志，人類合德，中正同其情。故文言傳曰：「君子黃中通理，正位居體，美在其中，而暢於四支，發於事業，美之至也。」

——《中國人生哲學概要》頁六九—七〇

【無言之美】

宇宙間眞正美的東西，往往不能以言語形容。……中國先哲不常談美，正是因爲他們瞭解很透澈，所以不說。孔子讚美創造不已的生命，一則曰：「惟天之命，於穆不已。」再則曰：「逝者如斯夫，不舍晝夜。」三則曰：「天何言哉！四時行焉，百物生焉，天何言哉！」……莊子亦云：「天地有大美而不言，四時有明法而不議，萬物有成理而不說。聖人者，原天地之美而達萬物之理。」（知北遊）

——《中國人生哲學概要》頁六六

【美感與生命情調】

各民族之美感，常繫於生命情調，而生命情調又規撫其民族所託身之宇宙，斯三者如神之於影，影之於形，蓋交相感應，得其一即可推知其餘者也。今之所論，準宇宙之形象，以測生命之內蘊，更依生命之表現，以括藝術之理法。吾之爲此，僅求邏輯次序之簡便豁目，非謂生命之實質必外緣物象而內託藝技始能暢其機趣也。

——《生生之德》頁一一七

【化醜陋的事實爲美善的境界】

我們對此簡陋的事實，不只要認淸它，而且要在精神上以藝術、道德力量，將其改變轉換形像成爲藝術上的美、道德上的善。這樣一來，我們不僅只有凡夫的一切智、而且具有藝術修養上的純美境界與道德修養的至善境界。

取得這種智慧後，在他的生命之中才有智慧，同時對於世界上面的一切有情衆生才會產生慈悲心。這可以使人從世俗界中提煉出來，得到一種精神上的昇華。換句話說，我們要具有藝術家與詩人的慧見、美感，才能透視現實世界中的醜陋事實，開墾精神自由的新天地，而終究能作一個人生最好的夢(dream the dream of life at its best)；然後再來回顧到現實世界，因此便能夠不受物質現象所束縛，反而能從精神上獲得出離的要求及超拔的態度，徹底改變自然界的知識領域，以達到道德世界與藝術的境界上去。然後再以精神的昇進使世界理想化，進而再提昇一級，由小菩薩變成大菩薩、大菩薩變爲能眞正與佛平等。以這種精神的提昇來改造世界，使罪惡的世界變成爲宗教的神聖世界，使世界成爲非常完美的理想境界。

——《中國大乘佛學》頁五三三

【託心身於宇宙，寓美感於人生】

理智既孳，心神益曠，人類胸臆，靜攝萬象，動合乾坤，於是乎思理有致，思理勝而性靈之華爛然矣。抒情則出之以美趣，賦物則披之以幽香，言事則造之以奇境，寄意則宅之以妙機。宇宙，心之鑑也，生命，情之府也，鑑能照映，府貴藏收，託心身於宇宙，寓美感於人生，猗歟盛哉。

蘭生幽谷中，倒影還自照。
無人作妍暖，春風發微笑。

倪高士可謂解人，宇宙之清幽自然，生命之空靈芳潔，意境之玄秘神奇，情緒之圓融純樸，都為此詩字字道破，了無餘蘊。生命憑恃宇宙，宇宙衣被人生，宇宙定位而心靈得養，心靈緣慮而宇宙諧穌，智慧之積所以稱宇宙之名理也，意緒之流所以暢人生之美感也。斯二者均造極詣，則人我之煩惑狂亂可止，而悅心妍慮矣。

——《生生之德》頁一一四

【何謂美感】

孰爲生命？曷謂美感？「人之生也固若是芒乎？其我獨芒而人亦有不芒者乎？」其人盡芒而我竟自不芒者乎？美之爲美是各人之私見耶？抑尙有客觀性耶？此類純理問題，姑置不論。吾人逢場作戲也可，臨場觀感也可，既來之，俱屬「當場人」，只合依韻紅牙檀板，作吾人之事業，抒吾人之情懷。一切景象可以興，可以觀，斯爲美。

——《生生之德》頁一一二

【美學的秩序】

再進一步我們看到美學的秩序。在美學秩序這方面是中國古代儒家的貢獻比較大，因爲中國的儒家是要「志於道」，「據於德」，「據於德」之後要「依於仁」，「依於仁」之後要「游於藝」。儒家講禮樂是最後講，但是不一定是在易學上講，而應該在文學上講，因此孔子說「不學詩、無以言」，連辨外交也需要有文學造詣的人才可以辨，這在儒家的文化中是以一部詩經來發揮，而不必以周易。因此周易象傳中大多數的文字是討論高尚人格的道德生活，連帶說明藝術精神和道德精神是可以貫通的，是連在一起的，則春秋時代的中國人和希臘時代的希臘人相像，不僅要講「善」，還要講「美」，變成盡善盡美。

中國人亦復如此，道德和藝術可以擴大成爲價值精神，這可以稱爲價值學的解釋。這個價值學的解釋，在十翼中就是文言傳。如此發展起來，先就社會現象、自然現象，已經予以解釋，然後再回到人類精神生活上給他道德倫理上的解釋，一切都不離開價值，集中在道德藝術價值哲學的系統上。如此的系統一旦完成，儒家的思想領域就產生了，不必再附會於周易這部書。

——《原始儒家道家哲學》頁一五七—一五八

【藝術欣賞要有解脫的精神】

因此，在藝術欣賞上面，一定要有解脫的精神。所謂解脫的精神，是把人間世一切善惡的觀念觀察了之後，再超脫解放，層層的向上面追求美之外更美的，善之外又更善的，眞之外又更眞的。然後才可以說：「上德不德」，唯其「不德」，才是「有德」。而下德不失德，是以無德。要有這種超脫解放的精神，才能追求眞正超越的價值，眞正高尙的理想。拿這麼一種精神顯現在人類價值理想中，達到一切價值最高的平面。站在價值最高的層次來看下層的價值世界，才曉得許多價值世界是虛妄的領域，不是眞實的領域，不是美的領域，不是善的領域。

所以，對於一切價值，都是要從超脫解放之後的高尙生命理想來衡量。要能如此，才能根據這個價值，把眞的價值同假的價值劃分開來。然後人的存在根本理由，就是要能鑒別一切價值，能夠分辨價值理想的高低。然後在向上追求的時候，在美的價值裏面得着至美，在道德價值裏面得着至善，在眞理的裏面也是能從相對眞理找出至高的眞理。假使能夠這樣子，從老子的眼光看起來，才可以謂之聖人。

——《原始儒家道家哲學》頁二〇九

【「乾坤一戲場」】

諺有之曰：「乾坤一戲場」(The world is a stage)。如此妙喻、頗具神理。俞曲園嘗於蘇州留園樂樓上題楹云：「一部廿四史衍成古今傳奇，英雄事業，兒女情懷，都付與紅牙檀板」。奚止中國一部廿四史！大千世界之形色景象，全體人類之歡欣苦楚，均於此中舒展顯現，幻作一場淋漓痛快之戲情。人類冪面登場，固無庸欷歔傷感，只稍稍啓發一點慧心，自能於鼓舞軒鬢雅頌豪歌中宣洩無窮意趣也。當場人或參觀客一旦寄跡歌舞臺前，便應安排身心，靜觀世相之定理，參悟生命之妙智。乾坤戲場繁華彩麗，氣象萬千，其妙能搖魂蕩魄，引人入勝者要不外乎下列諸種理由：一、吾人挾生命幽情，以觀感生命詩戲，於其意義自能心融神會而欣賞之。二、吾人發揮生命毅力以描摹生命神韻，倍覺親切而透澈。三、戲中情節，兀自蘊蓄靈奇婉約之機趣，令人對之四顧躊躇，百端交集，油然生出心曠神怡之意態，此種場合最能使人了悟生命情蘊之神奇，契會宇宙法象之奧妙。

——《生生之德》頁一一一

【藝術與文學的意境】

再從藝術的立場來看，當一個人有了極高深的藝術修養之後，即使他看見像蜻蜓般微小的生物，在天空中飛翔的時候，甚至蜻蜓點水，都會表現出無窮的妙樂與趣味。即使要觀賞花時，在花開季節絕不會是冬天的枯枝。即使在冬天，我們還可以看到耐寒的梅花，它可以顯露芬芳。然後再看人，絕不可能把人視爲都是小偷或都是罪犯看待，因爲這已經從最高的觀點把人性點化掉了。經過點化掉了之後，即使他還是凡夫，但是他必能表現出忠厚而崇高的人性。譬如在過去中國文學的領域裏面，所謂山水詩人像謝靈運，田園詩人像陶潛，或像阮藉、屈原這樣的詩人，當他們放寬心胸去觀看太空時，都覺得這裏面蘊藏著無限的優美，憑其一時之靈感，因而寫出極美的田園詩、極美的山水詩、極美的所謂玄想詩(metaphysical poetry)。所以山是最美的山、水是最美的水，同時人們也可以從極平凡中看出人類高貴的德性。

——《華嚴宗哲學》（上册）頁一八八

【我們祖先驚人的創造天才】

遠在上古，我們民族生命眞是出類拔萃，優美絕倫。徵之載籍，這種偉大生命及其創造雖多已湮沒失傳，漫漶難考，然而從近代出土的器物，及現今所發掘的陶器、甲骨、銅器、玉石雕刻看起來，便知在殷商以前，或商周時代，我們民族祖先有偉大的生命精神，有驚人的創造天才。一種文字符號，他們能擺布刻畫，現出無限的活力，透露絕美的意態；一種日用的器物，他們能經營位置，現出雄渾的氣魄，透露純美的風格，一座鐘鼎之形象，那般穩重壯麗，縱天老地荒，也不能動搖它的活力，更不能減削它的偉勢，一座雕刻之神骨，那般深微奧妙，縱風狂雨暴，也不能毀奪它的色澤，更不能剝蝕它的文理。雲紋獸象之布置，鑿破混沌，活現神力，磅礴迴旋，盤屈奧折，矯如神龍之飛舞，繾綣作態，捷如雷電之閃耀，鬱勃生姿。於此可以想見中國民族生命動力之偉大。

——《中國人生哲學概要》頁九二

【孔子的藝術理想】

孔子及原始儒家把宇宙人生看成純美的太和境界，所以於藝術價值言之獨詳。論語述而篇說：「志於道，據於德，依於仁，游於藝。」世界惟有游於藝而領悟其純美者，纔能體道修德而成爲完人。論語上有兩段記載孔子的藝術理想最爲玄妙：「子謂韶盡美矣，又盡善也。」「子在齊聞韶，三月不知肉味，曰：不圖爲樂之至於斯也。」「小子何莫學夫詩，詩可以興，可以觀，可以群，可以怨，……子謂伯魚，女爲周南召南矣乎？人而不爲周南召南，其猶正牆面而立也歟。」詩與樂是中和之紀綱，所以孔子對之，欣賞贊歎，至於五體投地。

孔子爲甚麼這般酷愛樂與詩，他自己雖未嘗說明，但我們也可以推想其原由。荀子樂論篇說：「故樂者天下之大齊也，中和之紀也，人情之所必不免也。」「君子以鐘鼓道志，以琴瑟樂心，動以干戚，飾以羽旄，從以磬管，故其清明象天，其廣大象地，其俯仰周旋有以於四時。」禮記樂記也說：「天高地下，萬物散殊，……流而不息，合同而化，而樂興焉。」「陰陽相摩，天地相盪，鼓之以雷霆，奮之以風雨，動之以四時，煖之以日月，而百化興焉。如此，則樂者天地之和也。」「大樂與天地同和。」詩緯含神霧說：「詩者天地之心。」王夫之在詩廣傳上，於詩之精義更是闡發無遺：「君子之心，有與天地同情者，有與禽魚草木同情者，有與女子小人同情者，有與道同情者，……悉得其情，而皆有以裁用之，大以體天地之化，微以備禽魚草木之幾。」這樣說來，可知孔子之愛詩與樂，其審美純是要體會宇宙中創造的生命，與之合流同化，以歆其太和，以寄其同情。莊子融貫老、孔，深知其玄旨大義，故說：「夫明白於天地之德（天地生生之大德）者，此之謂大本大宗，與天和者也，所以均調天下，與人和者也，與人和者謂之人樂，與天和者謂之天樂。」（天道篇）

——《中國人生哲學概要》頁七〇—七一

【「游於藝」】

孔子贊易，於宇宙生命之玄祕，更是洞見其幾微。天地之所以廣大，即在其生生不已。天德施生，如雲雨之滋潤，人物各得其養以茂育；地德成化，如牝馬之馳驟，人物遍受其載以攸行。天之時行，剛健而文明，地之順動，柔謙而成化。天地之心，盈虛消息，交泰和會，光輝篤實，其德日新，萬物成材，貞吉通其志，人類合德，中正同其情。故文言傳曰：「君子黃中通理，正位居體，美在其中，而暢於四支，發於事業，美之至也。」孔子及原始儒家把宇宙人生看成純美的太和境界，所以於藝術價値言之獨詳。論語述而篇說：「志於道，據於德，依於仁，游於藝。」世界惟有游於藝而領悟其純美者，纔能體道修德而成為完人。

——《中國人生哲學概要》頁六九

【道家和儒家的藝術精神】

道家，雖然也是講所謂「天人之際」，但是他們所講的「天人之際」，不像儒家沾滯於人這一方面。因爲從儒家的觀點看起來，人猶如是「天地之心」。假使把人當作「天地之心」的這一觀念掌握了以後，似乎連帶着就可以「兼天地，備萬物」，進而體驗所謂「天地生物之心」，得「天地生物之心以爲心」。但是，在這一點方面，道家的思想在精神上是較爲洒脫的。他們如果要談人的問題，却並不沾滯在人本身上面。而是務必要把人解放了以後，在精神方面提昇到無窮的空間遠景、無窮的時間的遠景——這在莊子的思想中，尤其明顯——入於「無何有之鄉，廣漠之野。」然後再廻顧人間世。這有什麼好處呢？就是隔着遠距離來看，在此中有層天地之間際，在此天地間隙之中，有許多不可言喻的美景。再透過這些美景來看人間世裏的人，那麼無形中已經把人給美化了！縱然人類有許多缺陷也是可以容忍，可以原諒的了。這樣子一來，再審視人類的美德，才不至於咀咒人間世，而是欣賞人間世。這樣子的道家的精神就是我上一次所引了的莊子的一句話：「聖人者，原天地之美而達萬物之理。」這是他們透過詩意的創造的幻想來看人性格的缺陷，使之美化了，從而寬恕欣賞，這是道家精神特別的地方。

就儒家這一方面來說，比如儒家的孔孟——尤其是孔子，他也是這一種精神。論語中有幾句話可以看出來：他說，「志於道，據於德，依於仁，游於藝。」由此可見，孔子也有審美的觀念。他透過詩的語言，來看宇宙人生。但是在他眞正的儒家立場，他是最後才「游於藝」。開頭是「志於道，據於德，依於仁。」那麼換句話說，他的形上學的衝動很豐富，道德的觀念很着重。如此看人，他不是把人展開在廣大的藝術世界裏來看，而是把人集中了，在形上界的原則支配之下，然後再落到道德的體系裏面來看人。這是儒家的一種精神。

——《新儒家哲學十八講》頁八七—八八

【柏拉圖論美的善的價值世界】

那些物格化的宇宙論者只求認識萬象之紛變，充其知量，亦不過徘徊歧路，迷守私見而已。哲學家之志業則在了解歷久不滅，美的善的價值世界。『若有人焉，從事於此，應於青年時代涵養愛美素德。最初慎擇良師，聽受指導，究心一美，得其微妙，然後觸類旁通，妙悟自起。如是者習以為常，寢饋既久，鑽研益深，一旦恍然大悟，自知美之為美，貫通萬有，賅而存焉。若而人者，宅心愛美，是其素德，當知美之法象雖萬不同，終必會歸於一，夫唯達者知通為一，故能遊心萬美，精於決擇，若然者，心美之崇高，物美之卑陋，如明珠之在瓦礫，粲然不可復混矣。天資聰穎之英才，賢師友見之，自是樂施教澤，化而裁之，使於禮法制度之美，怡然神會，絕不沈溺於淫僻之行。法令度數之深意美味既已明瞭，乃更進而浸潤於無涯美海，陶醉於無窮智慧，嘗鑑精粹科學，領悟芳潔之思想，創建高貴之觀念。結果遂覺雄奇偉大，深入審美科學之堂奧了。』『美之爲美凝獨無偶，純一無疵，巍然長存，無成與毀，注焉而不滿，酌焉而不竭，周比萬物，悉得其宜，彫琢衆形，咸資造化，以美觀物而萬物之應備矣。』（柏拉圖語）

柏拉圖在「筵話」裏把純美的觀念提出來，當作價值的表徵。他在共和國之第六章中更標出一個「至善」來，說明價值世界之特性。自表面上看起，似乎是自相矛盾，然究其實，殊不爾爾。宇宙之眞際純是價值。在他的討論裏，美足以喻則舉美，善足以喻則舉善，美之與善都是標準的價值，任擇其一而說明之，其餘自不難索解了。柏拉圖雖常把美的價值與善的價值相提並論，然而有時却於眞善美之外標舉一個「至善，」以說明萬有之源泉。

——《科學哲學與人生》頁一〇四—一〇六

【康德論審美經驗】

依康德看來，判斷是一種才能，藉着它，我們可將事物對象納入法則之中而予以決定。這是知識上嚴格的邏輯標準，在審美經驗中極難完滿實現。第一層，審美的對象並非自然界中實事實物的必然現象，而是由事物神變幻化出來的影子，只能在心靈內引起我們主觀的欣賞。第二層，欣賞者是人而不是物，人依實踐理性看來，已經超越了自然而爲自由的精神主體。綜合言之，美的內容是把主觀的「假」（假借之假）象當作眞相，美的形式是自由人格站在超自然的地位，憑高俯視，發抒精神，流露理想，直向自然傾瀉貫注，使之成爲目的系統。前者無客觀性，後者無普遍性。但眞正美的欣賞和眞正美的境界，依一貫的理性作用看來，又不能缺少這雙重標準，所以康德最後更把知識上決定的判斷(bestimmende Urteilskraft)化爲美學上反省的判斷(reflektierende Urtilskraft)而啓示了一套「宛似哲學」("Die Philosophie des Als-ob")。美的世界是自然的化境，它的存在理由須朝着超自然向上追溯，至於精神主體而後能得。美的形式是由超越的自我激揚精神，灑落太虛，而由個別富有才情者，藉着反省判斷，共同玩味出來之美的體制。審美經驗之普遍性與客觀性是藝術幻化之境靈變生奇的產品，它的構成實由於幻想作用。

——《生生之德》頁一六八—一六九

一、文化與學術

【文化乃心靈之表現】

生命情府，靈奥幽邃，其玄祕隱微之深處，殊非外人所能窺見其萬一，猶幸每種民族各具天才，妙能創制文化以宣揚其精神生活之內美，非然者，往古文化遺跡，固早已隨時間舊流汩然幻滅，淹沒無聞矣。善哉德人奚槃格羅（Spengler）之言曰：「文化者，乃心靈之全部表現，當其衍蔓孳生，雖頃刻成虛，然其跡象常託於人類意態業力中，隱受規律，數量，因果之支配，其理致有可得而言者，譬如史劇，文化實爲世界全史中所演奏之一幕麗景，譬如美飾，文化宛如生命、情感、及思理之畫幀，一種生靈默察其內心經歷，所能口說而心喻者，胥在乎是矣」。（西方之沒落）

——《生生之德》頁一一六

【根據固有的文化效力中國文化的復興】

中華文化本身有高潮也有衰退的時候，在今日這文化衰退的時代，應當把衰退時候的一切現象認清。再拿中華民族固有的文化爲根據，如原始儒家、道家、墨家、大小乘佛學，尤其是大乘佛學，再往下一直到宋明理學，所表現許許多多偉大的文學藝術作品，根據這些高尙的精神成就，來表達我們高貴的人性，更一心一意向上追求，在宗教方面表現許多智慧，在文學詩歌方面表現詩歌才情，在藝術方面有無數量第一流作品，哲學上有許多的偉大思想，如此中國文化的復興才有希望。

——《方東美先生演講集》頁二一一

【培植文化的根基要崇本抑末】

中國歷史上面任何時代，愈是遇著危險，愈是產生憂患意識。從我們很深的憂患意識裏面，要超脫罪惡、超脫黑暗，建立崇高的宗教、崇高的哲學、崇高的藝術。這些精神培養出來之後，政治、經濟的生活就可以絲毫不費氣力，依著人性高度，一一形成具體的措施實現了。

假使反過來，不知崇本抑末，而是崇末抑本，再怎麼好的國家也會亡的。所以我常說，近代二十世紀的例子裏面，不是弱國亡國，而是强國亡國。第一次世界大戰，最强的國家先亡，第二次世界大戰還是最强的國家先亡。甚麼道理呢？那就是：不從文化這一方面培植它的根基，而只是從外表——從軍事、政治、經濟——這一方面著想。所以我在此地，根據歷史上面看起來，不得不發出呼號，來糾正我們這個時代鄙陋的思想，歪曲的思想：崇末抑本。現在我們要反過來：崇本抑末。

——《中國大乘佛學》頁四六—四七

【中國文化的不朽成就】

第一、是高度的倫理文化。第二、是高度的藝術文化。中國雖然在宗教方面比較薄弱，但是自從兩晉以後這個空隙我們也彌補了起來，借外來的佛教在我們內部意識也發生了偉大精神，這個偉大精神與一切宗教對比起來，外國都還瞠乎其後的，那就是人類對高貴的人性的一種信賴。這在儒家哲學裏面就是孔孟所提倡的「性善論」，而這一點不僅是中國古典文化中爲其他世界文化所不及，就是從希臘、或印度拿來一對比，這一點，他們也不及的。

——《方東美先生演講集》頁二五九

【我國的悠久文化所向無敵】

中國之所以能把歷代民族的敵人都化敵爲友，甚至化敵爲俘虜，就是因爲我們在文化方面有「動無死地」的精神；在這種情形下之我們可以說：歷來異族入侵的政治在第一代可能還是外族，還是侵犯我們國家的；等到第二代、第三代就完全變做了中國政治，建立起中國式的政治制度。現在，假使我們要在歷史上繼續保留這不斷的精神傳統，那我們在民族、民生、政治諸方面就始終要爭取在精神上面能夠自做主宰，在精神上面能獨立自主；然後拿這個精神來應付外來的環而攻之的一切侵略力量。那麼我們談經建才有文化的背景，談外交也有文化的優越力量，談政治也才有內在的高尙理想。

——《方東美先生演講集》頁二六七

【中國古代文化之轉捩點】

箕子所陳，乃是有關中國古代文化之轉捩點。由是觀之，吾人不啻正面對一統會點：退藏而收斂於此，發散則瀰於六合，蓋吾人適與「大中」要義儻來照面。夫大中者、堪稱中國文化中兩大世界之縱橫線，分合在茲。公元前一一二二年實不啻中國文化史上之屋脊也。脊之彼面，象徵中國文化史趨入茫茫浩渺、隱晦難明之上古洪荒世界遠景，藉神話、宗教、詩歌之三重奏大合唱以吐洩其心聲奧秘，由晚近考古發掘始約略透露其曙光，且猶待於更進之發掘，以資參證。脊之此面，表示中國文化史頓呈現為一片理智清明之境，著於豐富之事實，詳細之理論，與周密完備之典章制度等，斯乃早熟性之近代世界，而昭然朗顯於光天化日下者。

——《中國哲學之精神及其發展》頁六七—六八

【復興中國文化之道】

因此近代談到復興文化，應當把我們民族在不同時代不同的學術眞實價值重新體認，然後不是回顧、復古，而是以它爲一個根據向前走。而向前走，不是像馬戲圖中走鐵絲一般可以把這個時代走過去，而是腳踏實地的研究過去一切資料，除去壞的、保存好的，然後以它爲一跳板，跳到未來。……我們現在講儒家要擴大範圍，不只講孔子，孔子弟子如商瞿、孟子、荀子也都要講，如此擴而充之，先秦的顯學如墨家、原始道家也要講，又六朝隋唐後構成中國文化的重要成份是佛學，也都要講。如此才可以把文化的生機，像園藝家從四面八方把各式各樣的花卉培植起來，才會眞正百花怒放，這個文化生機才可以透過現在培養，而把過去好處接受，壞處捨棄，創造更偉大的學術文化。

——《原始儒家道家哲學》頁一三七

【開闢光明大道，挽救文化危機】

歷史昭示我們，中國總是在時代變更的時候，有幾個秉賦甚厚的民族天才出來，拿著大心，瞻前顧後，把握過去文化的優點，現在人類創造的才能，向前創造，成就未來，而完成實現文化的復興；假使我們在這一個時代不能夠從這一條路上著想，而甚至於連古代有好的哲學文獻、文化的寶典，都要設了種種不當的方法來毀滅它，或者是造了種種歪曲的說辭，說它是假的，那麼這種弊病才是眞正的時代災難。我們要挽救這一個多災多難的文化危機，惟有拿著大心，從各方面的精神價值來瞭解中國文化、藝術、哲學、文學各方面。如此，我們雖然在現代遭受了許多的災難，可是我們仍然可以展望前途，爲未來開闢一條光明的康莊大道！

——《方東美先生演講集》頁一八三——一八四

【談西化應當在中國文化傳統中立定腳跟】

談西化，應當原原本本地由希臘到中世到近代到當代。空袋子本身是站不起來的。各主要文化的決定因素，在希臘是哲學，在印度是宗教與哲學，在中國是藝術與哲學；我們承受中國的文化傳統，應當在這種優美的精神傳統中，先自己立定腳跟，再在自己的立場上發展內在的寶貴生命和創造精神，然後培養成內在的智慧，虛心反省自己的優劣，再原原本本地去看西方文化，以取法乎上，得乎其中。

——《原始儒家道家哲學》頁四

【中國文化可稱爲「妙性文化」】

因爲我們充份相信人的生命及工作與外在世界必需和諧一致，內外相孚，所以我們中國文化可稱爲「妙性文化」，貴在絜幻歸眞，人與自然彼是相因，流衍互潤，蔚成同情交感之中道，只有在這大方無隅大道不滯之中，始能淋漓宣暢生命的燦溢精神。

這種人我兩忘、物我均調的「妙性文化」在西方很難找到，但在中國卻是個特色，如前所說，這是因爲西方有個惡性二分法，對萬物的整合性與活躍性斲喪太甚。在西方，全體宇宙被強劈爲自然與超自然，便很難重新融合，整體自然界又被割裂成初性與次性，也很難再一體統貫，而整合性的人格再被分化成兩橛，更是只有不斷交戰，永難和諧一致。

——《中國人的人生觀》頁二一一二二

【希臘和中國文化的決定因素】

過去的中國文化，舉以與古典的希臘文化相較，頗有類似之處。決定中國文化的第一因素是哲學，所謂哲學就是指着先秦的顯學，像原始儒家、原始道家、原始墨家、原始法家；決定中國文化的第二因素是中國的藝術，就像現在故宮博物院所收藏的大量的銅器，中國古代建築因爲材料的關係沒有保留下來，但是銅器是個不朽的東西。三百篇以後，各體文學次第發展，形成無量數的詩詞歌賦、戲劇小說，無一不是中國純美精神的表現。再來就是造型藝術，從雕刻、建築、法書再轉變成爲無與倫比的繪畫。可以說決定中國文化的優點也像希臘那樣，不外乎哲學的高度智慧連同各種的藝術成就。

——《方東美先生演講集》頁一〇一——一一

【近代西洋文化發展的危機】

我們追溯西洋文化的流變，便可察覺下列幾個特點：㈠中古西洋人遊心塵外，傾向天國自然界只是人類升登天國的一種踏脚石，除此之外更無什麼積極的價值。㈡近代西洋人廻向自然，處心積慮要了解自然界的秘密，始而虛心觀察，繼而耐心測驗，終於發現精確定律以說明客觀的程序。㈢科學思想系統確立之後，近代西洋人更據以發揮權能，產生技術，控制自然界之質力以爲人用，於是工業文明的成就因之而大顯。這二三兩點都是我們今日應當誠心嚮往的。但是此中亦有根本困難我們不能置而不辯。近代科學因爲要確守邏輯的謹嚴，追求方法的利便，重視客觀的眞實，乃遂剝削自然界之內容，只承認時空數量物質之存在，而抹煞人類心理屬性之重要；因此藝術才情所欣賞之美，道德品格所珍重之善，哲學宗教所覃思之眞，以及其他種種價値都失其根據而流爲主觀的幻想。這卻是文化發展上一種極大的危機。

——《方東美先生演講集》頁一九二—一九三

【文化與教育的最高理想】

我們透過近代心理學，無論是平面心理或是深度心理學，它們所探究的宇宙人生，不過是停留在平面上罷了！他們的宇宙裏面沒有立體觀，他們的生命裏也沒有立體的精神差別，透過它們來看人性的表現，僅是種種獸性的怪現像。因而我們若想眞正探究人性，必須發展height-psychology而非deptn-psychology或者flat-psychology。我們要運用人類的一切智慧去發展精神科學、文化科學、道德科學（moral science），不能光只發展物質科學（physical scicnce）。物質科學的知識只是人對「認識自然」的一種智慧表現，一種最基本的知識，我們尚有中級知識，高級知識等待尋求。像宗教、哲學、藝術正是我們要求探討的領域。換句話說，我們要把人的生命領域，一層一層地向上提昇，由物質世界——生命境界——心靈境界——藝術境界—道德境界——宗教境界，借用現代人類學的一些名詞，我們同時可將人性提陞的歷程劃爲層層上躋的價値階梯：Homo—Faber→

Homo〈Creator Dionysiacus〉→Homo Symbolicus→Homo Honasetatis→Homo Religiosus→Homo Nobilis→Divinity→Deus Abscond itus，從自然層次的行爲的人，到創造行爲的人，到知識合理的人，到象徵人（符號運用者的人），到道德人（具備道德人格的人），到宗教人（參贊化育），再到高貴的人，就是儒家所謂聖人，道家所謂至人，佛家所謂般若與菩提相應的人，就變做覺者（Buddha），最後更進入所謂玄之又玄，神而又神，高而又高，絕一切言說與對待的神境。這是一種很難達到的境界，但至少應當集中他的全體才能與心性去努力提昇，這也就是人們受教育的目的，更是文化與教育的最高理想。

——《方東美先生演講集》頁二〇八—二〇九

【我們要努力創造，不要坐吃先哲的精神遺產】

中國目前學術文化所以極端貧乏，就是因爲數百年來，我們民族不自奮發，老是因循苟且，坐吃先哲的精神遺產，不肯日新舊德，努力創造，結果在學術文化上，竟由富家子弟的資格，一變而爲思想的乞丐，這是何等可恥！假使諸位不願意做思想的叫化子，應當如何努力。

——《中國人生哲學概要》頁九〇

【中國學術發展的特點】

談到這裏，我們就要瞭解中國學術的發展應有下列幾個特點：

第一個特點：從儒家立場來說，宋儒自認得孔孟之傳。然而孔子身處春秋時代，不僅推崇老子，推崇蘧伯玉、鄭子產，甚至「吾不如老農，吾不如老圃。」他虛心向學，從善如流。決不至於關起門來自詡高明而造成閉塞的學術生命的局面。

再有第二個特點，學術之發展要「容」、要「公」，要「大」才能「久」。就像張橫渠所提到的「大其心則可以體天下之物」。這一個「大心」，假使要表現在學術生命上面，我們必須知道它在時間上有時代性，在空間上有地域性。就道家的老莊的觀點來談學術修養，要是在空間的平面上祇做一個扁平的動物，則不能見宇宙之大；在時間上也是「朝菌不知晦朔，蟪蛄不知春秋。」短暫的生命也不過是時間的奴隸。所以莊子就根據老子「容、公、大、久」的道理，於是他曠觀宇宙之大，透視時間之久，揚棄小我的拘限，拓展生命的領域，而達於自由逍遙的精神境界。「摶扶搖而上者九萬里」以至於「寥天一」處。從而提神太虛，俯視地面之萬彙群品，一切得其逍遙，一切盡其妙詣，「天之蒼蒼，其正色邪？其遠而無所至極邪？其視下也，亦如是而已矣！」

——《新儒家哲學十八講》頁一七—一八

【眞正的學術價值】

一個民族的學術如果要具有眞正的學術價值，它應該可以支配那一個民族裏面的個人的生命、國家的生命、社會的生命，可以保障民族的安全、國家的安全、個人的安全。這樣子才是大學問家根據他高明的學問、高明的識解、高明的才氣，而產生的高明的成就。

——《新儒家哲學十八講》頁一四—一五

【談「道統」必須才、學、識、三者兼備】

有宋而後，談「道統」的氣氛特別濃厚，元人脫脫據宋史的原始資料，一反歷代正史的傳統體例，而特立「道學傳」。這個道學的「道」是什麼道？歷史上從無明白的規定，不免於夫子自「道」而已！再從當時的哲學家來看，「才」、「學」、「識」都不及先秦諸子，而一談到嚴肅的哲學問題，就首先擺出一付架子，自命爲孔孟傳人，一代宗師。架子是擺出來了，但是內涵空虛，無從表現出一代宗師應有的精神修養；那麼如何收場呢？只是裝個門面而已！大氣派、大排場，煌煌大話——代聖人立言。

——《新儒家哲學十八講》頁二二—二三

【稱「道統」不如稱「學統」】

上次我們談到宋史道學傳裏所形成的「虛妄的道統」的氣氛。「道統」，可說是由孟子開其端，但孟子排斥楊墨，卻未攻訐道家。孟子最尊崇孔子，而孔子謙虛爲懷，而且非常好學；他「毋意、毋必、毋固、毋我。」然後才可以撇開一切偏見，容納百家之學而集其大成。所以先秦時代儒家縱使有所謂道統，也是「開明的道統」。與其稱「道統」，還不如稱「學統」。講「道統」，易生膚淺、專斷、偏頗的流弊；講學統則無此病。漢儒自董仲舒、趙綰之後，儒家的道統是定於一尊了，卻成爲利祿奔競之途。而兩漢經生只是守章句、解訓詁，在經典的大本大義上幾乎是繳了白卷，導致漢人文化精神上的空虛；這也未嘗不是政治衰敗，社會解體的主因之一。漢末而後，佛教文化趁虛而入；漢人空立了幾百年的道統，於今卻束手無策。而勉强維護道統的人，不是儒家，卻是神仙方技之流的道教。由此看來，空喊道統究竟產生不了什麼作用。漢人如此，唐人也不免如此，卻每下愈況。

由此看來，任何一個時代的學術，如果不從學術的本位來發揚學術的精神，卻假藉權威，在那裏做假道學，立假道統，這對於民族的生命、國家的生命、學術的生命，可說是一無裨益。徒然喪失了它的獨立性，成爲社會的浮贅、政治的附庸。

——《新儒家哲學十八講》頁三五—三六

【講學術勿陷入錯誤的道統觀念】

因之，兄弟覺得眞正要講學術，我們要注重實際的內在精神，而不畏爲一個流行的見解所拘束。我們作爲一個中國人，當然對於整個中華文化要有維護的熱誠，而表示衛道的精神；但是我們在衛道的時候，要把一套學術良心拿出來。我們高妙的思想，如原始儒家體系，自然不能讓祂毀滅。但是與這一個思想意義不同，而祂本身卻也有很高尙的價值，如道家思想、佛家思想，我們千萬不能夠憑藉狹隘的衛道精神，虛構一個不十分健全的道統觀念，讓祂在那兒作祟！所以，在現代講文化復興，我們要留心中國整個文化的發展。凡是對於這整個民族文化有光榮與偉大貢獻的思想，我們須是一體欣賞，千萬不能抱持一個偏見，而陷入錯誤的道統觀念。

——《方東美先生演講集》頁一一八—一一九

【談學術風氣】

美國人學術的風氣便覺有些異樣，在科學上花樣翻新，不顧傳統，已難免流弊，甚至在哲學上也一味趨時，認爲可自我作古，雜陳膚淺之論，妄圖壓倒前人，毋怪乎蒙塔菁（W. P. Montague）要深致慨歎，說時下的哲學已感染「哲學的瘟病」了。近數十年來，國人已拋棄我們固有的的學術文化傳統，而對於歐洲的學術文化之傳統，又因時地隔閡，往往不能正本清源，虛心硏討，只摭拾片面的、時下的說教以惑亂視聽，自詡名家，賢如梁漱溟先生，猶難免以杜威羅素來籠罩西方之全部文化精神，其他概可想見。西方的學術文化之緒餘一傳到我們這邊來，便失本眞，上焉者變作「宗教」，下焉者流爲迷信，一時「教主」輩出，氣燄薰天，或又叩頭燒香，「佞西」乞福，眞自以為在那福德祠裏討取「仙丹」之後，便可橫目作態，傲岸凌人了。

——《生生之德》頁一九八

【文字是記載歷史文化的主要工具】

文字是記載歷史文化的主要工具，我們從稍後的朝代瞻望認識或繼承前面一個朝代的歷史文化，假借於文字是很容易的。遠至黃帝、唐、虞、夏、商、周，近至宋、元、明、清，皆如此傳衍賡續，一直沒發生過大問題。但是到了近代五十年，由於過分標榜白話文，奉白話文為唯一的文字工具，久而久之，對於中國古代的語文習性就忽略了，對古籍的不易了解，固有文化的認識不深刻而趨於冷淡是極其自然的。如此逐漸地將「歷史的可溯性」剝奪以後，我們悉成為無根之人，只好盲目地，好奇地去追求外國的東西。甚至有些留學生竟忘了本國文字，非但英文不能動筆，就連中文都無從着手。

——《方東美先生演講集》頁二〇九

【表達哲學的專門語文】

所以我說，世界上大體是有三種哲學專門語言：第一種，在古代西方是希臘文；第二種，以近代文字來說是德文；第三種，在中文裏面就是佛經的翻譯文字。這三種文字都可以號稱理想的哲學文字，因爲它們製造專門名詞方便，並且句子的構造可以簡單，但集結起來也可以變作極複雜。因此我們把希臘文、德文與中國佛經的翻譯文字當作哲學的理想文字。任何名詞祇要你會造，在裏面都有法子安排，像單名、複名，複名的複名等。同時文字的結構，可以簡單，可以複雜，任何思想內容在這三種文字裏面都有法子表達。

——《中國大乘佛學》頁一六九

【哲學離不開語言文字的說明】

我們曉得在一切哲學的領域中，不管是西方哲學，或東方哲學，總是要用語言文字來說明哲學上面的最高道理。但是語言文字又是什麼樣的一種語言文字呢？我們曉得在人類的語言文字裏面，大體上說起來有好幾種；一種是在常識領域裏面所應用的一切文字。但是這種文字我們應用起來總是有其基本假定，這個假定是什麼呢？是透過人類的理性所製定的語言，再透過常識方面諸種應用，才把這些大道理表達出來。所以普通的語言往往是最接近常識，或從常識出發，一直伸展到各種專門的科學或哲學。

——《華嚴宗哲學》（上册）頁二一八

【科學、哲學的最高境界非語言文字所能表達】

可是講科學講到最高的境界，或講哲學講到最高的境界時，那就不是語言所能表達的。也就是說一切語言文字都已用盡了之後，我們可以說那將會漸漸有一種結果，即理性的作用能力已達到了極限，如此在科學上面或哲學上面，最後總還承認有一個不可思議的境界。這在哲學上面我們經常看到要保留一個不可思議的境界，來當作哲學上面的最高領域。譬如在西方哲學上面如柏拉圖、亞里斯多德，或者近代的斯賓諾莎、黑格爾這一類人，他們在最後的思想領域中，對於根據理性最高的作用，所制訂有關人類所能設想到的一切語言都有保留，最後便認爲在宇宙的森羅萬象的階層中，確實隱藏着許多深微奧妙的道理，而這些道理是不能夠透過語言文字來說明。這在哲學上面是很容易瞭解。

——《華嚴宗哲學》（上册）頁二一八—二一九

【歷史學具有現實政治演變史與文化史兩套觀點】

所以從這一個觀點上看來，我們要研究歷史，如果只是從政治的史實上去研究的話，那麼必然會花上大部分的時間，都在現實世界裏面兜圈子。如此說來，那麼古今的歷史都只是一套互斵史，彼此忘恩負義的互相殺伐，爲達到目的便不擇手段。但是假使我們是從文學、藝術、道德、宗教的這一系列去看時，我們便可以看出，人性還是另有其高貴的一面。倘若我們可以把那高貴的一面轉移到理想的途徑中去，透過文化教育的理想，不斷的給予提昇，而應用到某一個時代的人類生活，那不知道有多好。

這就是爲什麼我要說我們研讀歷史，就應該要拿兩套眼光來讀；一套就是讀「政治史」，即所謂「現實演變史」，另外一套就是文化史，也就是藝術史、文學史、詩歌史、理想的典章制度，甚至宗教史、以及那一個時代有如周公所謂的「師與儒」的當政者，或者是Plato（柏拉圖）所謂「整個國家的指導人物像Gabin」。這個Gabin是什麼呢？他並不是政客，而是大的哲學家，即所謂的「哲王」是也。

——《華嚴宗哲學》（下册）頁七九—八〇

二、治學方法

【怎樣做一個大哲學家】

我常時說做一個大哲學家，第一要著是平平實實地作一個很好的學者。關於那一類的知識，假使要把牠當做外在的學說，就在於我們平常要善於利用第一手的眞確可靠的資料，才不致被那膚淺一類的東西、商業性的文字所誤解及迷惑；然後這一類的東西拿來之後，並不像秋天可憐的螞蟻。我有時候恨蟑螂，打死一個蟑螂之後，整個蟑螂的屍體馬上不見了！就被螞蟻拖到洞裏，作牠維持冬天的資糧。甚至死了的蟑螂已經腐爛了，螞蟻還是好而藏之。所以，培根（Francis Bacon）告訴我們，假使要做一個學者，不要做一個螞蟻，要做一個蜜蜂；當花盛開芬芳時，在花中摘取最精粹的花粉，吃下去製造蜜，然後吐出來。如此，一切外在的資料都被自己消化了，消化了之後再製造出來。這樣對於自己是很高的工作成就，對於別人是有價值的營養品。所以作一個學者，並不是做一個文抄公；現在的文抄公，在他所出版的書籍裏面，他一切的引用都是別人精神力量花了的畢生精力，他一下子偷來了，去謀利！眞正做一個學者要能夠很謹慎地利用可靠的材料，然後憑藉自己的學術良心，把牠消化了之後，說出來自己的見解，而這個見解僅次於創造的寶貴的眞理價值；等到經過這個階段之後，他的知識作到眞確的程度，他的精神可以向上面飛揚，他的知識再流露出來變成智慧。這樣才可以眞正變成哲學家，而這樣子的哲學家，我想不會在一個時代很多的。假使有的話，他一定光芒萬丈，絕對不像生滅變化世界裏面的Changing winds of Doctrine。他的見解一定形成智慧，而這個智慧一定在人類裏面累積起來可以成爲人類精神的寶物，成就很高的精神文化！

——《方東美先生演講集》頁六〇—六一

【學人研究學術的態度】

培根嘗把人類思想家分作蜘蛛式，螞蟻式和蜜蜂式三種。蜘蛛不顧客觀形勢，因風結網，自吐游絲，其失也妄；螞蟻貪得無厭，廣貯資財，不能融化，其失也疏；蜜蜂採取花粉，醞釀甘汁，供人食養，離疏去妄，有得無失。培根這種譬喩，一面指示思想的途徑，他方又樹立方法的標準，煞是有趣。我們現在亦可把學人研究學說的態度劃作三種：一如蚯蚓墾園，二如驪龍戲珠；三如老鷲搏雲。蚯蚓寄生園地，藏修息游，飫沃增肥，蟲壞交利。這是學人沈潛擩染的深工夫。驪龍得珠，內隱文縷，外顯妍狀，鑿破既傷其全貞，吞咽又恐遭呃逆，只得嗛吐拮据，作態把玩。這是學人探索玄理奧義的姿態。廓落長空，浩蕩雲氣，老鷲振翼乘風，迴旋絕世，上凌縹渺煙霧，下掠碧海滄波，自在流眄，去來都無拘束，有時摩閃雙眼，俯瞰荒峰隱隱，廢港悠悠，嘹唳數聲而已。此種「提其神於太虛而俯之」的精神亦是學人不可或缺的要素。我們深覺「科學哲學與人生」的問題，其範圍異常沈冥廣汎，非短時的努力，少數的篇章所能總括，結果對於這個問題的研究，不得不拋棄蚯蚓墾園的細密工作，而採取驪龍戲珠的方法旁敲側擊，或老鷲搏雲的精神臨空俯視了。驪龍雖不能吞得全珠，自果其腹，但在玩弄的時候，如能使那顆明珠「別有照人光彩」，引起觀者一點「濟潤焦枯」之感，於願已足。老鷲孤寄長空，但求載取斷雲，在遼闊的學海裏留下幾點輕痕而已。

——《科學哲學與人生》頁二七〇—二七一

【中國近代哲學研究的通病是迷信方法學為入門步驟】

因此在方法學這一方面，我們誠然不必違反分析法，但是我們要確認，分析法是研究方法裏面的一種比較平易近人的入門方法。因爲任何問題在開始研究的時候，都需要這種平易近人的入手方法，唯有透過分析之後，才比較容易深入其堂奧。但是等到你一進去之後，便會曉得它裏面的問題更層出不窮，倘若你僅僅依靠分析的方法是不能夠解決問題的。而近年來中國研究哲學的人有一個通病，就是以爲唯有依靠西洋的哲學方法學的研究步驟，才容易入門，因此便迷信它的方法。但是對於容易入門的，也就容易著魔；容易著魔之後，也就容易陷於錯誤，其結果是對於東方的思想不能夠瞭解。爲什麼呢？因爲在東方的思想領域中，譬如我們就拿中國先秦諸子百家的思想來說，它一方面是處於百花怒放的自由發揮時期，在這個時期裏面，有許多的思想學派，都是爲了解決人類的問題，有的是針對現實問題，有的是針對心性上的問題，自然就有它所根據的理由與方法，因而形成一套思想體系。

——《華嚴宗哲學》（下册）頁一六七

【研究哲學千萬不要走捷徑】

一般人在走路的時候，都喜歡走捷徑，但是我們應該要曉得捷徑是有止境的，假使在走捷徑的時候而不曉得有止境，那麼一定會走到絕路上去。所以從西方的哲學領域去看時，像黑格爾的浪漫唯心論，本來是可以走到希臘柏拉圖、Parmenides（巴門尼底斯）、亞里斯多德所指示的路途上去。但是如果從知識論的領域去看時，因爲近代的哲學家敵不過科學上的權勢，而且在近代的歐洲人一直迷信科學，而喜歡把所有複雜的哲學問題，都留在後面再討論，因此他們首先從邏輯入手。其實從邏輯入手，就等於從科學方法入手，然後在深受科學方法的訓練裏面，再轉到哲學上面來。因此他們所能夠處理的，也僅是屬於知識論上面的小問題。

——《華嚴宗哲學》（下册）頁一七〇

【學哲學不宜走偏鋒】

我記得前十年，有一次在東西方哲學家會議上，有幾個同事同記者來問我：「你在哲學上面，持什麼樣一種見解？」我就告訴他：「很難說，說了你也不大相信！I am a Confucian by family tradition, a Taoist by temperament, and a Buddhist by Religious inspiration; morever I am a westerner by training」，於是他說：「How is it possible?」那時我就說：「That's a fact!」因為在西方這方面，他在學問上面要成名，都要走偏鋒，惟恐他不偏，越偏越容易走到一條路上面去，所以他在思想上面都是以一個目的作為Guidepost選擇一條路，以那一條路來發展，然後第二條路他就不認識了！他不曉得在哲學上面有很高智慧的人，有許多路徑——條條大路都可以通羅馬！但是在西方的訓練上面，他從方法學的起點、原理、過程，一直到結果都是「一條鞭」之路！這一條鞭所走的路都是偏鋒的路！所以很容易成名。但是在東方的哲學方面，他的路不是那「一條鞭」的路，他要體認許多路，在許多的路裏面，他都可以走！然後匯積起來要達到共同的目標。

——《方東美先生演講集》頁五五—五六

【講學問要有才、學、識】

在任何時代講學問，都要有三樣東西，缺一不可。一個是「才」，第二個是「學」，第三個是「識」。在「學」這一方面還容易辦，因為假使你肯花時間，肯費精力，肯孜孜不輟，在學問上面任何笨人都可以走出一條路出來。但是假使沒有才氣的話呢，就是「點金成鐵」，不是「點鐵成金」。再好的思想，就沒有才氣的人看起來，總是把它講成很庸俗的東西。這是什麼道理呢？就是因爲他沒有見解，沒有見識，所以眞正要把一個學問講得有生命、有價值、有內容的話，從事研究的人，第一方面要有才氣，第二方面要有見解。至於死用功呢，那是中才以下的人都能夠辦得到的。惟才氣與見識最不可缺。

才氣是人生的，見識是培養的，就是要能夠辨別哪一些是有價值的學說？哪一些是價值低微的學說？要一看就能馬上辨別。當然這個辨別也是相當困難的事體。譬如桑塔耶那（George Santayana）就曾說過：「別人作學問有了百萬卷藏書的大圖書館還不夠，還要綜合各圖書館的藏書，才可以維持他的學術研究。」而他呢？他說：「我用不着。我家裏面只擺一個書架，這個書架裏面也只有第一格擺滿了，第二格擺了一半，其餘都是空空的。」爲什麼呢？他說了：「因爲有許多出版的著作，我拿來嗅一下子，就丟掉了。」這個桑塔耶那固然可以說言大而誇，但他確實有一種本領，就是直覺上有辨別有價值沒價值的本領。

——《原始儒家道家哲學》頁一七八—一七九

【要了解「哲學的智慧」，應有適當的歷史觀】

所以兄弟覺得要了解儒家的精神，我們不能夠離開整個的中國文化整體。在先秦時代，對構成中國文化的整個體系，儒家誠然有極大的貢獻；但是道家、墨家、法家、名家也有很大的貢獻；準此類推，儒家之在先秦，即使以孔孟的學說來做代表，也只能夠用韓非子顯學篇所謂「顯學」來稱呼！它並不是唯一的學說。正因如此，所以在春秋戰國時代，中國的思想才有那樣子大的氣魄，眞正像百花怒放，以很高的智慧，從各方面的發展，構成整個中國文化，表現偉大的文化價值與豐富的內容。因此要了解一種文化裏面重要的構成分——「哲學的智慧」，我們應當要有適當的歷史觀點才行。

——《方東美先生演講集》頁一五七

【學問的時代性】

一切學問都應具有時代性，如果某種學問眞已隨時代進步了，一般人猶一味迷戀過去，而又不能了解過去，欣賞過去的眞正優點，那在學術上確是十分危險之事。

——《生生之德》頁二三九

【研究哲學的人應當有學術良心】

研究哲學的人應當以學術良心，把歷史的眞情實況還出來，則任何時代的學說都有利弊，都可以批評，而批評須根據眞正的學術理由，以這種眼光批評孔子孟子，誰也不能反對。但是拋開學術良心來擁護一個政權，則是鄙陋之事。所以我平常講中國思想，雖然擁護孔子、孟子，但是對於漢代的「罷黜百家，獨尊儒術」，我不贊成，因爲中國文化在先秦時代，儒家、道家、墨家、法家、陰陽家都是顯學，因爲那一時代的學術自由，百花怒放，各種思想學說都有高度的發展，因此春秋戰國時代，中國的思想蓬蓬勃勃地向上發展。而到了漢代，自從董仲舒獨尊儒術之後，像中國那樣偉大的哲學家莊子，漢代竟然沒有人提到，一直到後漢馬融在家書中才提到他，可見漢代人在學術上瞎了眼睛，連莊子都不知道，而老子那樣大的思想家也讓道教去歪曲它，如此地在思想上萎縮，不知發揚，因此漢代號稱儒家，而只尊國家的博士弟子。

——《原始儒家道家哲學》頁一三六

【在學術上應有的立場】

所以在每一個學術會議裏面，立場一定要站穩，腳根一定要落實在民族文化裏頭，然後把自己所要闡明的根據表明出來，如此才能跟他們站在同一立場來討論。因此我們在學術的領域上任何的偏見都不能夠有，應當要腳踏實地的在歷史的發展裏面去找眞憑實據，然後再來立論，這也可算做是學術良心，甚至可說是做學問的根本態度。唯有在學術的領域裏面能站得住，才有立場。

——《華嚴宗哲學》（下册）頁五〇七—五〇八

【要入哲學之門，就是入智慧之門】

整個人類的哲學史高度的發展，其目的都是要入智慧之門，而不僅僅入知識之門；知識有階段的，有層次的，有程度的。但是，假使把哲學之門，只看作爲知識之門，那是不一定能代表哲學；有時反把哲學化掉了，變成逐步的科學知識；像現代在西方這一方面，眞正虛心的人，人文主義者，哲學家幾乎異口同聲地說「Philosophy is Dead!」但是說「Philosophy is dead」，並不是說「Knowledge is dead」；而近代的知識，從各種分科的科學看起來，不斷地在增加，知識並沒有死亡！只說哲學死亡。因爲哲學是一個旁通統貫的高度的知識，一個智慧。我們儘管走不同的知識的路，可以一天一天把知識累積起來，但是累積的知識不一定能夠融化成爲智慧。假使沒有智慧，哲學還是要死亡的！所以古今哲學家都異口同聲地說：「要入哲學之門，就是入智慧之門！」

——《方東美先生演講集》頁九〇

【要保持「哲學的智慧」應有很大的心量】

可見我們維護或是復興文化，心量要大，尤其講哲學的智慧，更要有很大的心量才可以保持哲學的智慧。所以，要談哲學，沒有一個獨立而孤立的哲學；它的智慧總要在整個文化的價値結構裏面表現其思想體系。因之，不管是那一個時代，我們講儒家要成爲偉大的儒家，講道家要成爲偉大的道家，講墨家要成爲偉大的墨家；如此，彼此才可以拿同情的態度欣賞、融合、體會，而不致于落到偏狹的仇恨、排斥！因爲心量一狹窄了之後，智慧就喪失了！

——《方東美先生演講集》頁一六一

【講學問要大其心，虛其心，小其心】

記得有一年，我剛到華盛頓。大使館有位朋友就告訴我，說有一位中國名學者在華盛頓演講，你能不能去參加？我勉强去參加了，簡直是羞愧得無地可容。一位號稱是歷史名家，既不懂日文，又不懂法文，也不懂英文，更不懂德文。幾乎任何東西方的文字，除了中文外，他都沾不上邊。但是一開口就罵西方文化根本半文錢不值。在別人首都大學裏，如此猖狂無知，於西方文化一竅不通，卻又胡亂詈罵，所據的理論，更是荒唐不可理喻。從這一點看起來我們講學問，一方面要大其心，也要虛其心，有時還要小其心。所謂小其心，即是談一種學問，一定要原原本本的還出它的證據來，否則在學術上，不僅害己，而且害人，甚至害了一個時代，以至於害了後世。

——《新儒家哲學十八講》頁一一八

【掌握哲學智慧】

近代世界這樣小，我們作一個現代人，從事現代的生活，一定須要有民族的精神，同時須要有世界的眼光；不僅須有世界的眼光，還須再有太空人的心胸，把我們從狹小的地球提升到太空中其他的行星上，甚至於提升到星河系統以外去。假使只是眼光如豆，還想在這個地方從事現代的生活，可以說，還沒有出發，就被淘汰掉了。今天我們面臨的，是知識的競賽與能力的競賽，而且最重要的是知識競賽與能力競賽的根本——智慧的競賽。假使不明瞭這一點的話，我們在這世界是沒有法子自處的。

——《原始儒家道家哲學》頁一九七

【哲學家的成就】

批評須有專學，玄想則仗天才。天才橫溢的哲學家，膽大識高，情深理富，往往可以激揚精神，體驗人生到極深的深度，觀照宇宙到極高的高度，故能想常人所不敢想的問題而造作玄之又玄的思想體系。中國聖哲何嘗有邏輯的憑藉？印度大德又何嘗有科學的基礎？然而他們玄思冥想中所揭示之眞理實永恆不能磨滅。西洋玄想的哲學，如果把它截頭去尾，乍看來，好像純是些凌空的系統，無據的狂想。試稍細心玩味，便可發見其中各有民族的性格，時代的精神，或哲學累積的結果爲之佐證。牛頓道出它成就之妙訣是知道如何站在別人的肩胛上，其實哲學家的成就又何嘗不是如此！此中秘密就在我屢次提到之累進的異分思想。科學家直接針對宇宙各境界中各種現象，運用正確方法創獲了系統知識，哲學家則追踪科學家，依「打破沙鍋問到底」的方式，探索科學眞理之根原究竟何在，憑此一問，有時科學的最初論據，或最後效果便可疑了，因之遂有更博大，更精深的理論之出見。蘇格拉底說哲學是知識之知識，柏拉圖認辯證學（萬有論與價值論之統會）爲一切知識之蓋頂的工作，亞里士多德將神學（他那最高的哲學）看作思想的思想，或神聖的思想，近代十六、七世紀的思想家稱哲學爲科學之科學，一直到康德，謂理性爲一切知識所自出之基礎而予以深透的評判，都是極中肯綮的見解。這些哲學家無一不想在科學累積的結果上，或人類歷史文化已有成就之基礎上，樹立上層各種異分思想的機構。黑格爾繼之而起，要綜攬自希臘羅馬以及耶穌教流傳以來全盤西洋歷史文化及其哲學精神的成果，希望站在所有前人的肩胛上，可謂氣魄雄豪，令人嚮往。至於別人是否允許他站，或他自己能否穩定腳跟，站立得住，那又是另一問題，聽任我們細心觀察之後自下判斷。

——《生生之德》頁二四〇—二四一

【眞正的哲學家要能容納各種有貢獻的學說】

我們曉得眞正在文化上體大思精的思想體系，要能容納各方面在精神上眞正有貢獻的學說。因之，要做一個大時代的眞正哲學家，應當要苦心沈潛，更要多方面吸收、點化；也惟有如此，才可以在一時代勉强成爲領導文化思想的大人物！開闢下一代的文化同學術思想的大時代。否則，如果被偏狹的道統觀念所矇蔽，那麼許多重要的眞理，便不能夠容納；他自己那一個系統也日漸狹窄。他不能夠像張橫渠（載）能體驗到「大其心則能體天下之物」，更不能浩然與萬物同體。他要是沒有一種偉大的涵融精神，他在思想上面一定建立不起任何永垂不朽的精神創獲。他所成就的、所指導的文化路徑，一定是閉塞、偏狹；在下一代又如何能夠交代！

——《方東美先生演講集》頁一四三

【獨立山頭我爲峰】

就好像我們在登山的時候，最初起步時總是平原，再好一點的是走到山半腰中間，假如我們就停滯在那個地方，那我們所能看到的也只是接近地面上的一點景象；但等登到山峰上面時，我們就可以引用戴季陶先生的一句話——他說：「獨立山頭我爲峰。」他不僅要登到山峰上面，還要在最高的高峰上突出。孔子也說過：「登東山而小魯，登泰山而小天下。」

在這種情形下，他才可以對他所要把握的境界一層高似一層；等到了最高的境界上面，然後他對各種境界的情景才看得清楚。在看清楚之後，他所接觸的問題才不會僅僅沾滯在一種境界、一個平面、一種層次，他更可閱歷各種層次，對各種意境都突破了，再來看這個問題，前面的各種形勢都可以看得清楚。

——《方東美先生演講集》頁二四三

【道家精神——提神太虛而俯之】

平時我總是提醒青年這一代要培養這一種能力，這種能力就是：「提其神於太虛而俯之」，把精神向高空裏面提昇。換句話說，這是中國文化中的道家精神，像莊子在逍遙遊中提其精神於太虛而俯之。要用什麼辦法呢？那就是要學那大鵬鳥。大鵬牠沒有風也要培風，然後乘這個風摶扶搖而直上九萬里，向高空飛，飛到一個極高的地方，直抵宇宙的頂點，也就是所謂的「寥天一」，再在高空裏面回頭向下面看，然後莊子就說：「天之蒼蒼，其正色邪？其遠而無所至極邪？其視下也亦若是則已矣。」

——《方東美先生演講集》頁二五〇—二五一

【要想表達哲學思想有兩種方式即不言之教與審慎釐定】

記得以前尼采曾經說過一句話：「每一種哲學背後，都潛藏着一種更重要的哲學」。不過對於這樣的一句話，到底他所謂「潛藏的這一種哲學」是什麼呢？依我看來，可以說有兩種不同的方式存在着：第一種就是指那些開創宗派的大師，他們對於哲學的理路造詣頗深，但是卻往往無法把他們的學說直接表達出來，反而在他的哲學生命裏，行其所謂不言之教，以不言之教的方式而將哲學造詣潛藏在後邊。東方第一流的大哲學家，多半都是採取這種方式；其次談到第二種情形，就是要將他的哲學思想，經過很審慎的處理方法，把它仔細釐定出來，絲毫不加隱藏。對於這樣子釐定出來的，我們就叫做是carefully fomulated doctrine（精心規劃詮表的教義）來。

——《華嚴宗哲學》（下册）頁二五九

【研究問題之選擇與文字表達方式視讀者對象而異】

著者一向是浸潤在專門哲學問題裏面的，對於興趣以外的意想不願涉及，但本書卻是一部對大衆的演講稿，所以問題之選擇與文字之表現均力求顯豁，蓋專已爲學與析辭喻衆，事勢原本不同。前者盡其在我，眞積力久，神明自得，不妨獨往獨來；後者虛心平氣，彰聞懷遠，求效於人，須能令人領受。本書標義取材，處處都爲讀者着想，求其平易近人，相說以解。

——《科學哲學與人生》自序頁一——二

【跨越本位的「科學主義」】

「科學」固然有寶貴的成就，是人類知識的寶藏；但是如果一個科學家不守他的本位，不守他的分寸，不守他的範圍，跨越了他的範圍而表現狂妄的態度，把其他的生命現象也化成物質現象，把精神現象也化作物質現象，把價值現象也化作物質現象；那麼這就不是眞正的講科學，而是科學不守它的範圍，不守他的領域，不守他的方法學的限制所產生的一種狂妄的思想，這就是「科學主義」。「科學」是寶貴的，但「科學主義」卻是要不得的。近代許許多多後起的科學，都是在那個地方不是講眞正的科學，而是講「科學主義」這個錯誤的思想；像現在不少講行爲科學的人，只講行爲不講價値；不少以白老鼠實驗講心理學的人也是如此。這都是超出了方法學的限制，超出了語言上面的範圍所形成的錯誤。我們要認識了這一層之後，才可以說你的錯誤思想對我的精神並不能威脅。因爲我把你錯誤思想的淵源一下認清楚了，就可以拿一種偉大的精神人格來面臨這許多的奇論，自然是：見怪不怪，其怪自敗！

——《方東美先生演講集》頁二三六—二三七

【科學研究的起點】

各種科學研究的起點都有一個對象的肯定，方法的假設，其結果精當與否全視它的對象與方法是否眞確。近代心理學，尤其是科學的心理學，往往以殘削的戮人爲對象，以抽象的分析爲方法，其研究之所得，不過是些鑿空蹈虛的名言系統耳。

——《科學哲學與人生》頁二四三

【佛弟子應善用文字般若】

因此，對於文字的應用上，是否能方便善巧的靈活應用，那就必須具有很高的智慧才能達到，否則經由他所表達出來的思想，一定是一種錯亂的思想。倘若文字的應用根本已經錯亂了，請問它將如何來表達宇宙人生的根本大道理呢？而且當我們在運用文字的時候，也應該要曉得宇宙人生的眞正大道理，體悟它的深微奧妙是不可說、不可說的妙境。假使這時你要想把它表達出來，變成可說時，應該要透過文字般若的方便善巧方法，把它說得很巧妙才行。

但是，一旦你了知一切文字的方便善巧之後，你將會發現，對文字要麼就不用，倘要用時，如果萬一用得不好，馬上就會發生毛病。然而爲了傳道上的方便，自然就不能不使用文字來表達思想，所以必須要用得巧妙。但是倘若要使文字能用得巧妙，那麼就必須要具有精深的訓練，才能夠如實表達出很高的智慧。可是假使我們所面臨的情形是既不能活用文字，卻又必須要用，萬一用出了毛病之後，馬上就要想辦法找出那個毛病，而將它給糾正過來；或者就立即放棄不用，另外換一種文字來表達，才不至於會誤人誤己。

這是一種情況之下，我們可以說，一切文字假使我們要拿現在所謂common language（通用語文）來說，我們當然不能夠違背人類經常都會用的文字語法或句法的形式，這是因爲應用common language的人非常多，而且太普遍了，而且在這裏面自自然的會有許多nature limitation（本然的限制）。nature limitation是什麼呢？它是lack of technicality（缺乏專門性）。對於眞正專門性的問題，專門性的思想，沒有法子表達。

——《中國大乘佛學》頁三五九—三六〇

【做學問的第一步是「目錄學」】

剛才有位同學來說，聽了這一門課後，有多少的名字沒聽過或者甚至於不知道。在進大學的第一年，就應當學會一個本領，就是到圖書館裏去，得到圖書管理員的允許，能夠到書庫裏面去看才曉得學術天地有多麼廣。假使進入大學第一年以後，還不曉得做學問的第一步是「目錄學」——隨便是那一種學問，假使你對那門學問產生了興趣，第一步不要問別人，而是要自己查清楚，關於這一類學問有些什麼重要的書籍，假使記憶力不好，寫在筆記本子上，這就是所謂「目錄學」。這是第一步，要第一步都不能做好的話，那麼大學裏面的第二年第三年第四年，只好第一層是住房子，第二層是睡覺，第三層是拿畢業證書了。

因爲講一門學問，自己不自動下手，關於那一門學問上面有什麼必要的文獻（

necessary literatures）——所謂「目錄學」），這是起碼的工夫，學中國哲學的人，對於中國哲學上的幾部重要書籍都不知道，甚至提到了之後還不曉得怎樣的寫法；假使在這種情形下，要談學問，是怎樣談法？譬如在外國你假使做研究生，外國研究生有的是不要學位的，就到學校繳學費，一天到晚到外面去玩，到外面去看歌劇看戲，沒有人管你。假如你不是這一類的學生，那就要下眞工夫。那一個在外國做研究生的每天都有八個鐘頭覺可睡？我從來沒有聽見過！研究生總是要窮日夜之力，或者在實驗室裏做實驗，或者在圖書館裏看書。每一個研究室裏始終擺滿了書、擺滿了雜誌。從來沒有學生要問先生關於這一類的東西有什麼文章有什麼書籍。假使要這樣問起來，那個教授一定說：你找別人去指導！

——《新儒家哲學十八講》頁一七四—一七五

【以乘飛機及放風箏的比喻告初學哲學的人】

在此之前，我常告訴同學，學哲學的人第一課題先要請他坐一次飛機。平常由常識看法，吾人生在人間世，但對人間世並沒有充分的了解。甚至生在此世，對世界也不知欣賞只知詛咒。稍不如意，便由痛苦經驗去誤解、詛咒世界，認定它爲荒謬。在飛機上，由高空俯視，所謂黑暗痛苦的世界，卻有許多光明面。我曾經五次在美加交界的大湖區，由兩萬呎以上高空再俯視人間世，看到這個世界周遭被極美麗的雲霞點着了，成爲一個光明燦爛的世界，這種美滿的意象，正如heaven on earth（天國臨於人間）實現了。關於這點，莊子很清楚，他的精神化爲大鵬，摶扶搖而上者九萬里，在未上之時，昂首天空蒼蒼茫茫，而一上之後再俯視此世，由時空相對的觀點看來：「天之蒼蒼，其正色邪？……其視下也，亦若是則已矣。」因此人間世亦是美麗的，這可以糾正我們對世界的誤解。尤其今天太空人已經指點出了，吾人在地球上看月亮（尤其中秋節），便以種種詩的幻想去欣賞；但是太空人身臨其境，看月亮只是荒土一片。反之，由太空視地球，卻是五顏六色、輝煌美麗。學哲學的人如果只認識此世之醜陋、荒謬、罪惡、黑暗，就根本沒有智慧可言。應該由高空以自由精神廻光反照此世，把它美化，在高空以自由精神縱橫馳騁，回顧世界人間，才能產生種種哲學和智慧。

再以一個故事爲引線，引入原始儒家、道家、佛學之境界。中國文學在戲劇上，序幕時有一獻詞，以淺近的問題，把其中的文化意涵導引出來。這故事很簡單。相傳有一富豪，忽然興之所至，在山水明媚的地方設計一座大廈，建成之後裏面空空如也，他說：如有畫家在此廳畫上一幅巨畫，必可滿足我的心願。於是找來一位畫家，優予供養。

此畫家具有藝術才能，可是外表上怪異，他在入新廈之後，不務正業，整天遊山玩水，吟詩作詞，兩月下來毫無表現。這位富豪附庸風雅，竟也毫不干涉，又過了幾個月他才着急了。於是邀請畫家進入大廳，將他鎖在裏面，依舊送上一切供養。可是他依然不畫。忽然半年之後靈感一來，便提筆在牆上作畫，下畫一小孩，小孩手牽一條線上達高空，線的另一端是一隻蝴蝶。原來是小孩放風箏。整個空間只是線條加上一隻蝴蝶，小孩牽着線，線上表現整個的寥寥天風，鼓動大氣，而大氣代表的整個力量Play upon the thread，小孩感受到整個力量集中在線上，線則把握在他手上。任何人要從事哲學思想體系的建立，除了坐飛機以外，在這世界上要平平實實地像小孩放風箏，雖然不能超升入太空，但是宇宙神奇的創造力量卻在風爭的線上鼓動著，而線仍把握在小孩的手中。

——《原始儒家道家哲學》頁八一—一〇

【勗勉青年在思想上要能獨立自主】

現在在這麼一個國難的時代，我們國家幾乎要滅亡了，民族幾乎要滅絕了，而中國的文化同中國的智慧也幾乎要斷滅絕種了，在這一個時期，若是我們青年每一個人都能挺起胸來站起來，我們在思想上面能夠這樣子獨立自主，表現高度的哲學智慧、高度的宗教精神、高度的藝術好尚。那麼，現在各電視臺就絕對不敢再每天播放下流的節目來困擾我們！我想這句話許多人不肯講，許多人不敢講，但是以一個終身研究哲學的人，接觸過西方高度的哲學智慧、中國高度的哲學智慧，甚至連帶體驗到印度哲學的智慧，等到他無謂的一生，無意義的一生已經過去了，到達他退休的時候，他在這上面要有一個精神交待！所以我把在心裏面的這些爲別人所不敢說、別人所不忍說的話，現在直截陳辭，希望大家在這一方面把這個已經失落掉了的民族的智慧、國族的靈魂、民族的文化、民族的優美文字，重新把握住，變做自己生活裏面，不僅僅是一個裝飾，而且是永遠不朽的內在精神！這樣，我們的國難才有解救的日子，日本絕不敢欺負我們，美國也絕對不敢再拿權力政治一度再度出賣我們！

——《方東美先生演講集》頁三一一—三一二

【追求科學底哲學才算是第一流的科學家】

所以後來到近代歐洲哲學家中如笛卡兒有他的辦法、萊布尼茲也有他的辦法、康德也有他的辦法、黑格爾也有他的辦法，他們要重新來解釋這些問題。到底這是個什麼問題呢？叫做justification of justifications（理由的理由，證明的證明）。所以不僅僅有科學，而且我們還要有philosophy of science（科學底哲學）。而懷德海在科學上面、幾何學上面，同數學、物理學均有很高的成就之後，在他六十三歲時退休了，他換了一個環境，假使在英國，他要維持他的權威，人家都會讚佩他，那麼他也就不能再進步了。所以當他另換新環境時，既不僅僅談宗教、也不僅僅談科學，他忽然談起哲學來了。這個哲學就是近代笛卡兒、康德所提出來的問題：怎麼樣用哲學的眼光來爲近代的科學建立哲學的基礎？再經過二十年的虛心研究哲學，他的頭髮全白了，他再寫出Concept of Nature（自然觀）、Adventure of Ideas（思想的探勝）、Modes of Thought（思想的方式）、Essence of Science and Philosophy（科學與哲學精義）、Process and Reality（「易即體」）等五本大書。而這是他爲近代科學思想所建立的體系。這在整個科學發展史上是比其他的各種嘗試都還要完整，可說是以「科學思想爲哲學基礎」。

我這裏舉這一個近代大思想家懷德海爲例子，來證明般若經裏面像金剛經所說的「應無所住而生其心」。我們要曉得世界並不是一個貧乏的世界，它非常的曲折，非常的複雜，有種種不同的差別境界。我們對於這種種的差別境界，都不能夠以浮光掠影的去瞭解，都應該要深入到那個差別境界裏面去，一層一層去做精密的體驗。但是倘若我們只是把它當做知識，那麼當一個人有了知識之後，他就驕傲起來，停止在那個地方不能再有進步。所以在般若經裏面所產生的般若智慧，就是當我們面臨任何境界時都能夠瞭解那個境界。瞭解了之後，第二個問題就是我們應該馬上超脫與解放！才不致於被囚於那一個境界裏面，當作一個囚徒，當做一個奴隸。因爲自古以來，大家都經常把常識上面，或科學上面所接受的物質世界，當做一個splid world（堅實牢固的世界）。但是在大般若經裏面從來不做這一種看法，不接受機械主義，不接受物質主義，它要問這個物質世界是根據什麼樣的條件構成。因而我們對於它要有深刻的分析與理解，從透過深刻的分析與理解，曉得這一種條件不能夠變做我們的囚牢，我們要從那個地方跳出來，要對於它加一個合理的解釋，然後才能發現另一個更高的境界。

——《華嚴宗哲學》（上册）頁一三九—一四〇

【研究哲學若失去理想便具有滿腹煩惱不滿現實形成社會問題】

從笛卡爾與柏拉圖所持的觀點來看，那麼我們平常研究哲學的人，可能所受的哲學教育，可以說都有問題。每個學哲學的人，都是具有滿腹的煩惱，在沒有進入社會之前，可能會說在家庭是沒出息，沒見世面的井底蛙，甚至還要受到長輩的教訓、壓力，做一些非出自本身的意願的事。可是當你走出了家庭鳥籠，進到廣大的社會裏面來，一碰就碰了許多釘子，他自然是忍受不住，於是他就不斷的在那個地方詛咒社會。其實詛咒社會最利害的份子是誰呢？就是那些身上藏了小刀子的那些人，在他們所到之處都感覺得不順眼，逢到人都想捅他一刀，好像在現實世界裏面，並沒有他的存身之地，所以他才會挺而走險，其實假使要冒險的話，他應該先毀掉他自己，可是他卻把自己當作寶貝那樣愛惜，而想毀掉別人，甚至把一切的他人都全部毀掉，最後就祇剩下他自己而形成一個罪大惡極的人。因爲唯有如此，他的精神才能夠得到自由。所以從這麼一點上看起來，我們就可以說，平常研究哲學的人，如果拿着這一種精神，在他們的心靈深處裏面，產生一種active romantic（積極的浪漫）行爲，當他進入到社會裏面來之後，這個社會是沒有一個地方，可以接受這一種精神古怪的行爲。

——《華嚴宗哲學》（下册）頁八六—八七

【自述治學經過】

我從小三歲讀詩經，在儒家的家庭氣氛中長大，但是進了大學後，興趣卻在西方哲學，後來所讀的書和所教的書多是有關西方哲學的。直到抗戰時，才有了轉變，覺得應當注意自己民族文化中的哲學，於是逐漸由西方轉回東方。

這期間還有一段插曲；當時印度剛剛獨立，印度的學者拉達克利新南到中央大學訪問，希望中國的政府和學術界能夠幫助印度。談到印度人對印度哲學的興趣與中國人對中國哲學的興趣時，他問道：「從中國人念哲學的立場，對於西方之介紹中國哲學是否滿意？」我否認他的話。因爲哲學大異於任何其他的學問，別的學問可能客觀，哲學則不然，尤其是東方哲學，東方哲學所講的智慧是「內證聖智」（楞伽經），外在的經驗和事實只能助其發展。東方哲學首先當有內在精神。如果只在外面兜圈子，就根本不是內行。從這個觀點來看中國哲學和印度哲學，雖然目前交通頻繁，西方也有不少名家，但是他們的精神與心態還是西方式的，所以沒有辦法透視這種內在的精神。內在觀照重於外在觀察。他又談到，雖然西方人重新了解梵文的重要，重新恢復了這種語言，但是仍然不能透入其精神。正因爲印度學者不滿意西方人之介紹印度哲學，所以才自己出來介紹，他們在語文上受英國的影響，已經可以自由運用了；在這方面中國學者瞠乎其後，因爲中國文字複雜微妙，數千年以來形音義雖稍有改變，仍舊是一種活的文字。中國人對此有一種Prido（自豪），認爲自己的文字足可以表達自己的智慧。古代中國所謂的西方、西天，指的是印度，紀元後一世紀時，印度思想東漸，當時正值漢代，國勢强盛，民族自尊心重，於是設法翻譯外來語文。直到六朝隋唐，在各個譯場都有許多中國學者專家精通梵文。唐宋以後，重要經典已經譯成，便視梵文爲不重要，歷史上，中國向來很少用外來語文向外人講述中國的文化和哲學，在近代也很少用西方的語文在西方傳播本國思想，不像印度所做的，能夠因而使誤會漸消。中國思想的介紹大都是由西方來華學者所擔任，可是他們的心靈差別仍然存在，使得誤解愈來愈多。拉達克利斯南乃向我挑戰，用西方文字講中國思想，我便在中央大學逐漸由西方轉回東方。

——《原始儒家道家哲學》頁一——三

【自述研究佛學經過】

那麼，再看所謂居士以及非佛教的人談佛學，又有幾個人是眞正從佛學的典籍裏面仔細細加以研究的？這裏我要畫下一個大問號。至少就我自己來說，我接觸佛學的書很早，但是在我二十幾歲的時候從來不談佛學，佛學的書可以看，但是從來不談佛學。爲什麼呢？因爲沒有這個資格，由於佛教的經典浩如煙海。到來臺灣前，我私人的藏書第一次毀於北伐的戰爭，第二次毀於日本人，第三次是離開大陸時又丟掉了許多。在那麼艱苦的情形之下，抗戰初期的前五年以內我根本沒有書，所有的圖書都毀掉了，而在日本飛機轟炸之下，大學圖書館也不能夠開放，因此，我有五年期間專門從重慶的華嚴寺買佛經來看，夜以繼日，日以繼夜的看。但是我還是不談佛學，因爲在那個時候我不可能把佛教的重要經典擺在前後左右，要拿就拿，要看就看，沒有這樣便利。

我到臺灣來了之後，在臺大最初的十年也不談佛學，一直到近十年以來影印事業大爲盛行，日本大正藏、中華大藏經、續卍字藏，許多成套的，每一種都是幾百部的經書，這在從前是不可能享受的。從前在內地，假使要看佛經，除非到深山樓閣裏面，大廟裏面，才藏著有大藏經；但是它也是用來陳列的，不是給你看的。但是今天在臺灣不同，即使是窮苦的教育界的人，也可以在他的前後左右把這些經典豎起來，伸手就可以得到這些寶貴的材料。在這種情形之下，我們現在可以談。因爲大家都有這個方便，你們有這些資料，至少圖書館裏面就有完備的資料。所以我希望我們要麼不接觸一種學問，要接觸一種學問，就應當以很大的誠心，花許多精力，研究這些材料。否則從日本人那邊抄一點來，終究是人家的話。我並不是說日本人不好，日本人講佛教史比中國人高明得多，因爲他有那種呆氣，可以花幾十年鑽到經典裏面，變作書蟲；而我們中國人太聰明了，不肯如此。但是抄人家的時候，祇能夠抄到外表，並且日本人儘管從種種方面看起來，善於模倣，善於組織，也可以說是很聰明優秀的民族，但是它在思想上面，可以說個個是笨蛋。從日本立國以來就沒有出過一個獨立自主的思想家，一個眞正的哲學家；文學家它有，藝術家它有，但是眞正的哲學思想家卻沒有。所以它寫的中國學術史，都是歷史事實，其中沒有精神內容，從哲學的智慧上面看起來，它是沒有內容的。

所以這樣一來，我們向日本抄。抄來的是什麼呢？抄來的是歷史，而沒有內容，再加上自己不下苦功。就是說，自己寶藏自己不能發掘出來。因此，我平常在教育方面，常覺得我們的教育走錯了路，對於自己的文化，我們不曉得發掘，都是仰望別人來發掘；而別人則是帶着他的偏見來看這些問題。猶之乎我們研究西方的東西，研究西方的學問就要取得西方人的觀點，否則就構成東方人對西方文化的偏見。譬如說，拿哲學史這一門學問看起來，在十九世紀中葉以前，幾乎所有西方人寫的西洋哲學史都不能看，一直要到古典文字的希臘文、拉丁文在西方第一流大學裏面成爲極好的文字工具，然後讓許多人才分別作專家的研究、學派的研究、斷代史的研究。這樣一來，尤其在德國，關於歷史這一方面，它有那一種細心，那一種耐心，可以把雜亂無章的材料整理出來，成爲完整的系統。然後，西方的文化傳統才掌握在幾個第一流的德國的大學、英國的大學、法國的大學裏面。到了十九世紀末葉，第一流的著作的哲學史才紛紛出現。

在這一種情形之下，我們不細心讀西方第一流的著作，而從日本去抄，這成什麼教育制度？此外，中國記載自己的經典，幾千年都是文言文的，而我們現在從小學起，就從根斬斷了，連到中學也不能夠看普通的文言文，甚至在大學裏面祇有極少數人拿起筆來可以寫。一種文字，自己不能夠動筆，總算是外行。我們中國有自己的精神寶藏在這個地方，自己不曉得發掘，結果還把它拿到外國去，交付外行人拿他的偏見來研究中國文化、來批評中國文化、來誹謗中國文化。在這種情況下，整個中國一年培養好幾千大學生，卻在那裏站在旁邊，讓自己的文化被別人污衊，在那裏瞠目不知所爲。我們可以說，世界上沒有這樣子墮落的民族，將來寫中國史的人，寫到我們這一代，把我們這一代的知識階級不知道會當作什麼樣的批評？是人？還是猴子？

——《中國大乘佛學》頁二五六—二五八

【略述研究華嚴經的心得】

所以從這麼一點上來看，這就證明了我們在翻閱六十卷華嚴、八十卷華嚴或四十華嚴的翻譯本，閱讀一遍之後，就馬上到街上去宣傳，就說對於華嚴經微妙難思的大道理，都已經掌握在我的手裏面了，這是不可能的。相反地，我們在詳細閱讀或研究這些華嚴經的翻譯本之後，還要好好地從信、解、行、證或教、理、行、果這一方面，實際地體驗，至少要費幾十年的工夫。當然這要看你的才能了。倘若你具有很高的才華，也許你獲得了這些書之後，能立即一目十行，一目百行，一目千行，馬上就能領受這種甚深圓頓的微妙道理，並能立即付之實行，那麼也許明天就可以claim to be wholy equal with the Buddha（自命與佛同尊）。但是假使你沒有這一種才華，又沒有這種根器的話，也許要等到一年、十年、百年之後有那個機緣，再去研究；或者僅是在這書上簽個姓名而已！對於華嚴經裏面的道理是不是living truth、（活的眞理），是否必須要在那個精神生活的領域中去證驗出來，仍有待吾人親自去修證、體悟。

不過，或許我們可以這樣說：當你獲得這些書之後，那麼你可以根據傳統佛教所謂的三分法—序分、正宗分、流通分，先從文字這一方面去了解；然後再拿你所了解的道理，以你的生命精神去印證這些文字裏面所記載的道理，用你自己的生命機能去實際體證，使它成爲你自己的精神生命同價值內容：這樣一來，才可以說是不把這些道理當作一個所謂deadening doctrine（死的教義），而是當作living truth（活的眞理），當作一種活的宗教，去信仰、去理解、去行動、去證驗。如此說來，我們對於其他的佛教經典，也是一樣，不僅僅不能把它當作枯燥的文字、死的文字來看，祇要我們能瞭解每部經的序分裏面的大意，對於正宗分裏面所分析的內容，不但都能夠理解，而且更能付之實行，這樣子我們才可以如實地獲得眞正的效果。

——《華嚴宗哲學》（上册）頁八二—八三

【傳燈微言】（節錄）

這個燈，在這每一個燈，都有一個「本體」；而「本體」裏面包藏一個內在的力量可以發生作用，這個作用，就是光明照耀一切的一切。拿華嚴宗的說法，就是說，這一個光明的本體、光明的作用，它內在於它自己；假使自己要沒有這個本體，就不能夠有力量發現這個作用，是一個空白，不能發現這個光明！

而現在，我們證明了每一位都有內在的本體、內在的作用、內在的光明，照耀一切的一切，所以現在大家點了這個燈，你照我，我照你，你照他，他又照他，在這輾轉相照的時候，我們再借華嚴經裏面的說法，這一個本體、這一個作用，也就是這個光明生命的顯現，是自己在自己；而「一」——這個本體、這個作用，又在其他一切的「一」互相貫串起來形成的「一切」，這是「一」在「一切」；同時反轉過來說，那個「一切」，它又是光明的本體、光明的作用，它顯現它的光明的時候，那個「一切」又在「一」。「一」，又在「一」「一」所形成的「一切」，於是最後，一切在一切！這樣一來，產生了這一個光明，在那個地方彼此輾轉增加它的功用，提高它光明的普遍性、永恒性、悠久性、無窮性！

我們在忍受任何痛苦的時候，這一點對我們是一個極大的安慰。所以我就拿這麼一句話當做一個象徵，象徵我們生命內在的意義是在於繼續不斷地顯現光明；我們要拿這個光明，把我們週遭的世界，從黑暗變作莊嚴，然後永久把這個莊嚴的世界，再產生更大的精神之意義，變作莊嚴中間無窮的莊嚴！這一點，是我在此地對大家的一種告慰。我想，我們平常在生命過程中間，有的時候不免有許多困惑，但是假使有這麼一個光明把它自己內在的生命點燃著了之後，我想那些困惑經不起這個光明的力量，可以把它一切黑暗面都給驅散了。

在這麼一種情形之下，我覺得，我的學生假使對這門學問表現熱誠，能夠把他的生命力都貫注在這個地方，那麼我們可以說——用一個西方的名詞，這才眞正是我的 Intellectuallheir（學術上的繼承人）！繼承我的學術生命，不是我親生的子女，而是幾十年來環繞在我週圍，延長我這點點滴滴的學術生命，不斷地同我發生師生關係的這些人；假使沒有這些人，我的生命沒有來源。我幾十年來獲得學生這一方面的——靈感也好，精神上面的幫助也好，慰藉也好，這一點在我個人的生命裏面，實有無比的價值。

——《方東美先生演講集》頁二九一—二九三

一三、哲學與詩

【最偉大的哲學就是最偉大的詩】

假使我們瞭解了這麼一個論點，那麼我們便可以深確認為在世界上眞正會運用文字的人，他一定要把一切在常識上面、科學上面、歷史學上面所記載的事實經驗同具體的情境的這一種所謂depictive language（記述的語言），一定要使它轉變成metaphorical language（隱喩的語言）、symbolic language（符號的語言）、poetical language（詩的語言）、artistical language（藝術的語言）。因此在這一種情況下，倘若我們又能懂得柏拉圖的話，在柏拉圖曾說：把哲學家落到madness（癲狂），對於那個所謂的madness（癲狂），就是指人類在精神上面的genius（天才），要把他落到天才裏面去。然後他便可以從深微的奧妙處去著想，把世界的秘密，追述到一個最高的境界，變做所謂range of ideals（理想的極致），所謂「法相的世界」，而那個法相世界便拿現實世界的任何具體的事實、任何具體的形像或事物，都同它至少間隔了三層。因此在西方的思想領域中，最早談到有關poetical language（詩的語言）、metaphorical language（隱喻的語言）、symbolic language（符號的語言）的就是柏拉圖。而近代在十七世紀的斯賓諾莎幾乎也很相近。十八世紀、十九世紀的黑格爾，在精神現象的轉變方面，最後也都要把它移轉到深微奧妙，變成不可說的秘密境界。同時在現代，譬如像懷德海在他的Mode of Thought（思想的模式）一書裏面，從開始到終了都說Great systems of philosophy are akin to great poetry（最高的哲學與最偉大的詩相契）。

——《華嚴宗哲學》（下册）頁二二三—二二四

【偉大的哲學必須與詩相接】

對於那個最高的精神領域，如果我們純粹從哲學的語言上面去看的話，好像沒有法子把它的一切秘密都表現出來，但是至少我們應該透過哲學智慧的努力，縱使已將一切理性的語言文字都用盡了，還是不能闡述那個最高的精神領域的妙處時，我們還可以透過「文字般若」的技巧，把普通的rational language（理性語言）轉變成爲一個mystified language（神秘化的語言）。這個mystified language（神秘化的語言）就是所謂metaphorical language（隱喻的語言）、poetical language（詩的語言）、symbolic language（象徵的語言）。以這一個觀點來看西方，則從柏拉圖以來，一直到近代懷德海，聖塔雅那Santayana，都說所謂Great religion must be great philosophy, and great philosophy must be akin to great poetry（偉大的宗教必須是偉大的哲學，偉大的哲學又必須是與詩相接），其理由就在此。

——《華嚴宗哲學》（上冊）頁一五三

【最偉大的宗教是最偉大的詩】

再像Catholic Philosophy（天主教哲學）如Santayana，他寫了一本很有名的書叫Interpreation of Poetry and Religion（「釋詩與宗教」）。他所瞭解的religion（宗教），大部分是Christianity（基督教）。他認為Christianity（基督教）從中世紀以後，一直到現在，都是拿一個人的精神生命做象徵，然後窮源究底的說明人類從最初的起點一直到final destiny（最終的命運），在這期間所演成的是一個

poetical drama（詩劇）。依據這個觀點，我們便可以知道，爲什麼Santayana會說：Great religion is great poetry（最偉大的宗教就是最偉大的詩）。

——《華嚴宗哲學》（上册）頁二二四—二二五

【宗教、哲學與詩一脈相通】

懷德海教授說：「哲學與詩境相接。」（註一）桑塔雅那也主張：偉大的宗教境界即是詩之降凡人間。（註二）談到世界各大文化體系，我們就可以看出：宗教、哲學、與詩在精神內涵上是一脈相通的：三者同具崇高性，而必藉生命創造的奇蹟才能宣洩發揮出來。

每一個文化體系都有其主要的決定因素。舉例來說，在希伯萊與伊斯蘭（回教）文化的體系中，宗教決定一切，宗教生活方面之外，其他一律居於次要。在當代歐美地區的世界文化，科學居於主要地位，其他一切都唯科學之馬首是瞻。據我所知，只有希臘文化與中國文化體系是以哲學與藝術爲其主要樞紐。古印度，我應當補充說一句，在文化生活方面是追求一種中道精神（Madhyama-Pratipad）。如此看來，可見一談到詩，各人都大可各有一套不同的說法，端視各人的特殊文化背景而定。

註一、懷德海《思想之諸模式》，一九七三年版，頁一一一—一七。

二、桑塔雅那：《釋詩與宗教》，頁八六—九。

——《生生之德》頁三九四

【詩的定義】

藉着創造的幻想，發爲燦溢的美感，以表現人生的，就是詩。作爲一個詩之定義而言，假若我們僅祇是個唯名論者或素樸的唯實論者，上面所述尙不失爲妥切與恰當，然而，卻由於其中每一個重要的關鍵字眼都含有多重指謂，轉令人惑而不解。「詩」不是件簡單的事，「生命之律動」——無論是指宇宙生命或人類生命而言——亦不是件簡單的事。在詩之眞實性中的生命，或在生之創造性中的詩情，在在都與文化的每一層面，息息攸關。而每一層面在不同的時代，隨着不同的國度，皆有其獨特性。

——《生生之德》頁三九三

【詩之功能在於做人生之大夢】

在這篇「詩與生命」簡短談話結束之前，讓我再引一個故事。不知出自哪位畫家手筆，以中華河山、雄奇壯偉的巉巖絕壁爲背景，畫有一幅老、孔、釋三聖像贊，爲究天人之際諸重大問題，三聖作各有所思狀。對大多數世人而言，此乃一幅畫，且僅祇一幅畫耳；或有想入非非者，謂此乃三聖競道，互爭「眞理王國」之雄長，未知精神領袖畢竟誰屬？（註一）然就兄弟心靈之眼光看來，畫中意境可作如是觀：我們正是據以編織人生之夢的資具。我們也不妨作如是想：——

老子喃喃道：「吾人之所爲者，乃是永恆地追求玄之又玄的玄境」。

孔子曰：「余謂乃是創造生命『生生之德』之顯揚，藉人能弘道，而臻於高明峻極之境。」

佛陀沈吟道：「關鍵存乎自悟，內證聖智，以護持一切衆生、有情無情之眞如法性（眞實存在）於不墜。」

最後，我們不妨略爲修改一下歌德論希臘人的名言（註二），而重新肯定：⑴健全之哲學精神，優美的詩歌藝術，與崇高的宗教情操，三者互徹交融，故詩之功能在於做人生之大夢；⑵惟有詩人本身，無分畛域國別，才能做最美的人生之夢。同時兄弟相信，我們還正在繼續做最好的人生之夢。

註一、借莎士比亞語，以表生命之情調。詳莎劇《暴風雨》。

二、歌德：《箴言與沉思》。

——《生生之德》頁三九九

【詩的語言】

在這樣的一種情況下，假使人類要想把這個不可思議的秘密彰顯出來，就需要具有很高的天才與稟賦。因為只有具有很高的天才者，才能把一切 definite demonstrative language（確定的指示語言）的限制給予看透，然後才能在藝術上面、音樂上面、繪畫上面以及其他的造型藝術上面，引用另外一種 Language（語言）來表達。至於就平常在各種詩歌裏面所講的 metaphorical language（隱喻的語言）、Poetical language（詩的語言），或者在文學裏面、在詩的裏面、在其他樂府裏面，又是另外成立一種語言文字。其實這種文字是什麼呢？倘若你會作詩的話，就曉得在詩裏面的文字是一種有 Poetical language（詩的語言），尤其在中國的文學領域裏面，談詩有賦、比、興三體，將更可以看出來對於賦體所用的文字，就像一般經驗科學上面，把一切文字記載的對象，都變成經驗、都變成事實，然後你可以指證、可以經驗、可以證明、也可以否定。

——《華嚴宗哲學》（上册）頁二二

【無言相對最魂銷的比體詩】

但是假使我們說一切作詩的人，都只會用這一種賦體的文字，那麼這些作詩的人一定很笨。譬如說他若愛一個人，而僅僅會對那個人說：I love you only.（我愛的只有你），這不是最笨的人嗎？可是倘若是中國的詩人，他可以一句話不說，而帶着他所喜愛的人，到風景優美的地方去欣賞大自然，到人海邊、高山上，甚至於自己一個人在那裏想像着自己到達雲層霧陣裏面去。他可以在那個地方一句話都不說，用中國詩人所慣用的話來說，就是「無言相對最魂銷」。假使要說的話，就要像中國的大詩人阮籍，或者像屈原，他們句句都是形容「美人香草」。換句話說，他們所作的詩是「比」體詩，他並不要對他所愛的人送一朵花，他只要用這一朵花裏面的芬芳，就可以襯托出他的情緒，使得他所愛的人在eloquence of atmosphere「氣氛的妙言」裏面，去體會那一種無窮的精神之美。所以假使我們讀了屈原的楚辭，就會發現他所稱謂的香草、美人，都是「比體」，他處處以讚誦美人、香草的芬芳，來比方那眞正高尚的精神人格的優美心靈的狀態，這就是比體。

——《華嚴宗哲學》（上册）頁二二二

【言在於此意盡於彼的興體詩】

另外再有所謂的「興體」詩，對於「興」體，我們可以說一些平凡無奇的大多數較笨的詩人，他們作的詩都是屬於depictive poems（賦體詩），也就是說，他們或者講歷史的事實，或者講人生的具體經驗，或者講世界上面的現實狀態，是「言有盡而意也有盡」。但是對於一位最善於作詩的人，他們不作具體的詩，而是透過「比興」體的詩，譬如會「忽然談天，又忽然說地」，你或許不曉得他在說些什麼東西。他透過創造的語言，而雖然是「言在於此，意盡於彼」，就是「興」體詩的一般敍述法。雖然是採用人間世的ordinary language（普通語言），但是經由他所烘托出來的境界，完全不限於現實世界，也不限於現實的人間世。他可以烘托出一個最高尚、最深刻、最幽遠、最芬芳的意境。雖然我們目前是生活在這個物質世界上面，但是假使我們能對身心給予適當的修證冥想，那麼我們的心靈便可以超昇到精神的極樂天國裏面去。因此倘若我們要是不懂得這一類「言在於此，意盡於彼」的「比興」體的作法的話，那麼我們可以說，你不但對世界第一流大文學家的著作不能懂，就是唐宋時代的一切詩詞，對你來說，也都會變成死文字。因爲詩詞的妙處就在於「言在於此，意盡於彼」。所以在詩詞裏面，它可能用一兩句話，把題目點了出來之後，他的精神可能就會飛越到九霄雲外去了，到達像莊子所謂的「寥天一」的那一種精神自由的境界。然後在那個地方，「忽然而天、忽然而地」，你不曉得他在說些什麼東西。但是在詩人的心靈裏面，他所說的每一種境界，都是最高妙、最神奇、最不可思議的精神享受。

——《華嚴宗哲學》(上册)頁二二二—二二三

【生命之禮贊——儒家之大合唱】

中國詩人，從遠古迄今日，都有點像「神仙救星」之突然現身希臘戲劇舞臺一般，漸次形成不同之心靈型態，而不禁要齊聲高歌，合唱「生命之禮贊」(Hymn to Joy)。

行神如空，行氣如虹。

巫峽千尋，走雲連風。

飲眞茹强，蓄素守中。

喻彼行健，是謂存雄。

天地與立，神化攸同。

期之以實，御之以終。（詩品：勁健）

這是儒家之大合唱。亙古以來，過去無數的中國詩人，如陶淵明、杜甫……等，在儒家人生智慧的薰陶下，都受到此種樂易愉悅精神之鼓舞與激揚，要德配天地，妙贊化育，與天地參，使一切人等，無論從事何種事業，皆能充份享受精神意義之盎然充滿，使人人皆能「充其量、盡其類」得到充份的盡性發展。儒家推己及物，發揮無限的仁愛與同情，普及一切眾生與存在，視萬物一體同仁，分享神聖生命中之共同福祉。惟其如此，他們才能將一己小我之知能才性，與在時間化育歷程中創進不息、生生不已之宇宙生命，互攝交融，而與天地參矣。此種對「生」之虔敬尊重之情，乃是一切中國詩人的會通處，而生命之本身即是陽剛勁健，充實爲美。

——《生生之德》頁三九六—三九七

【道家之大合唱】

大用外腓，眞體內充。
返虛入渾，積健爲雄。
具備萬物，橫絕太空。
荒荒油雲，寥寥長風。
超以象外，得其環中。
持之匪强，來之無窮。（詩品：雄渾）

我管這叫做道家之大合唱。中國詩人，老莊以降，如屈原、曹植、阮籍、李白等，屬之，道家以人間世的一切都是枉然。其優美的靈魂乃遺世獨立，飄然高舉，致於宇宙晶天之「寥天一」高處，再超然觀照人間世之悲歡離合，辛酸苦楚，以及千種萬種迷迷惘惘之情，於是悠然感嘆芸芸衆生之上下浮沈，流蕩於愚昧與黠慧、妄念與眞理、表相與本體之間，而不能自拔，終亦永遠難期更進一步，上達圓滿、眞理、眞實之勝境。高超的詩人，內合於道，提其神於太虛，再回降到熙熙攘攘的人間濁世，冀齊昇萬物，致力於精神自由之靈臺。臻此勝境，飽受種種悲歡離合、辛酸苦楚等束縛之人生始能得救。

——《生生之德》頁三九七—三九八

【大乘佛家之大合唱】

若納水輨，如轉丸珠。
夫豈可道，假體遺愚。
荒荒坤軸，悠悠天樞。
載要其端，載同其符。
超超神明，返返冥無。
來往千載，是之謂乎？

×　×

畸人乘眞，手把芙蓉。
泛彼浩劫，窅然空蹤。（詩品：流動、高古）

這是大乘佛家之大合唱。生即是苦！在竹幕、鐵幕內外，即使爲了但求生存，已足夠是苦，雖詩人亦不例外。智慧（菩提）要求我們投身到生死海之煩惱界中，找一個高尙目標，爲之奮鬥，勇猛精進，大雄無畏。透過創造幻想之縱橫馳騁，憑藉自我修爲之解脫剗乘，我們可以渡過時間生滅界的生死海，而直達彼岸。經過千辛萬苦而得之匪易的「自悟」（內證聖智），一旦獲致，慧炬長昭，指向前途一片法喜圓滿的極樂世界。在時間生滅變化之歷程中所長期忍受的悲劇感，到此境界，即爲永恆之極樂所替代。詩人之慧眼，幫助我們超脫渡過種種現實中卑陋存在之藩籬，而開拓精神解放之新天地——（證大自在、大解脫）。不但對古希臘詩人，而且對今天其他一切詩人而言，人生悲劇之終幕都應當是精神勝利之凱旋。

——《生生之德》頁三九八—三九九

一四、堅白精舍詩選

【元宵詠梅（民國六十三年）】

浩渺晶瑩造化新，無雲無霰亦無塵。
一心璀璨花千樹，六合飄香天地春。

——《堅白精舍詩集》頁四八五

【次魯實先朱梅四絕韻】

赫奕檀心吐古紅，催詩宜雅亦宜風。
揄揚國命臻無極，元氣淋漓大化中。

神根天受自高華，五百年來玉樹花。

活態生香能壽世，似梅人格屬吾家。
妙道無封出太初，深根寧極證冲虛。
紅情縹緲綿天地，散影傳神入綺疏。
容顏玉潔更冰清，指似天人意氣盈。
一笑嫣然春奪魄，萬花羞落澤山平。

——《堅白精舍詩集》頁三四四

【撰英文中國人生哲學書成漫題】

殊語傳深意，終然是夏聲。
八紘申一指，萬類趣全生。
大德新新運，危心局局平。
艱難存懿迹，激濁爲揚清。

——《堅白精舍詩集》頁四二八

【調笑令（譯詞，莎士比亞原作）】

生命！生命！譎幻真如優孟！狂情熱意當前，無端化入冥煙。煙冥，煙冥，杳渺空虛難詞。

——《堅白精舍詩集》頁二四

【酣情（譯詩，艾斯奇樂士Aeschylus原作）】

生命甘如飴，緜延復滋蔓，
安詳而妥帖，不雜憂與恨；
蘊藉好精神，清新且雄健，
妙曼恣歡樂，勝情長如願。

——《堅白精舍詩集》頁二一

【立馬長城遇暴風雨追思往事之作】

狂情劍氣衝，匹馬過居庸。
山挾遊龍勢，雲奔猛虎蹤。
騰雷鬪怪壑，驟雨壓奇峰。
矗立高墉上，心如萬古松。

——《堅白精舍詩集》頁四〇

【山中默坐】

深山坐晼晚，淚寄百重泉。
霧黪花心破，崖危竹腹堅。
意身懷舊國，法眼看玄天。
但作孤松隱，貞姿聳萬千。

——《堅白精舍詩集》頁六四

【夢】

連宵夢構兩奇境，前已成一玄學系統，昨又搠建新理想國　二十八年三月六日

化蝶心情也自由，熙然依舊妙莊周。

搜玄更入華胥境，夜夜如斯不白頭。

——《堅白精舍詩集》頁七五

【讀易】

定位揮元氣，流形合大和。

風雲升降理，日月去來波。

博化行天健，旁通載物多。

括囊裒易簡，三極自包羅。

——《堅白精舍詩集》頁二〇二

【美感】

長對花魂滋美感，更將美豔當花看。
絪緼天地饒芳思，詞境詩心著處寬。

——《堅白精舍詩集》頁四一七

【春思】

花事闌珊春已歸，萬般姿媚入幽微。
留芳與我騰空想，寄與怡人有化機。
寂歷苑庭盈蝶夢，巍峨岩石凝朝暉。
古今生意如流轉，夏至冬來願不違。

——《堅白精舍詩集》頁四八九

【天竺詩哲泰戈爾挽詞三首（代中國哲學會）】

東方道種智，證得依林藪。園丁新月夜，玄覽淨群有。
歸神託性天，博大眞人後。燦爛死中生，發心獅子吼。
逝者全其天，榮名長不朽。生人緜博愛，萬古以爲壽。

——《堅白精舍詩集》頁二三二—二三三

【松　辛巳人日遊山作】

青松老更狂，勁節一身藏。
雪澡龍筋瘦，風培鶴骨昂。
貞心常傲古，耿性自凝香。
春色來天地，掀髯看世妝。

——《堅白精舍詩集》頁二〇九

【病中示問疾者並謝親友盛意】

衆生未病吾斯病，我病衆生病亦痊；
病病惟因眞不病，重玄妙法治天然。
自註：⑴未病者病，而不知其病也。
⑵天然謂天與自然。

——《堅白精舍詩集》頁四九〇

【病榻遺作兩首】

我自空中來，還向空中去。
空空何所有，住心亦無處。
狂邪趨智慧，所得只狂邪。

心性融萬類，安得落一邊。
主體不自覺，所覺墮客田。
主客不相即，邊見證狂邪。

——《堅白精舍詩集》頁四九二

【夢登獨秀峰（最後遺作）】

獨尊分與群山峻，八面清風腳底來。
爲問人間千萬士，可曾作意與余偕。

——《堅白精舍詩集》頁四九三

附　錄

方東美先生傳略

方東美先生（一八九九—一九七七），原名珣，安徽桐城人，爲桐城望族方氏之後。畢生治學博大精深，不僅學貫古今，而且旁通中外，堪稱中國當代哲學界最爲博學之大師。

先生自幼聰慧，三歲可誦詩經，及長熟讀各家經典。金陵大學畢業後赴美深造，先入威斯康辛大學，以柏格森哲學之研究獲碩士學位，旋赴俄亥俄州立大學專研黑格爾，後再返威斯康辛大學，於一九二四年完成哲學博士學位，論文題目爲「當代英美實在論之比較研究」。是年返國後，即先後於武昌高等師範學校（後稱武昌大學）、東南大學、中央政治學校（政大前身）、中央大學等校執教，其中以中央大學執教最久，並曾擔任哲學系主任與研究所所長，另曾創立「中國哲學會」，爲首任主席。民國卅六年來台後即在台大哲學系任教，並曾擔任首任系主任，民國六十二年自台大退休，旋應邀在輔仁大學擔任講座，民國六十六年七月十三日因癌症病逝台北，享年七十九歲。

先生一生執教五十餘年，桃李滿天下，除中英文造詣精深外，亦精通德文、梵文、拉丁文、與希臘文，其語言文字功力之深厚，亦爲當代中國哲學界之冠。來台後曾經數度應邀赴美講學，前後在南達庫塔大學、米蘇里大學、密西根州立大學等處任教，並曾多次代表國家參加美國東西哲學家會議，歷次論文均深受推崇，咸認爲係眞正一代大哲，而其英文之優美尤令國際學者驚佩。六〇年代先生且曾應美國國務院之邀，在全美各大學以及電視台巡迴講述中國哲學，每到一處均造成轟動，極富國際聲望。

先生自早年起即致力於學貫中西，《哲學三慧》一文即以會通中、西、印爲宗旨，全篇因言簡意賅而更見功力，《科學哲學與人生》一書更係融貫科學與哲學，圓融無礙，出入自如。抗戰前夕曾應教育部之邀，透過中央電台而與全國青年傾談「中國人生哲學」，從根本人心處振奮士氣，聞者咸認足可媲美費希特之「告德意志民族書」。來台之後爲宣揚中國哲學於國際，更以典雅流暢之英文撰寫《中國人生哲學》（The Chinese View of Life）、《生生之德》（Creativity in Man and Nature）等書，晚年再以嘔心瀝血之苦功，傾十二年時間，發憤完成《中國哲學之精神及其發展》（Chinese Philosophy:Its Spirit and Its Development）一鉅著，全書縱論數千年來中國各期哲學之生命精神，堪稱劃時代之里程碑，更爲中國哲學見重於國際學術界之不朽經典。

先生除哲學造詣博大精深外，文學造詣同樣深厚，詩詞意境尤高，一生共遺詩詞上千首，身後由弟子彙編成《堅白精舍詩集》，「堅白」二字爲先生自取，引自孔子「不曰堅乎，磨而不磷，不曰白乎，涅而不緇」，充分可見心志，字裡行間更處處可見一代大哲之慧心與悲願。

先生宣揚中國哲學乃以「廣大和諧」爲中心思想，注重融通，識其大者，而不受任一學派所拘限。嘗自謂其家學淵源爲儒家傳統，而生命情調爲道家思想，方法訓練來自西方哲學，而宗教情操則來自佛學思想。其氣魄之大，亦爲當代哲學界所罕見。先生對西洋哲學家最欣賞懷德海之機體主義，晚年對相近之華嚴宗哲學尤多闡發，對於儒家的生生之德，以及道家之詩藝化境，亦莫不發揮得淋漓盡緻，飽滿無憾。所有講學著述，身後均由弟子們編纂成《方東美先生全集》，中英文共約五百萬言，實爲我國學術文化界之不朽寶藏。

先生一生未涉獵實際政治，然愛國之情有如火熱，終身不渝，講學每至慷慨激昂處常聲淚俱下。早年嘗參加「少年中國學會」，爲發起人之一，並曾擔任刊物主編，後矢志以學術報國，以其先天才華之高，復以後天苦功之深，終能爲民族慧命開創燦爛之異彩。識者曾比喻先生爲「今之陽明」，誠然不虛，然若觀乎先生對西洋哲學瞭解之博，以及對外文能力造詣之深，則顯然又超過陽明先生許多。先生所有中英文著作，莫不以發揚中國文化爲己任。

方夫人高芙初女士亦爲台大教授，畢生從事外語教學，春風化雨數十載，與先生伉儷情深，五十年如一日，育有三子，皆獲博士學位，另有一女，獲碩士學位，均有所成。先生各時期的弟子如今遍佈海內外，更爲先生哲學慧命之薪傳者。「哲人日已遠，典型在夙昔」，先生不論在學術思想上或精神人格上，都爲後人留下了一個永值欽佩與效法的典範！

（馮滬祥博士恭撰）

方東美先生著作要目

一、中國人生哲學概要（先知）
二、中國人的人生觀（幼獅）
三、科學哲學與人生（虹橋）
四、生生之德（黎明）
五、方東美先生演講集（黎明）
六、原始儒家道家哲學（黎明）
七、新儒家哲學十八講（黎明）
八、哲學三慧（三民）
九、中國哲學之精神及其發展（上）（成均）
一〇、中國大乘佛學（黎明）
一一、華嚴宗哲學（黎明）
一二、堅白精舍詩集（黎明）

一三、Chinese Philosophy: Its Spirit and Its Development（聯經）
一四、The Chinese View of Life（聯經）
一五、Creativity in Man and Nature（聯經）

編後記

我不是方東美先生的學生，我只是他的私淑弟子，我不以哲學為專業，我只是哲學的愛好者，為什麼我要編輯此書呢？

民國六十六年（一九七七）方先生逝世後，我才接觸到他的著作。初讀《中國人生哲學概要》、《科學哲學與人生》，愛不釋手，於是進而研讀他的全部遺著，樂此不疲。我平日讀書喜作箚記。前幾年我研究美學時，發現《東美全集》中有關美學的言論甚多，而且名言高論隨處皆是，隨手摘錄竟達七十餘則，查考參閱，頗感便利，因而引起我摘錄全集嘉言的動機。於是窮一年之力，研讀、摘錄、分類、彙編，一再精簡，始成此書。

用嘉言方式，將全集精華摘出，予以分類彙編，雖不免有支離之感，但是披沙揀金、開門見山，使讀者於極短時間內領略其要言、名言、及結論，省去檢閱全集之煩，是其優點。

對一般讀者而言，我要在此補充說明幾點，因為這是全集中所未載的。第一是方先生的學術成就，第二是方先生的治學秘訣，第三是方先生的處世嘉言。

方先生的學術成就，可用《東美紀念亭碑銘》中的一段文字來概括：「先生之學，主旨在發揚中華文化慧命，貫穿今古，統攝百家，而歸本於大易生生之德。其於儒家則顯揚聖賢氣象，揭櫫中和創造之生命精神；於道家則贊明其詩藝化境，宣暢高瞻遠矚之生命氣魄；於墨、佛諸家則直透其苦行慧心，啓迪悲智雙修之生命境界；其於西方哲學，則遠溯古希臘，對近代各宗派之長短得失，無不疏通博照，批評融攝，要皆以生命哲學爲依歸。」

方先生治學成功的四大秘訣，據其高足孫智燊先生分析指出：第一、善能站在一切前人的肩胛上；第二、善能運用莊子所謂的「遊刃得間」；第三、善能同情瞭解前人思想之價値；第四、善能勘破前人學說的缺陷，而予以改造宏建之。

至於方先生的處世嘉言，限於篇幅，僅錄兩則如下：

〔精神超脫解放，尙友古人，遠懷來者〕

「歷來有幹才及思想之人，應自分不屬於其所處之鄙陋時代，然後在精神上乃能超脫解放，尙友古人，及遠懷來者，方能領會生活樂趣。愼勿爲一時一地之處境所苦也。大乘人富有智慧者不僅要出世，須是更臻上乘境界，作出出世想，始能與菩提相應也。明哲之士，寄居人間世，往往有三關難得透過：一爲色關；二爲名關；三爲權力慾關。此三關如竟不能透過，所謂精神自由，自我解放，便是虛妄名言，隨便說說而已。」（見孫智燊作：《沉靜中之追憶》）

（把全部生命投進去）

「我對任何事，不接受做則已，一旦決定接受去做，我是要把全部生命都投進去的！我教書教了五十多年，每次上課之前，我從來沒有一次不是充分備課，準備好的。頭一天絕不見客，在家裏專心備課。」（見孫智燊作：《詩與生命》譯後記）

最後，本書編排如有欠妥之處，敬請讀者惠予指正。本書之得以出版，應感謝張肇祺教授、傅佩榮教授之鼓勵推薦，及文史哲出版社之概允印行，編者謹致無上敬意。

李煥明中華民國八十一年公元一九九二年八月記於台北一漚齋